박 경 아 선생님

12/11/2009

황홀한
글감옥

황홀한 글감옥

조정래 작가 생활 사십 년 자전 에세이

시사IN북
Books

작은 디딤돌이거나……

올해로 문학 인생 40년이 되었다. 1970년에 등단할 때 오늘이 이다지도 빨리 올 줄은 상상도 하지 못했다. 누구나 지나간 세월을 돌이킬 때면 '아, 벌써' 하는 감상에 젖는다. 무정하게 흘러가버린 세월과, 뜻한 대로 이루지 못한 삶에 대한 아쉬움 때문이리라. 글을 쓰며 사는 삶도 예외일 수 있으랴.

지난 20여 년 동안 꽤 많은 강연을 해왔다. 그때마다 독자(청중)가 아쉬워했던 것이 질문 시간 부족이었다. 많은 사람이 손을 들어도 선택되는 사람은 서넛에서 네댓에 불과하니까. 어떤 독자들은 편지를 해오지만 거기에 일일이 답장을 쓰기도 어려웠다. 세 편에 걸친 긴 소설에 대한 독자의 궁금증은 많고, 그것을 속 시원히 풀어주지 못하는 것은 늘 미안한 짐으로 남았다.

그리고 또 내 마음에 남아 쉽게 지워지지 않는 질문 하나가 있었다. '자전 소설은 언제쯤 쓸 생각이냐.' '왜 자전 소설은 쓰지 않느냐.'

그런 내 심중을 들여다보기라도 한 듯 몇 년 전부터 몇몇 출판사에서 그런 문제들을 전체적으로 풀 수 있는 책을 내는 게 어떻겠느냐는 제의를 하고는 했었다. 그러나 새 작품을 쓸 일이 더 바빠 시간을 낼 수가 없었다. 또한 그런 글을 쓰기에 적당한 시기가 아닌 것 같기도 했던 것이다.

그런데 참언론을 위해 어깨동무하고 나선 사람들이 만들어내는《시사IN》에서 출판사를 차렸다는 것이다. 그분들의 일에 작은 보탬이나마 될 수 있기를 바라며 한여름 더위를 무릅쓰기로 작정하고 펜을 들었다. 주로 대학생을 중심으로 한《시사IN》인턴기자 희망자들이 나에게 보낸 질문은 5백여 가지였다. 그중에서 겹치는 것은 빼고, 작가와 작품을 이해하는 데 중요한 것을 간추린 것이 이 책에 수록된 84가지다. 이 육성의 질문들은 모든 독자의 궁금증을 푸는 데 그런 대로 역할을 하지 않을까 싶다.

그 84가지 질문은 대충 세 가지로 구분할 수 있다. 문학론·작품론·인생론. 읽어나가다 보면 독자들은 자연스럽게 그 구분을 할 수 있게 될 것이다. 그 응답들을 형식을 달리한 나의 자전 소설로 읽어도 무방하지 않을까 싶다.

한 가지 욕심을 부리자면, 이 글이 앞으로 문학의 길을 가고자 하는 젊은이나 삶의 길벗을 찾는 젊은이들에게 작은 디딤돌이 되거나 미약하나마 한줄기 빛이 될 수 있다면 더 바랄 것이 없겠다. 미지의 그들에게 다소나마 도움이 될 수 있다면 나의 문학 인생 40년은 새롭게 뜻 깊어질 것이다.

2009년 8월 31일
조정래

황홀한 글감옥 —— 차례

것은 머 앉으며 입장에서

소설가의 것은, 아닙니다.

답이 없는 것은, 인생은 인생이 지

설이지요, 이건 그럴듯해 보이

하는 것처럼 대답을 ... 합니다.

... 알는 대답인 ... 진하하는

그건 무성의하게 ... 태도일 수는

정답가의 그건 식의 ... 응대는

그만큼 있건 애니 ... 대한 ...

... 세상 수준, 즉 ...들이 같이

소설은 무엇인가 하는 ...

인생 ...

문학의 길을 가고자 하는 젊은이나

삶의 길벗을 찾는 젊은이들에게

『태백산맥』『아리랑』『한강』 원고의 동산. 5만 장이 넘는다.
가운데는 작가의 손자.

● 선생님의 대하소설 3부작을 모두 각각 두서너 번씩 숙독한 독자입니다. 저마다의 모습으로 질곡의 시대를 살아가는 인물들의 모습만큼이나 마치 화면을 보고 있는 것처럼 치밀한 배경 묘사도 인상적이었습니다. 그 험난하고 처절한 민족의 역사를 다룬 문학과 역사의 상관관계는 어떤 것인지요?

남지원 • 연세대 사회학과

아, 그 긴 32권의 소설을 두서너 번씩 읽다니, 믿기가 어려울 정돕니다. 수고 많이 하셨습니다. 고맙습니다. 이 세상 모든 작가의 가장 큰 보람과 행복은 귀하와 같은 열독자를 갖는 것입니다. 그러나 한편으론 미안합니다. 그 긴 소설들을 여러 번 읽느라고 당신의 귀한 인생을 많이 소진케 했으니. 그런데 언젠가는 『태백산맥』을 열세 번이나 읽었다는 독자를 만난 적도 있습니다. 하지만 정작 저는 한 번도 통독을 하지 못했습니다. 왜냐하면 세 가지 소설을 쉬지 않고 계속 쓴 데다가, 다시 읽어보려고 책을 펼치니 글을 쓸 때의 그 끔찍스러운 고통이 되살아나 그만 책을 덮고 말았기 때문입니다. 또한, 새로운 작품을 쓰기 위해 그 세 작품에 휘감겨 있는 의식의 관성에서 벗어나고 싶은 반작용도 있었습니다.

귀하의 질문은 많은 독자가 공통으로 가진 질문이기도 합니다. 먼저 문학, 즉 소설이란 무엇인가 하는 물음에서부터 응답을 찾아야 되겠군요. 소설이란 무엇인가? 그것은 인생이란 무엇인가 하는 물음에

답하기 어려운 것과 같습니다. 인생이 무엇인지 답을 찾으려고 수천 년 동안 방황했던 것이 철학자들입니다. 그러나 그 답은 명료해지지 않았고, 그 방황은 앞으로도 그저 계속될 것입니다. 그만큼 인생은 불가사의하고 애매모호하고 알쏭달쏭한 것입니다. 그래서 철학책은 읽으면 읽을수록 인생은 더 복잡난해해지고, 잠이나 오게 하는 수면제 역할을 할 수밖에 없었던 것입니다.

문학 그리고 소설에 대한 응답도 그와 다르지 않았습니다. 이 세상의 수많은 문학도를 비롯한 교양인은 그 질문에 대한 답을 속 시원히 듣기를 원했습니다. 그래서 문학평론가들은 그 나름으로 정성을 바쳐 여러 가지 책을 써냈습니다. 그러나 철학책이 그랬듯이 문학평론집도 문학이며 소설이 무엇인지 그 답을 수학 공식 풀듯 선명하고 명확하게 내놓지 못했습니다.

소설은 인간에 대한 총체적 탐구

소설을 써갈수록, 독자가 많이 생길수록 '소설은 무엇입니까' 하는 질문을 자주 받게 되었습니다. 제가 문학청년일 때 그랬던 것처럼 독자들이 그 질문을 하게 되는 건 너무 당연하고 자연스러운 일입니다. 그런데 전문적으로 소설을 쓴다는 사람이 그 답을 갖고 있지 못하다는 것은 미안하고 민망한 일입니다. 아니, 소설가의 입장에서 딱 어울리는 답이 없는 것은 아닙니다. '소설은 소설이지요.' 이건 '인생은 인생이지요' 하는 것처럼 꽤나 그럴듯해 보이고 매력 있는 대답인 듯도 합니다. 그러나 그건 무성의하게 젠체하는 것일 뿐 전문가의 바른 태도일 수는 없습니다. 가끔 그런 식의 응대를 하며 교만을 부리는 사람들이 없지는 않습니다. 하지만 마음을 써서 답을 구하려 하면 답이 없는 것이 아닙니다. 저는 글쓰기를 거듭하면서 제 나름으로 그 답을 정리했습니다.

'소설은 인간에 대한 총체적 탐구다.' 그 인식에 필연적으로 뒤따르는 것이 '역사는 무엇인가?' 하는 질문이었습니다. 왜냐하면 인간이 살아가는 이야기가 역사라는 이름으로 기록되기 때문이었습니다. 그런데 역사의 정의에 대해서도 수많은 책이 대동소이한 말들을 복잡하고 어지럽게 엮어놓고 있습니다. 그 혼란한 장광설들은 단순명료한 답을 원하는 일반인의 요구를 풀어줄 수 없었습니다. 그래서 저는 역사도 제 나름으로 정리하고자 했습니다.

'역사는 인간이 살아온 이야기이되, 기록해야 할 필요가 있는 것만 간추려 엮어놓은 기록이다.'

문학은 역사를 포괄한다

이 두 가지 정리의 핵심은 '총체적인 탐구'와 '간추려진 기록'입니다. 그중에서 어떤 것이 더 포괄적이고 범위가 넓습니까. 더 말할 것 없이 소설이지요. 그러므로 이런 등식이 성립하게 됩니다.

'작가는 역사를 몰라서는 작품을 쓸 수 없지만, 역사가는 문학을 몰라도 역사 연구를 할 수 있다.'

저의 이런 논리에 대해서 동의하지 않는 작가가 얼마든지 있을 수 있습니다. 어떤 종류의 소설을 쓰든 그건 작가 개개인의 자유이듯이 그 인식 또한 각자 마음대로 할 수 있습니다. 그런데 세계적인 명작으로 평가되어 고전으로 남은 작품의 90퍼센트가 역사를 바탕으로 합니다. 그리고 외국의 어느 평론가는 말했습니다. "역사를 포괄하지 않고는 대작을 탄생시킬 수 없다."

제가 『태백산맥』 4부를 시작할 즈음이었습니다. 유 아무개 후배 작가가 제 사무실을 찾아왔습니다. 그때 저는 《한국문학》 주간을 하고 있었습니다. 그는 낮술에 거나하게 취해 있었습니다.

"조 선배, 선배님 식으로 작품을 쓰는 게 다는 아니잖아요!"

그가 소파에 앉자마자 쏟아낸 말이었습니다.

저는 당황했습니다. 그러나 다음 순간 그의 내심을 이해해야 한다고 생각했습니다. 첫째, 그는 야들야들한 연애 이야기를 즐겨 쓰는 작가였습니다. 둘째, 내성적이고 소심한 것으로 알려진 그가 불쑥 찾아와 그런 말을 토해내게 된 정황이 짐작되었습니다. 그는 몇몇 문인과 낮술을 마시며 『태백산맥』을 안주 삼았고, 그 술자리 기분을 미처 소화시키지 못하고 저를 찾아와 마땅찮은 감정을 드러낸 것이었습니다.

그 당시 『태백산맥』이 한 부(部)씩 단행본으로 출간되면서 그 반응이 저와 출판사의 예상을 훨씬 뛰어넘는 상황이 벌어졌습니다. 그러자 작가들의 관심도 『태백산맥』으로 쏠리게 되었습니다. 그 관심이 긍정과 부정으로 나뉘고, '질시가 창작의 원동력'인 작가들이 『태백산맥』을 얼마나 술자리 안주감으로 삼고 있는지 저는 대충 알고 있었습니다.

이상하게도 저는 문학청년 시절부터 소설은 연애 이야기나 쓰는 것이어서는 안 된다고 생각하고 있었습니다. 젊어서부터 그런 생각을 가지고 있었으니 그 소설이 어찌 되었겠습니까. 보나마나 괴로운 역사의 고통스러운 이야기, 고달픈 삶의 무거운 이야기, 이런 쪽으로 흘러가지 않았겠습니까. 꽤나 많은 사람이 소설이란 달콤하고 얄팍한 사랑 이야기를 쓰는 것이라고 생각하는데, 그건 좀 곤란한 편견입니다. 소설이 재미있는 오락거리이고 흥미로운 잡다한 이야기일 수 있는 것은 소설의 여러 가지 기능 중 극히 일부일 뿐입니다. 소설은 1회용 반창고가 아닙니다. 그 이유는 '문자의 기능'을 재점검하면 풀립니다. 그 얘기는 뒤에서 따로 하겠습니다.

◉ 선생님의 『태백산맥』『아리랑』『한강』을 통해 민족의 수난과 고통 그리고 아픔과 슬픔을 새롭게 느끼며 우리 모두가 민족적 존재라는 자각과 민족 역사에 대한 주인의식을 갖게 됩니다. 그런 소설을 쓰는 동안 선생님은 민족 분단이 야기한 좌우 이념 대립으로 표현의 자유를 억압당하고, 수사기관에 끌려 다녀야 하는 수난을 겪기도 하셨습니다. 선생님, 문학과 민족은 어떤 관계를 갖는 것입니까?

최유진 · 덕성여대 사회학과

◉ 예, 중요한 질문입니다. 결론부터 말씀드리자면 그 대답은 이렇습니다.

'이 세상에 있는 모든 작품은 그 작품을 있게 한 모국어의 자식들이다.'

다른 예술이 아니라 '문학 작품'은 모국어가 없으면 탄생할 수가 없습니다. 그러므로 모든 문학 작품은 자연히 그 모국어를 함께 사용하는 사람들의 이야기를 쓰게 되고, 쓸 수밖에 없습니다. '그 모국어를 함께 사용하는 사람들', 그들은 누구입니까. 바로 같은 민족입니다.

가장 상식적이고 보편적인 민족에 대한 정의는 무엇입니까. 언어·풍속·습관이 같고, 통일된 한 나라를 이루는 큰 무리, 그것이 민족입니다. 그 공통점의 맨 앞에 서는 것이 '언어' 아닙니까. 그러니까 문학과 민족은 떼려야 뗄 수 없는 관계를 맺고 있는 것입니다.

가장 민족적인 것이 가장 세계적이다

미술과 음악에 비해 문학이 민족적인 색채가 훨씬 강한 것도 언어를 그 매개체로 하기 때문입니다. 미술이 선과 색과의 싸움이라면, 음악은 음률과의 싸움이고, 문학은 언어와의 싸움입니다. 그런데 선과색, 음률에 비해서 언어는 인간의 감정과 느낌과 생각을 표현하는 데 있어서 훨씬 더 구체적이고 직접적이고 적극적 효과를 발휘합니다. 그러므로 문학은 한 민족의 정서와 전통과 특성도 미술과 음악에 비해 한층 더 효과적으로 표현해낼 수 있습니다.

우리가 한 민족의 고유한 특성이나 문화 전반을 폭넓게 이해하기 위해서 미술이나 음악보다 먼저 문학 작품을 택하는 것도 그 까닭입니다. 어느 민족이나 어떤 나라를 이해하는 데 있어서 소설은 역사책보다 한결 더 효과적일 수도 있습니다. 역사책이란 대부분 정치사에 치중한 건조한 기록일 뿐이지만, 소설은 전통·정서·풍속·습관 등이 다채롭게 펼쳐지면서 감동까지 주기 때문입니다. 감동은 예술 특유의 생명력인 동시에 마력적인 힘입니다. 그 힘은 우리 영혼에 오래오래 남아 삶을 의미 깊게 하는 효과를 발휘합니다.

우리는『바람과 함께 사라지다』를 통해서 남북전쟁의 시대와 더불어 흑인 노예의 삶을 포괄하는 미국을 이해하게 됩니다.『고요한 돈강』을 읽으면서는 오래된 역사가 무너지고 새 역사가 잉태되는 러시아의 격랑 시대와 함께 거대한 대륙에 뿌리내린 코사크 족의 삶에 깊게 동감하게 됩니다.『레 미제라블』에 젖어들면서는 예술의 나라 프랑스가 인간성 옹호를 위해서 얼마나 치열하게 살았는가를 보게 되고, 프랑스의 예술은 정치와 마찬가지로 인간을 위한 혁명이라는 것을 깨닫게 됩니다.

이렇듯 세계적인 고전의 반열에 오른 명작 거의가 그 민족과 그 땅의 삶을 총체적으로 그려내고 있습니다. 그런데 그 작품들이 그들 민족만이 아닌 전 인류적 공감과 감동을 얻는 것은 무슨 까닭일까요. 그 작품들은 자기네 민족에 국한하지 않고 전 인류의 이상과 행복, 인간다운 삶의 가치를 옹호하고 구현하는 보편적 미덕을 최소공배수와 최대공약수로 갖추고 있기 때문입니다. 그래서 '가장 민족적인 것이 가장 세계적'이라는 문학론이 고전적 정설로 자리 잡게 된 것입니다.

모국어에 은혜 갚기

모든 작가는 자기네 민족의 다양한 삶만을 쓰는 것이 아닙니다. 작가는 많은 작품을 써나가면서 아주 자연스럽게 한 가지 임무를 수행해나가게 됩니다. 그건 다름 아닌 '모국어에 은혜 갚기' 작업입니다.

모든 작가는 기본적으로 최고의 작품을 써서 영원히 남게 하고 싶은 욕망을 품고 작품을 씁니다. 그런 욕망을 갖지 않은 작가는 하나도 없고, 그런 욕망을 갖지 않았다면 작가라고 할 수도 없습니다. 다만 그것을 표 나게 드러내지 않고, 말로 하지 않을 뿐입니다. 그런 욕망을 품지 않았다면 오로지 혼자 방 안에 갇혀 몸부림쳐야 하는 그 외롭고 고통스러운 글쓰기의 노동을 견뎌낼 수 없을 것입니다. 모든 정치인의 꿈이 대통령의 자리에 오르는 것이듯 모든 작가는 자기의 작품이 시공을 초월해서 영원히 남겨지기를 소망하며 책상에 다가앉고, 펜을 잡아 외로운 고통과 싸워나갑니다.

그 욕망과 결의 앞에서 언어와의 치열한 싸움이 시작됩니다. 그 소리 없는 침묵의 싸움을 통해서 소설의 한 문장 한 문장은 태어나고, 그 문장들이 수없이 모여 한 편의 소설이 됩니다. 하나하나의 단어를 골라내서 하나의 문장으로 엮어내는 것. 하나의 사물을 묘사하는 데 꼭 맞는 단어는 하나밖에 없다(일물일어설)는 치열함으로 모래 속에서 사금을 골라내듯 낱말 하나하나를 골라내는 그 작업을 '언어의 조탁(彫琢)'이라고 합니다. 그렇게 공들이고 정성 들인 작품이 탄생되어 많은 사람들의 냉정한 눈을 통해 명작으로 인정받게 되면 그 작가는 '모국어에 은혜 갚기'를 덤으로 얻게 됩니다. 모국어를 감동 큰 문학 언어로 승화시킨 공, 그것은 자기 작품을 있게 해준 모국어에 은혜를 갚는 동시에, 오래 남겨질 좋은 작품을 쓴 영예에 못지않은 영광이고 보람인 것입니다.

독일어는 프랑스어에 비해 예술적이지 못하다고 해서 하시 당했습니다. 독일인은 프랑스인의 그 콧대 높은 자만 앞에서 속수무책이었습니다. 그런데 그 수모를 일거에 해결할 수 있는 기회가 왔습니다. 괴테가 『젊은 베르테르의 슬픔』과 『파우스트』를 쓴 것입니다. 그 작품 앞에서 프랑스인은 독일어를 품격 있는 예술 언어로 인정했고, 괴테는 독일 문학의 아버지, 독일 문화의 자존심으로 추앙받고 있습니다.

영국이 내세우는 긍지는 자기네가 산업혁명을 일으켰다는 것입니다. 그러나 그들이 세계적으로 자랑하는 것은 증기기관차나 방직기계가 아닙니다. 그럼 무엇일까요. 그들이 세계를 향해서 외치는 말, '셰익스피어는 인도와도 바꾸지 않는다!' 그들의 목소리가 얼마나 큰지 들립니까? 무슨 말인지 모르겠다고요? 아무 소리도 들리지 않으면 당신은 육체의 귀머거리가 아니라 정신(의식)의 귀머거리입니다. 인도가 영국의 식민지였을 때 인도의 인구는 4억 명이었습니다. 막대한 천연자원은 차치하더라도, 영국은 4억 인간의 존엄성보다 한 작가 셰익스피어의 값을 더 높게 치는 기염을 토했습니다. 그 자만의 목소리가

얼마나 큽니까. 이젠 그 목소리가 들립니까? 셰익스피어는 모국어에
은혜를 잘 갚음으로써 그렇게 높게 떠받들렸던 것입니다.

　작가가 민족과 연결되어 있는 고리는 끊을 수 없는 인연이되, 자기
민족에만 함몰되지 말고 전 인류의 인간다운 삶을 조명하는 데 의식
이 열려 있어야 함은 필수 과제입니다.

◉ 문학을 문학이라 할 수 있는 것은 그 안에 인간 존재에 대한 탐구가 담겨 있으며, 진실을 추구하는 작가의 가치관이 미학적으로 어우러져 있기 때문인 것 같습니다. 특히 선생님의 작품들은 그 분량으로나 내용으로나 무겁고 심각한 문제들을 담고 있습니다. 선생님께서는 소설을 남다르게 생각하고 계시는 것이 아닌가 하는 느낌이 들기도 합니다. 작가와 소설, 그 존재 가치랄까 위상이랄까, 어떤 것인지요?

박해나 • 인하대 언론정보학과

예, 질문이 아주 무겁고 심각하군요. 제 별명이 무엇인지 아십니까? '조진세'입니다. 그런 별명이 붙은 사연은 이렇습니다. 1980년대 초 저는 앉으나 서나, 자나 깨나 입만 열면 '민족'이요 '역사'요 '진실'이요 '통일'이었습니다. 아무나 붙들고 그런 이야기를 했고, 술자리에서도 분위기에 안 어울리게 혼자 그런 얘기에 취해 있고는 했습니다. 왜냐하면 그때 『태백산맥』과 『아리랑』과 『한강』을 쓸 생각에 사로잡혔고, 그 제목까지 다 정해뒀기 때문입니다.

이야기의 상대도 가리지 않고, 술자리 분위기를 깨가면서 마냥 진지하고 대책 없이 심각한 저를 정신 차리게 하려고 애쓴 것이 아내였습니다.

"여보, 제발 좀 그러지 말아요. 나는 당신 맘 충분히 알지만, 그 사람들은 아무 관심이 없잖아요. 괜히 분위기 망치고, 인간관계 이상해져요."

아내는 안타까워했지만 저의 정신이상 증세는 바로잡히지 않았습니다. 그렇습니다. 소설 쓸 일에 몰두해서 때와 장소와 사람을 가리지 않고 제 이야기만 해대는 저는 분명 정신이상자였습니다. 그런데 그 정신이상 증세가 바로 소설 구상의 진행이고, 자기 생각의 객관성 점검이고, 긴 소설을 써나가기 위한 마음 다짐이었던 것입니다.

그 미치광이의 진지함을 절반은 인정하기도 하고, 절반은 놀리기도 하는 기분으로 제 주위 사람들은 저에게 마침내 '조진지'라는 별명을 붙여주기로 뜻을 모은 것입니다. 그런데 '조진지' 하면 별명답지 않게 너무 직선적이고 멋이 없다고 생각해 해학적이고 유머러스한 세련미를 가해서 '조진세'라고 살짝 비튼 것입니다. 진지(眞摯)의 지 자는 획수가 많고 어려워 사람들이 가끔 세(勢) 자나 집(執) 자로 잘못 읽는 경우가 있었습니다. 그래서 제 별명을 진지하지 않고 위트 있게 붙이느라고 '조진세'로 한 것입니다.

저는 그 별명을 거부하지도 않았고 반기지도 않았습니다. 그까짓 별명이야 어떻든 아무런 상관도 없었으니까요. 저는 날이 갈수록 앞으로 써야 할 글에만 깊이 빠져들며 더욱 심각하고 진지해지고 있었습니다.

작가는 인류의 스승, 그 시대의 산소

저의 그런 시도 때도 없는 심각함과 진지함은 새 작품 앞에서 불안해하고 긴장하고 있다는 숨길 수 없는 증거였습니다. 그런데 그런 불안과 긴장은 제가 별나게 소심해서 그런 것일까요? 그렇지 않습니다. 약간씩의 차이가 있을지는 모르나 모든 작가는 새로 써야 할 작품 앞에서 다 그렇게 긴장하고 불안에 시달립니다.

왜 그럴까요?

일찍이 세계 문화사가들은 작가에 대해서 이런 정의를 내렸습니다. '작가는 인류의 스승이며, 그 시대의 산소다.'

어떻습니까? 이보다 더 큰 명예, 이보다 더 큰 칭송이 있을 수 있겠습니까. 그 어느 분야의 일꾼들에게 이런 월계관을 씌워준 일이 있습니까. 너무 황송해서 고개를 들 수 없을 지경입니다.

그러나 그 칭송이 이 세상 모든 작가에게 고루 주어진 것이 아니라는 사실입니다. 앞의 인류의 스승이란 칭호는 그만큼 위대한 작품을 써낸 작가들에게만 국한된 것입니다. 그리고 현재 글을 쓰고 있는, 아직 객관적 평가가 내려지지 않은 작가들에게 주어진 것이 뒷부분의 '그 시대의 산소' 노릇입니다. 그건 현역 작가들에게 짐지우는 사회적 책무인 동시에 '인류의 스승' 칭호를 받으려거든 '산소' 노릇을 충실히 하라는 일깨움이기도 합니다.

이런 칭송과 경종 앞에서 어느 작가가 긴장하지 않고 진지해지지 않을 수 있겠습니까. 그러나 모든 작가가 다 그러는 거냐고 의아해할 사람도 있을 것입니다. 물론 작가에 따라서 감도가 다를 수 있고, 차이가 날 수 있습니다. 소설이라고 해서 다 똑같은 것은 아니고 흥미 위주나 재미를 본위로 하는 추리소설이나 공상과학소설 같은 것을 쓰는 작가도 얼마든지 있으니까요.

그러나 문학성과 예술성을 따지게 되는 본격문학을 하는 작가들에게는 그 정의가 어김없이 적용됩니다. 그러므로 작가들은 새 작품 앞에서 심각하고 진지하다 못해 엄숙하고 경건해지게까지 됩니다.

가장 잘된 소설 한 권

그런데 세계 문화사가들은 그 정의에서 끝나지 않았습니다. 한 걸음 더 나아가 문화사의 가치 평가를 시도했습니다.

'머지않아 지구는 멸망한다. 새 생명이 태어나고 새 문명이 이루어 지는 먼 훗날에 우리 인간이 살다 갔다는 사실을 전할 수 있는 것을 딱 한 가지만 남기기로 한다. 그것이 무엇일까?'

현명하신 여러분, 그것이 무엇일까요?

불경이겠습니까? 성경이겠습니까? 철학책이겠습니까? 역사책이 겠습니까? 사회학 논문이겠습니까? 여러분은 이 외에도 많은 것을 떠 올릴 수 있을 것입니다. 그러나 답을 맞히기는 그리 쉽지 않습니다.

문화사가들은 답을 내보였습니다.

'제일 잘된 소설 한 권!'

왜 그럴까요? 이미 앞에서 말했듯이 소설은 인간의 삶을 총체적으 로 형상화하는 것입니다. 그것이 정답 풀이의 결정적 힌트입니다. 그 총체성 속에는 인류의 종교·철학·역사·정치·경제·사회·문화가 포괄적으로 다 용해되어 있기 때문입니다.

이쯤 되면 작가와 소설의 위상이 어떤 것인지 실감이 나십니까. 이 정도면 소설가로 한평생을 바칠 만한 의미가 있다는 생각이 드십니 까? 아니면, 그 의미가 너무 거창하고 어마어마해 시작하기 전에 먼저 주눅이 드십니까?

이 세상의 수없이 많은 소설가 지망생이 너나없이 가슴에 품고 있 는 공통된 꿈이 있습니다.

'나도 톨스토이나 도스토예프스키처럼 되고 싶다.'

그 감추어진 목표가 바로 문화사가들이 내린 정의와 맞통하는 것입 니다. 그 목표에 이르자면 철저하게 '그 시대의 산소' 노릇을 해낼 각 오를 해야 하고, 치열하게 산소 역할을 실천해나가야 합니다. 그 길은 외롭고, 험난하고, 고통스럽습니다. 그러나 그 어느 분야의 일이든 세상이 인정하는 결실을 맺기까지는 힘겹지 않은 것이 없습니다.

문학이 가장 하고 싶은 일이고, 문학을 해야만 가장 행복하다는 확신을 갖게 되면 주저 말고 그 길을 시작하십시오. 당신이 그 찬란한 위상의 주인공이 될지도 모르니 얼마나 벅찹니까.

◉ 지난 3월 『태백산맥』이 2백 쇄를 돌파했습니다. 말과 글의 매질적 차이와 한계에도 불구하고 그만한 양이면 독자들과 꽤 성공적인 소통을 하신 것 같습니다. 말과 글의 간극을 어떻게 채울 수 있는지 궁금합니다. 그리고 '언어의 생명력'이라는 말과 작품의 생명력은 동일한 것입니까. 또, 문학에 있어서 언어란 무엇입니까?

김윤정 • 광운대 국어국문학과

● 　소홀히 해서는 안 되는 물음입니다. 문학과 언어의 문제는 가장 기본적이고 본질적인 문제이기 때문입니다.

　이 세상에는 수없이 많은 발명품이 있습니다. 바늘 · 가위 · 숟가락 · 우산 · 빗 같은 것에서 텔레비전 · 비행기 · 우주선 · 컴퓨터에 이르기까지 그 수를 다 헤아리자면 얼마가 될지 알 수가 없을 지경입니다.

　그 많고 많은 발명품 중에서 대표적인 것 세 가지를 뽑았습니다. 그것이 무엇일까요? 그 답을 선뜻 알아맞히는 사람은 그다지 많지 않습니다. 그야 당연한 일입니다. 상식이라고 하기에는 사용 빈도가 너무 떨어지는 것이고, 교양으로 갖추기에는 너무 전문적인 문제인 까닭입니다.

　그 세 가지란 정치 · 종교 · 언어입니다. 이 답에 여러분은 반사적으로 이상함을 느낄지도 모릅니다. 그게 왜 발명품이지? 이런 일차적인 느낌은 당연한 것입니다. 발명품이란 일정한 형태를 갖추고, 우리가 편리하게 사용할 수 있는 물건이라는 고정관념이 뇌리에 깊이 박혀 있기 때문입니다.

정치·종교·언어는 어떤 형태도 없고, 사용하기에 편리한 도구도 아닙니다. 그럼에도 3대 발명품으로 뽑힌 이유는 무엇일까요? 그건 다름이 아니라 그 세 가지가 인류의 생활과 역사에 그 어떤 것보다 막대한 영향력을 행사해왔기 때문입니다. 정치의 영향력은 어떠합니까? 실감할 수가 있지요? 종교의 영향력은 어떠합니까? 역시 실감 나지요? 언어의 영향력은 어떠합니까? 정치와 종교에 비해 글쎄라고요? 언어에는 정치권력이 갖는 위압감이나, 종교 세계가 갖는 신통력 같은 것이 없기 때문에 그럴 수도 있습니다.

그러나 다시 생각해보십시오. 정치는 무엇으로 한다던가요. '정치는 말로 한다'고 합니다. 종교는 무엇으로 이루어져 있던가요? 그것 또한 말입니다. 모든 종교의 경전이 모두 말(문자)이고, 설교 역시 모두 말입니다. 그래서 '말이 인간을 지배한다'는 말이 생겨나게 되었는지도 모릅니다.

언어는 문학의 모태

언어는 무엇인가요? 그건 두 가지로 이루어져 있습니다. 그 두 가지가 소리(말) 언어와 문자 언어라는 것은 가장 낮은 상식에 속합니다.

우리는 언어를 쉽게 이해하기 위해서 그 탄생의 순서를 따져볼 필요가 있습니다.

'말이 먼저일까요, 문자가 먼저일까요?'

이건 '닭이 먼저일까요, 달걀이 먼저일까요' 하는 혼란스러운 복잡함과는 전혀 다른 문제입니다. 생명의 탄생설(기원설)은 자연의 신묘한 영역이지만, 언어의 탄생은 인간의 도구 발명의 영역이기 때문입니다.

인간은 한없이 넓은 땅 이곳저곳에서 끼리끼리 집단을 이루어 살게 되면서 의사를 소통할 도구의 필요를 느끼게 되었습니다. 그래서 이 지구상에는 수천 가지의 말이 생겨나게 되었습니다. 그런데 말에는 두 가지의 결정적인 흠이 있었습니다. 거리가 멀면 들을 수 없는 점(공간적 제약)과 그 시간이 지나버리면 들을 수 없는 점(시간적 제약)이었습니다. 그 두 가지 문제를 동시에 해결하기 위해서 인간이 발명해낸 것이 인류 세계의 여러 가지 문자 아닙니까.

문자의 탄생은 인류의 역사를 획기적으로 바꾸어놓았습니다. 인류의 각양각색의 위대한 문명과 찬란한 문화는 바로 문자의 기록에 의해서 이룩되었음을 우리는 이미 잘 알고 있습니다. 문자의 기록이야말로 인간이 발휘한 가장 위대한 힘으로 얼마든지 칭송하고 찬양해도 지나치지 않을 것입니다. 오늘날 우리가 확인하고 있는 모든 문명과 문화의 성과물들은 기록의 힘에 의해서 탄생되었기 때문입니다.

문학이야말로 문자의 은혜를 가장 크게 입고 태어난 생명임은 더 말할 것이 없습니다. 한마디로 하자면 '문자는 문학의 모태'입니다. 그리고 문학은 문자의 꽃입니다. 문자를 가장 아름답게 엮어내고, 그러면서 문자의 발전에 기여하고 있기 때문입니다.

영원한 문자의 생명력

'말로 지은 원한은 백 년을 가고, 글로 지은 원한은 만 년을 간다.'
이건 저 당나라 시절부터 전해져온 말입니다.
여기서 발견할 수 있는 것은 무엇인가요? 글로 원한을 짓지 말라는 것인가요? 그건 절반밖에 해득하지 못한 것입니다. 또 하나 찾아내야 할 뜻은 '글의 생명은 영원하다'는 것입니다. 우리는 나무 막대에 씌어진 몇 천 년 전의 한 줄의 글, 몇 백 년 전에 쓴 종이 한 장의 기록이 역사를 바꾸는 것을 흔히 목격하고 있습니다. 그게 문자의 시공을 초월하는 무서운 생명력입니다.

이 사실까지 확인하면 문학 하는 사람들이 어떤 글을 써야 하는지 그 답이 자연스럽게 나옵니다. 영원히 '남기기 위해' 문자를 만들었고, 그 문자로 하는 문학 작품들은 당연히 남겨질 수 있는 내용을 써내야 한다는 사실이 전제되어 있다는 점입니다.

"언제나 모든 독자를 만족시킬 수는 없다. 아니, 일부 독자도 언제나 만족시킬 수는 없다. 그러나 적어도 가끔은 일부 독자라도 만족시키려고 최선을 다해 노력해야 한다."

이건 셰익스피어의 말입니다.

글쓰는 자의 고심이 담담하게 잘 드러나 있습니다. 세계가 인정하는 천재적인 대문호 셰익스피어도 '일부 독자도 언제나 만족시킬 수 없어 가끔은 일부 독자라도 만족시키려고 최선을 다하'는 모습을 보여주고 있습니다.

모든 작가는 셰익스피어와 같은 노력을 치열하게 해야 할 것입니다. 그래서 일부 독자만이라도 가끔 만족시킬 수 있다면 그것이 바로 작품의 영원성을 보장 받는 첫째 조건이 될 것입니다. 작가들이 남겨져야 할 가치가 있는 작품을 써내야 하는 것은 문자를 사용하는 한 피할 수 없는 숙명적 올가미입니다.

이런 논리에 대해서 엄숙주의니, 사고의 경직이니 하며 마땅찮아 할 작가도 더러 있을 것입니다. 예, 이미 소설은 여러 가지 종류로 씌어지고 있습니다. 문학성은 상관하지 않고 재미나 오락물로만 소설을 써내는 사람이라면 이런 말에 전혀 신경 쓸 것 없고, 기분 상할 것도 없습니다. 자유민주주의 사회에서 소설은 얼마든지 다양하게 씌어질 수 있으며, 그 선택도 얼마든지 자유입니다.

그러나 어떤 일을 하든지 그 본질과 근본의 가치를 망각하거나 경시해서는 안 된다는 것은 불변의 철칙입니다. 그 태도를 지켜내지 못하겠으면 곧바로 필을 꺾는 게 옳습니다. 배기가스나 소음만 공해가 아닙니다. 남겨져야 할 필연을 자각하지 못하고 씌어지는 글들은 영혼의 공해물질이기 쉽습니다.

◉ 『태백산맥』이 몇 년 전에야 이적성 혐의를 벗었습니다. 그러나 현재의 사회 분위기는 여전히 이념과 표현의 자유가 억압받고 있다고 느껴집니다. 선생님은 어느 글에서 '진실을 밝히기 위해' 『태백산맥』 같은 작품을 쓰셨다고 했는데, 신변의 위험을 감수하면서까지 소설에서 꼭 진실을 써야 하는 것인지요. 소설에서 진실의 비중은 얼마나 되어야 하는 것인지요. 소설의 이야기성을 생각하면 진실의 무게감을 선뜻 이해하기가 어렵습니다.

송옥진 • 이화여대 국어국문학과

● 　흔히 소설은 그 어원상 잡설이고, 작은 이야기라는 뜻을 가지고 있다고 말합니다. 그것은 '작을 소(小)' 자와 '고할 설(說)' 자를 그대로 뜻풀이 한 것에 지나지 않습니다. 평론가 출신 교수들이 소설론을 가르치는 첫 장에서 으레 그렇게 설명을 합니다. 물론 거기서 끝내는 교수도 없겠지만, 그것이 소설의 정의라고 믿어서는 큰일 납니다. 한 가지, 그런 뜻풀이가 타당한 일면이 없는 것은 아니기도 합니다.

　그 옛날 왕권이 신성시되던 봉건 시대에 왕의 다스림과 그에 따른 이야기 외에는 모두가 하찮고 잡스러운 이야기로 무시되었을 때 신분 낮은 백성들의 희로애락을 적은 이야기책은 의당 '소설(小說)'로 불릴 수밖에 없었겠지요. 그러나 인간의 세상은 언제까지나 봉건 시대에 머물러 있지 않았습니다. 인간은 인간의 인간다운 삶을 확보하기 위해 죽음을 무릅쓰며 절대 왕권에 도전했고, 세계 도처에서 무수한 목숨이 귀한 피를 뿌리며 봉건 시대를 무너뜨렸습니다. 인권의 시대, 시민의 시대를 열어나간 그것은 인간의 가장 큰 위대함이며, 인간은 마침내 민주주의라는 기적적인 시대를 건설하기에 이른 것입니다. 변혁의 조류를 타고 대중 인식이 확장되고, 혁명의 파도를 타고 민주의식이 신장되어 나갈 때 소설도 왕권의 포악성과 지배계층의 비인간적 횡포 같은 것을 정면으로 묘사하고 비판함으로써 대중을 이끌고 역사를 변혁하는 '큰 이야기'로 모습을 바꾸게 되었습니다.

'작가는 인류의 스승이며, 그 시대의 산소다.'

이 과분하고 황송하기 그지없는 칭호가 괜히 소설가들에게 주어진 것이 아닙니다. 레닌 옆에서 막심 고리키가 그랬듯이 수많은 작가는 역사의 중요한 고비고비마다 펜을 든 혁명가의 역할을 해내며 인간의 인간다운 삶에 기여하고자 했습니다.

그 역사적 역할, 그것이 곧 '그 시대의 산소' 노릇입니다. 산소, 그것은 무엇입니까. 인간이 생명을 부지하는 데 없어서는 안 되는 절대적 요소입니다. 그런데 돈을 주고 사는 것이 아니기 때문에 우리는 그 소중함을 전혀 인식하지 못하고 살아갑니다. 그래서 고마워하기는커녕 마구잡이로 오염시키기까지 하지 않습니까. 그럼 우리 인간은 얼마 동안이나 숨을 안 쉬고 살 수 있을까요. 밥을 전혀 먹지 않으면 평균적으로 20일 정도는 살 수 있습니다. 그러나 숨을 쉬지 않으면 단 5분 이내에 심장이 멎고 맙니다. 산소는 그런 것입니다.

산소 역할은 진실 지킴이

소설가의 산소 역할의 산소는 무엇일까. 그건 '진실'입니다. 사회적 진실, 역사적 진실, 인간적 진실을 옹호하고 육성하고 지키는 일, 그것이 바로 산소 역할입니다.

아무리 자유를 보장하고, 인권을 존중하고, 평등을 유지하려는 민주주의 사회나 국가에서도 계층 간·계급 간·권력 간·집단 간에 갈등과 모순과 대립이 생기지 않을 수 없습니다. 그 과정에서 야기되는 것이 비인간성이며 불의이며 편법입니다. 옳고, 바르고, 참된 것을 위하여 모든 비인간적인 것에 저항하고 맞서야 하는 것이 작가의 소임입니다. 그 옳고, 바르고, 참된 것을 작품으로 지키고 실현하는 것이 곧 진실입니다.

"여러분이 쓰고 싶은 것이라면 무엇이든지, 정말 뭐든지 써도 좋다. 단, 진실만을 말해야 한다."

창작 실기에 대해 쓴 『유혹하는 글쓰기』에서 미국 작가 스티븐 킹이 하는 말입니다. 그런데 그는 '서스펜스 작가'라는 것에 스스로 만족하고 있는 사람입니다. 우리가 다 알다시피 서스펜스 소설이란 재미와 흥미에만 치중된 일종의 '소비소설'입니다. 그런 소설에서도 '진실'의 중요성은 그렇게 강조되고 있습니다. 하물며 문학성을 전제로 하고, 남겨질 것을 기대하는 본격소설에서야 더 말해 무엇 하겠습니까.

모든 비인간적 불의에 저항하고, 올바른 인간의 길을 옹호해야 하는 작가는 오로지 진실만을 말해야 하는 존재입니다. 그것은 인생을 총체적으로 탐구하는 작가에게 주어진 사회적 책무입니다. 그 책무를 달고 즐겁게 이행할 의지와 각오가 없다면 작가가 되기를 바라지 말아야 할 것입니다.

헤밍웨이가 스페인 내전에 참전하고, 사르트르가 레지스탕스에 가담하고, 에밀 졸라가 드레퓌스 사건을 짊어지고 정부 권력에 도전했던 것은 작품과 함께 행동으로 진실을 지키고자 했던 본보기였습니다.

꼭 써야 할 것을 쓰는 것

이렇게 말하면 너무 거창하게 느껴져서 이제 막 글을 써보려고 하는 사람들은 위압감을 느끼거나 두려움이 생길지도 모릅니다. 그러나 겁먹거나 주눅 들 것 하나도 없습니다. 잘된 남들의 작품을 읽어나가다 보면 자연스럽게 그런 깨달음이 오고, 정신적 무장을 하게 됩니다. 그러나 이 세상의 모든 작가가 다 균등하게 그런 자각과 의지를 갖고 있는 것은 아닙니다. 각각 개인차가 있으며, 그런 의식이 거의 없는 작가도 있고, 어떤 사람은 보수의식에 젖어서 헤어나지 못하기도 합니다. 그건 어찌할 수 없는 개개인의 문제입니다. 그러나 '진실'만 말하고자 하는 작가는 필연적으로 진보적일 수밖에 없으며, 기득권을 향유하는 보수 세력과는 갈등하고 맞설 수밖에 없습니다. 그것이 바로 소설의 비판정신이며 휴머니즘의 실현이기도 합니다.

그러니까 진보적인 작가의 길은 조금은 성직자의 길이기도 하고, 조금은 철학자의 길이기도 하고, 조금은 개혁자의 길이기도 합니다. 그 길은 편할 리 없지만 보람 있고, 작품으로 감동적인 형상화를 이루어내면 독자의 박수갈채 속에서 그 생명을 오래 보장 받게 될 것입니다. 문학은 종교와 철학과 과학과 다른 그 무엇일 것입니다.

종교는 말해서는 안 되는 것을 말하려는 것이며, 철학은 말할 필요가 없는 것을 말하려는 것이며, 과학은 말할 수 있는 것만 말하는 것입니다. 그런데 문학은 꼭 말해야 하는 것을 말하는 것입니다.

소설이 지켜내야 하는 진실과 『태백산맥』에 관계된 이야기는 뒤에서 따로 하기로 하겠습니다. 그 이야기는 짧지 않은데다, 독립적으로 얘기해야 더 좋을 것 같기 때문입니다.

● 선생님의 소설은 리얼리즘의 극치라는 평가를 받습니다. 그래서 그런지 많은 독자에게 사랑받고 있습니다. 작가가 독자를 많이 갖는 것은 행복한 일이겠지만 자칫 잘못하면 요즘 유행하는 말로 '문학 권력'이 될 위험성도 있습니다. 작가의 문학 권력화가 바람직한 것일까요?

이원석 • 가톨릭대 국제학부

● '문학 권력'이라는 말을 몇 년 전에 최초로 쓴 분은 전북대 강준만 교수가 아닌가 합니다. 그분이 문학 권력이라고 이름 붙였던 것은 몇몇 평론가들이 계간지를 발판 삼아 배타적이고 편파적으로 평론 행위를 일삼고, 출판사까지 운영하면서 문단 세력화하고 있는 것을 지적한 것입니다. 강 교수가 이미 적시했듯이 그 대상은 창비와 문지(문학과지성사)였습니다.

그러므로 제 경우를 '문학 권력'이라고 지칭하는 것은 별로 어울리지 않는 듯합니다. 저는 다른 문인들과 그룹을 짜거나 패거리를 만들어 문단에서 권력 행사를 도모한 일도 없고, 폐쇄적이고 편파적 문학 행위로 다른 문인들을 배척하거나 업신여긴 일도 없기 때문입니다. 저는 그저 혼자 글을 썼을 뿐이고, 그리고 책을 통해 독자를 만나게 되었습니다. 그러니까 제 경우는 '권력'이 아니라 '영향력'이라고 표현하면 적합하지 않을까 합니다. 허허허……

예, 문학의 사회적 영향력에 대해서는 수많은 작가가 수백 년에 걸쳐서 마음 아파하고 괴로워한 화두였습니다.

'현실 속에서 문학은 과연 무엇인가.'

'시는 무엇을 할 수 있는가.'

'소설이 해결할 수 있는 것은 무엇인가.'

이러한 고심은 진정성을 가진 문인이라면 누구나 하게 될 것입니다. 릴케는 자신의 시가 굶주려 죽어가는 소녀에게 주어야 할 한 조각 빵만도 못한 것을 탄식했고, 카뮈는 자신이 내세우는 실존주의가 몽마르트르 비탈길에서 얼어 죽어가는 노숙자를 살릴 담요 한 장만도 못하다는 것에 신음했습니다.

그렇습니다. 인간을 위한 진실을 지키고자 하는 영혼을 지닌 문인이라면 그 누가 그런 고민을 하지 않겠습니까. 그래서 일찍부터 문학의 정신을 휴머니즘이라 했고, 문학인을 휴머니스트라 한 것이 아니겠습니까.

그러나 현실적으로 문학은 정치권력 앞에서 무력하기 짝이 없습니다. 또, 경제 위력 앞에서도 무능하기 그지없습니다. 문학은 현실 속에서 그 어떤 문제를 해결할 수 있는 직접적인 수단이나 방법이 될 수 없습니다.

정치력·경제력을 능가하는 그 어떤 것

정치력·경제력이 현실적으로 발휘하는 위력 앞에서 문학의 힘은 더없이 미약하고 허약할 뿐입니다. 그러나 좋은 작품, 훌륭한 소설은 모든 것을 망각하게 하는 세월의 힘을 이겨내고 영생의 생명력을 발휘하게 됩니다.

셰익스피어의 『햄릿』이나 『베니스의 상인』, 도스토예프스키의 『죄와 벌』과『카라마조프 씨네 형제들』, 톨스토이의『전쟁과 평화』, 빅토르 위고의『레 미제라블』, 조지 오웰의『동물농장』과『1984년』, 헤밍웨이의『노인과 바다』나『누구를 위하여 좋은 울리나』, 카잔차키스의『그리스인 조르바』같은 것들이 바로 전 세계적으로 시공을 초월하여 그 영향력을 발휘하는 작품입니다.

제아무리 막강한 정치권력도 당사자가 죽음과 동시에 그 위력은 흔적 없이 사라져버리며, 정치권력의 힘마저도 요리할 수 있는 무소불위의 경제력도 때가 오면 허망하게 스러지기는 마찬가지입니다. 그러나 위대한 작품은 세월의 풍화를 아랑곳하지 않고 읽히고 또 읽히며 인류의 스승이자 등불이 되어줍니다. 앞의 작품을 하버드와 옥스퍼드 대학 그리고 우리나라 대학생이 오늘도 읽는 것이 그 증거 아닙니까.

호랑이는 죽어서 가죽을 남기고 사람은 죽어서 뭐라 했던가요. 소설 쓰는 데 일생을 바친 사람은 그 누구나 자신의 작품도 그렇게 영생을 누리기를 바라겠지요. 그렇게 영원한 빛이 된 작품은 그 어떤 정치력이나 경제력도 능가할 수 있는 것입니다. 그것이 소설의 존재 이유고, 작가가 스스로 '글감옥'에 갇히는 의지이기도 합니다.

가장 냉정하고 순수한 평가

"책이 그렇게 많이 팔릴 줄 예상하셨습니까?"

여기저기 강연을 하다 보면 '그 긴 소설들을 어떻게 다 썼습니까' 하는 질문과 함께 심심찮게 나오는 질문입니다. 독자로서는 꽤나 궁금한 것(제 아내가 시 쓰는 김초혜라는 사실 같은 것들과 함께)일 수 있습니다. 그러나 작가의 입장에서는 별로 대답하고 싶지 않은 물음입니다. 그렇다고 성의 없이 건성으로 대꾸하고 넘길 수도 없는 일입니다. 그랬다가는 얼마나 호된 말매를 맞으려고요. 지금은 바야흐로 그 무서운 인터넷 시대 아닌가요(허허허, 저는 아주 무식하기 짝이 없는 컴맹이니까 아무 상관이 없기는 합니다만). 이 바쁘고 힘겨운 세상사 속에서 일부러 시간을 내서 강연장에 찾아오는 분은 거의가 작가에 대한 선망과 함께 움츠러드는 감정도 가지고 있습니다. 그런 분들에게 친절한 응답을 해야 하는 건 작가의 기본 예의기도 하지요.

"아닙니다, 전혀 예상하지 못한 일입니다. 그 전에 제 작품집은 만 명 정도의 독자를 만났습니다. 그러나 『태백산맥』은 좀 다르니까 한 5만 부 정도씩, 전부 50만 명쯤 독자를 만나면 더없이 행복하겠다고 생각했습니다. 출판사도 그 정도면 더 바랄 것 없다고 한껏 기대에 부풀었습니다. 그런데 2백 쇄를 돌파하면서 7백만 부가 되었습니다."

솔직한 저의 대답입니다.

저는 우연히 몇몇 대학 도서관에 비치된 『태백산맥』을 보았습니다. 그리고 대여점과 이동차량에 있는 『태백산맥』도 보았습니다. 그때마다 깜짝깜짝 놀라지 않을 수 없었습니다. 애초에 비닐 코팅이 되어 있는 표지들이 전부 너덜너덜해져 그야말로 넝마가 따로 없었고, 어느 도서관에서는 책이 더 상하는 것을 막으려고 철판같이 두껍고 강한 합지로 표지를 새로 해 덮기도 했습니다.

아아, 저는 그런 책을 볼 때마다 눈물겨운 감동으로 한없이 고마워하고 감사해하고, 더 바랄 것 없이 행복하고 보람을 느꼈습니다. 이 세상의 모든 작가는 사람들이 자기 작품을 읽어주기를 바라면서 글을 씁니다. 그리고 많은 독자에게 자기 작품이 읽혀지는 것을 확인하면서 마침내 최고의 보람과 행복을 느끼게 됩니다. 독자가 많이 읽으면 읽을수록 그건 작품에 대한 진정한 호평이기 때문입니다. 수많은 독자가 스스로 책을 찾아서 읽는 것이야말로 가장 냉정하고도 순수한 평가인 것입니다. 제아무리 유명한 평론가의 평도 독자의 그런 평을 당할 도리는 없습니다.

○ 저는 『아리랑』을 먼저 읽고 『태백산맥』을 좀 읽다 만 독자입니다만, 혹시 선생님 책을 처음 접하는 독자라면, 시대 순으로 읽으라고 추천하시겠습니까? 그리고 우문인지는 모르지만, 어떻게 해야 글을 잘 쓸 수 있습니까?

김미영 • 서강대 국어국문학과

● 에이, 『태백산맥』을 좀 읽다 말았다니! 그래서야 다른 과도 아니고 국문학과 체면이 말이 아니지요. 쯧쯧쯧, 너무 솔직한 것도 병입니다. 그러나 뭐, 괜찮습니다. 읽기를 그만두는 것도 독자의 선택이고, 자유니까요.

그런데 읽기를 그만둔 데는 여러 가지 이유가 있을 수 있습니다. 소설이 재미가 없었거나, 내용 전개가 마음에 들지 않았거나, 읽기의 인내력이 부족했거나, 딴 일로 읽기를 미루다가…… 어쨌거나 독자를 사로잡지 못한, 절반의 책임은 저한테 있습니다. 미안합니다.

『태백산맥』 『아리랑』 『한강』을 시대 순으로 읽든, 발간 순으로 읽든 그건 아무 문제가 없을 것 같습니다. 그 세 소설은 우리의 근현대사 1백 년이 연결되어 있을 뿐 시대도, 제목도, 주인공도 다 다른 독립된 작품이기 때문입니다. '한국 근현대사 3부작'이라고 이미 이름 붙여진 것은 작가인 저의 뜻이 아니고 평론가나 매스컴에서 의미 부여를 하기 위해 붙인 것입니다. 그건 여러 문화 현상에 대한 정리 정돈을 위해 필요한 일이기도 하지요.

어떻게 해야 글을 잘 쓸 수 있느냐고요. 그건 우문이 아닙니다. 그 물음이야말로 글을 쓰고자 하는 모든 사람이 가장 절실하고 절박하게 갖고 있는 물음입니다. 아, 그러나 어찌해야 합니까. 그 물음이 절실하고 절박한 것에 비해 답은 막막하고 모호하기 때문입니다.

'어떻게 사는 것이 잘사는 것입니까.'

'삶과 죽음의 차이는 무엇입니까.'

'ˈ나'는 존재하는 것입니까.'

우리 인생살이 속에서 대답을 찾기 어려운 물음은 많고 많습니다.

'어떻게 해야 글을 잘 쓸 수 있습니까.'

이 물음을 받은 작가는 그 누구나 난감해지게 마련입니다. 그런데 그 물음에 답하겠노라고 '창작실기'에 대해 쓴 책들이 서점에 적잖이 꽂혀 있기도 합니다.

헛배 부른 고견들

그런데 그 두껍고 엄숙한 책들에는 글 잘 쓰기에 별로 도움이 안 되는 잡다한 소리들이 가득할 뿐입니다. 아주 심각한 어조로 인생에 대해 설파하는 철학책들이 졸음만 오게 하듯이 말입니다.

그 책들이 왜 그러냐 하면 그 책의 저자들이 거의 다 평론가들이기 때문입니다. 무슨 말이냐고요? 예, 평론가는 글(시나 소설)을 쓰는 사람이 아닙니다. 그러니 '창작실기'의 '실기'를 모르는 것입니다. 그런 분네들이 어찌 글 잘 쓰는 요령이나 방법을 콕 찍어서 속 시원하게 가르쳐줄 수 있겠습니까. 평론가들은 그저 이론적으로 시나 소설을 설명하려고 듭니다. 그러다 보니 창작물인 시와 소설의 요소요소를 해부하고 분해하듯이 낱낱이 펼쳐놓고는 이론적이고 논리적으로 설명해가고 있습니다. 그건 인간을 이해시키겠다고 신체의 각 부분을 갈가리 찢고 째서 펼쳐놓고 설명하려 드는 것이나 마찬가지입니다.

그런 실기론은 한 번쯤 읽어두는 것은 좋으나(평론가의 말이 전부 다 헛소리는 아니니까) 너무 많이 읽는 것은 머릿속만 혼란스럽게 하고, 영양가 없는 거친 음식을 잔뜩 먹은 것처럼 헛배만 부를 뿐입니다.

우리 문학 하는 마당에는 반 우스갯소리로 '시 쓰다 안 되면 소설 쓰고, 소설 쓰다 안 되면 평론 쓴다'는 말이 있습니다. '십대 때 시인 아닌 사람 없다'는 말처럼 대학 국문과를 지망할 때는 100퍼센트 시인 되기를 꿈꿉니다. 만약 처음부터 평론가가 될 작정을 한 사람이 있다면 그건 상당히 이상한 사람이고, 그런 사람은 끝내 평론가가 되지 못할 수도 있습니다. 평론은 그 성격상 평론가에게 '문학적 자질'보다는 '학자적 자질'을 더 요구합니다. 그러니 평론가는 '문인'이기보다 '학자님'인 셈이지요.

실토하건대 저도 시인이 될 청운의 꿈을 품고 국문과를 택했습니다. 그리고 꼬박 1년 동안 시를 열심히 썼습니다. 그러나 자질이 모자라 소설 쓰기로 미끄러졌고, 다시 평론 쓰기로 미끄러질 아슬아슬한 위기(대학 재학 중에 등단하려던 꿈을 이루지 못하고 졸업과 동시에 군에 입대했으니까)에서 가까스로 소설가로 턱걸이했던 것입니다(이 사연은 뒤에 좀더 자세히 얘기하겠습니다).

문학도라면 누구나 그렇듯이 대학 시절 저도 사막을 헤매는 자가 물을 찾듯이, 어둠 속을 헤매는 자가 불빛을 찾듯이 글 잘 쓰는 방법을 찾아 허덕거리고 또 허덕거렸습니다.

"그거……, 차츰 알게 되지, 허허허……"

교수였던 시인 서정주 선생의 느긋한 대꾸였습니다.

"급하게 먹는 밥 체하지."

평론가 조연현 선생의 일갈이었습니다.

교수들이 그럴수록 몸이 달고 애가 탔습니다.

글 잘 쓰는 요령은 없다

저의 목 타는 외침에 대하여 그 어디에서도 응답은 없는 채 해마다 신춘문예에 낙방하며 지쳐가고 있었습니다. 그런데 어느 날 문득 제 외침에 응답하는 듯한 먼 메아리가 들려오고 있었습니다.

'대학은 문학을 가르쳐주는 곳이 아니다.'

이 깨달음에 저는 정신이 번쩍 들었습니다. 그렇습니다. 대학은 글 잘 쓰는 요령이나 방법을 가르쳐주는 곳이 아니었습니다. 글을 잘 쓰려면 정신 집중해가며 책을 많이 읽고, 문인 교수들을 대하며 스스로 깨달아야 하는 것이었습니다. 저는 글쓰는 사람이 될 수 있다는 꿈에 잔뜩 부풀어 대학 문을 들어섰고, 대학에 들어가면 맛있는 반찬으로 걸게 상을 차려놓듯이 글 잘 쓰는 방법을 가르쳐주는 줄 알았습니다. 그 찰떡같은 믿음은 저만 가졌던 것이 아니고 제 동료들도 간직하고 있었습니다.

어디 그뿐입니까. 요즈음에도 대학에 강연을 가면, 어떻게 하면 글을 잘 쓸 수 있느냐는 질문이 계속 나옵니다. 50여 년이 지났는데도 변함이 없습니다. 이런 게 인생사 아니던가요. 그런 현상은 '답보'가 아닙니다. '본질'의 문제이기 때문에 그럴 수밖에 없습니다. 또 50년, 1백 년이 지나도 그 질문은 계속될 것입니다. 그게 기계문명의 발달과 다른 인생 본연의 문제들 아닙니까. 그래서 2천 5백 년 전의 불경은 오늘에도 빛이고, 2천 년 전의 성경은 오늘에도 소금인 것 아닌가요.

결국 저는 그 사실 하나를 깨달으려고 대학 4년을 다닌 셈이었습니다. 그러나 대학 4년을 바쳐 그 사실 하나를 겨우 깨달았다고 해서 저는 서운해하거나 억울해하지 않았습니다. 오히려 뿌듯했고 감사히 생각했습니다. 그리고 불교에서 말하는 '도통한다'는 것이 무엇인지 어렴풋이 알 것 같은 생각이 들었고, 주제넘게도 열반의 기쁨이라는 것이 무엇인지도 헤아릴 수 있을 것 같기도 했습니다. 그만큼 저는 그 깨달음으로 제가 가야 할 문학의 길을 확실하고 분명하게 보게 된 것이었습니다.

'돌은 단 두 개. 뒷돌을 앞으로 옮겨놓아가며 스스로, 혼자의 힘으로 강을 건너가야 한다. 그게 문학의 징검다리다.'

저는 제 스스로의 가슴 벽에 이 결의를 새겼습니다. 그로부터 50여 년, 저는 그 결심을 한시도 잊은 적이 없고, 혼자 징검다리를 만들며 오늘에 이르렀습니다. 그 길을 혼자 걸어오며 계속 확인한 것은 '글 잘 쓰는 기술은 애초에 가르칠 수 없다'는 사실입니다.

글을 쓰고자 하시는 여러분, 아무런 도움을 드리지 못해 죄송합니다. 제가 쓰는 이 글도 평론가들의 창작실기론처럼 별다른 쓸모가 없을지도 모릅니다. 다만 글을 오래 써온 경험을 솔직하게 털어놓는 것이니 여러분의 깨달음에 한 가닥 도움이 될 수 있다면 더 바랄 게 없겠습니다.

유일한 방법, 삼다(三多)

그러나 글을 쓴다는 것도 어느 일면 기술인 측면이 없지 않습니다. 이 세상의 모든 기술은 거듭되는 연습으로 점점 나아지고, 계속 노력하면 나름의 요령을 터득해가며 숙달되고, 그 숙달이 어느 경지에 이르러 확고한 세계를 이룩하면 장인의 대접을 받게 됩니다. 글쓰기도 그런 식의 노력을 치열하게 바치면 점점 좋은 글을 쓸 수 있게 됩니다. 그 유일한 방법을 공개합니다.

'공개'한다고 하니까 뭐 대단한 것일 줄 아실지 모르지만, 실망이 클 수 있으니 기대하지 마십시오.

그건 다름 아니라 '삼다(三多)' 방법입니다. 많이 읽고(多讀), 많이 쓰고(多作), 많이 생각하라(多商量). 여러분들이 실망해서 "에게게" 하는 소리가 들립니다. 이건 여러분도 이미 알고 계실, 저 중국 시인 구양수의 구태의연한 처방법입니다. 그러나 온고지신(溫故知新)이라고 하지 않았습니까. 이 말은 바로 이런 경우를 놓고 이른 것입니다. 제 경험으로는 이보다 더 좋은 방법은 없습니다.

그런데 제가 경험한 바를 통해서 약간의 수정과 보완을 덧붙이고자 합니다. 우선 그 순서를 다독, 다상량, 다작으로 고치십시오. 그다음으로는 노력의 시간을 효율적으로 배분하는 것입니다. 다독 4, 다상량 4, 다작 2의 비율이면 아주 좋습니다. 이미 좋다고 정평이 나 있는 작품을 많이 읽으십시오. 그다음에 읽은 시간만큼 그 작품에 대해서 이모저모 되작되작 생각해보십시오. 그리고 마지막 단계로 글쓰기를 시작하는 것입니다.

그러나 수많은 문학도는 그 순서를 거꾸로 하거나, 한 가지를 경시해서 일을 그르칩니다. 어서어서 작가가 되고 싶은 다급한 마음에 많이 쓰고, 적당히 읽고, 별로 생각하지 않는 것입니다. 그 마음 급함이 글을 발전시키지 못하고, 소설가가 되는 것도 오히려 더디게 방해합니다. 그 절실한 가르침은 우리 선조들이 남긴 말씀에 있습니다.

'바늘허리에 실 매어 못 쓴다.'

'첫술에 배부르랴.'

　많이 읽고, 많이 생각하고, 많이 쓰는 이 방법보다 더 좋은 방법은 없습니다. 이것은 글을 잘 쓸 수 있는 가장 확실한 방법이면서 유일한 방법이고, 또한 첩경입니다. 많이 읽고, 많이 생각하고, 많이 써라! 이 권유와 충고는 백 번, 천 번, 만 번을 해도 과하지 않습니다. 글을 쓰고 싶은 욕구가 있으면, 글을 잘 쓰고 싶은 욕심이 있으면, 작가로서 좋은 작품을 남기고 싶은 욕망이 있으면 그 세 가지 일깨움을 당신의 영혼에 아로새기고, 가슴 한복판에 화인처럼 찍으십시오. 그리고 하루도 빠짐없이 날마다, 날마다, 바보처럼, 미련퉁이처럼 실천에 옮기십시오. 그러면 문학의 여신은 뜻밖에도 빨리 여러분을 찾아올 것입니다.

　혹시 어떤 실기론 책이 다른 여러 방법들을 늘어놓으며 현란한 말로 여러분을 유혹할지도 모릅니다. 뱀의 껍질이 호화로울수록, 버섯 색깔이 화사할수록 그 독은 치명적입니다. 글 잘 쓰는 유별나고 특별한 방법은 없다는 것을 명심하시고, 그 어떤 달콤한 말에도 흔들리지 마십시오. 그건 허튼소리이기 십상입니다.

○ 선생님께서는 무거운 주제의 굵직굵직한 장편소설을 많이 써오셨습니다. 그런데 소설을 읽다 보면 의외로 섬세하고 치밀한 묘사가 많고, 온갖 단어들이 다채롭게 등장해 우리말의 단어가 이렇게도 다양한가 새삼 놀라게 됩니다. 어떻게 해야 단어를 많이 알게 되나요?

홍현진 · 성균관대 영어영문학과

● 　문학이 언어를 모태로 한다는 것은 이미 앞에서 말했습니다. 그러니까 문장을 구성하는 것은 단어고, 다양한 물상과 복잡한 생각을 자유자재로 다채로운 문장으로 표현해내려면 단어를 수없이 많이 알아야 하는 것은 필수입니다.

　단어의 중요성을 강조하기 위해 이렇게 직설로 말할 수도 있습니다.

　'좋은 글을 쓰고, 못 쓰고는 단어를 얼마나 많이 아느냐의 여부로 결정된다.'

　'좋은 소설을 쓴 작가는 그만큼 많은 단어를 안다는 증거다.'

　'단어를 많이 알지 못하고 글을 쓰려는 것은 불구의 손으로 마술사가 되기를 꿈꾸는 것과 같다.'

　이 정도면 단어의 중요성이 이해되었습니까. 한마디로 말하면, 단어는 문학의 밥입니다.

　국어사전은 모국어의 궁전입니다. 한 민족이 사용하는 모든 단어는 그들의 국어사전에 다 들어 있다는 뜻입니다. 그 모국어는 그 민족 성원이면 누구나 다 공평하고 자유롭게 가질 수 있는 소유권과 사용권이 있습니다. 그런데 특히 그 특혜를 누리는 사람이 문학인입니다.

그러니까 문학인이 제일로 치는 보물이 무엇일까요? 당연히 국어사전일 것입니다. 문인들에게, '당신이 가장 소중하게 여기는 보물 세 가지를 꼽으라'고 했을 때 국어사전을 꼽지 않는 문인이 있다면 그 사람은 좀 곤란한 사람입니다. 모든 문인은 갑자기 불이 났을 때도, 폭우로 집에 물이 찼을 때도, 전쟁이 일어났을 때도 국어사전부터 보듬고 나서야 합니다. 뼈대 좋아했던 양반들이 족보를 신주 모시듯 했듯이 문인들도 언제 어느 때나 국어사전을 그야말로 신주로 받들어 모셔야 합니다. 국어사전에 들어 있는 낱말들 없이는 문학은 존재할 수 없기 때문입니다.

국어사전은 많을수록 좋다

국어사전은 여러 종류가 있습니다. 같은 출판사에서 발간한 한 종류의 사전이라도 두께에 따라서 여러 가지가 됩니다. 사용자에 따라, 사용처에 따라 대개 대·중·소로 나뉩니다. 학생이나 일반인들은 간편하게 휴대할 수 있는 소형(흔히 말하는 포켓사전)이면 될 것입니다. 물론 그 사전에는 수록된 단어가 적습니다.

그러나 문학을 하고자 하는 사람이면 그것으로는 안 됩니다. 그것부터 중·대 사전까지 다 갖추어야 합니다. 꼭 필요한 단어가 소사전이나 중사전에 없을 수 있기 때문입니다.

그리고 글쓰기를 생업으로 삼은 문인이라면 거기서 끝나서는 안 됩니다. 국어사전을 내는 모든 출판사의 것을 다 갖추는 것이 기본입니다. 추상적인 단어일수록 사전마다 그 해석이 조금씩 다르고, 용례(用

例)도 다르기 때문입니다. 특히 사투리(지방말·고향말)의 수록 여부는 많이 차이가 납니다. 그뿐만 아니라 단어의 한 부분만을 확대(집중적으로) 연구한(부사사전이나 갈래말사전 같은 것) 사전들도 필히 지니고 있어야 합니다. 1년에 한 번을 펼치더라도 그 책들은 제 기능을 떳떳이 다하는 것입니다.

그리고 또 구해야 할 사전이 있습니다. 민족사의 비극으로 우리가 잃어버린 반쪽, 분단의 세월이 흘러갈수록 그쪽과 말이 달라지고 있습니다. 그쪽의 말을 알아야 하는 것도 문학인의 소임이고 소명입니다.

그러나 사전을 한 번 구입했다고 할 일이 다 끝나는 게 아닙니다. 언어는 생성과 소멸을 그 특징으로 합니다. 태양 아래 변하지 않는 것이 없다는 말처럼 언어도 세상의 변화에 따라 끊임없이 새 말이 생겨나고, 있었던 말들이 그 생명을 잃고 사라져갑니다. 그 현상은 사회 격변기에 특히 두드러지게 나타납니다. 해방과 한국전쟁을 겪으면서 새로운 말이 많이 생겨났고, 컴퓨터와 인터넷 세상이 되면서 새 말들의 탄생이 폭주하는 것과 같은 현상입니다. 사전은 몇 년 단위로 그 새 식구를 받아들여 개정판을 만들어냅니다. 글을 쓰는 사람은 그 개정판을 책상 위에 놓는 것도 게을리 해서는 안 됩니다.

글을 쓰는 사람은 여러 종류의 사전을 서재의 여기저기에 두고 늘 펼치고 또 펼쳐야 합니다. 글을 잘 쓰는 일은 사전을 부지런히 찾는 일이라고 해도 일차적으로는 과히 틀린 말이 아닙니다. 모든 종류의 운동선수가 기초체력을 다지기 위해서 무엇을 합니까. 달리기 아닙니까. 단어를 많이 익히는 것은 문학의 기초체력 다지기입니다.

사전 암기의 어리석음

그럼 어떻게 해야 단어를 많이 알 수 있을까요? 그 누구나 일차적으로 '암기'해야 한다고 생각할 것입니다. 그 지긋지긋한 영어 단어의 암기 때문에 우리 머릿속에 깊이 박혀버린 고정관념입니다. 예나 지금이나 중·고등학생들이 가장 지겨워하는 것이 영어 단어 외우기인 것은 변함이 없습니다. 우리말이 아니라 외국 말이니 피할 도리가 없는 형벌이기도 합니다. 여론조사에 따르면 현재 중·고등학생들 절반 이상이 '영어 없는 세상에 살고 싶다'며 영어에 진저리를 낸다는 것입니다. 아, 가엾어라. 그런 자각증상이 생긴 학생들에게는 영어를 가르칠 필요가 없습니다. 그들을 영어의 형벌로부터 해방시켜야 합니다(이야기가 좀 빗나가고 있지만 기왕 이야기가 나온 김에 작가로서 한마디 안 할 수가 없습니다. 이 대목에서 한마디 안 하는 것은 무책임이고, 직무유기이기 때문입니다).

지금 이 시대가 '세계화 시대' '글로벌 시대'라는 것은 인정합니다. 그러므로 이미 '세계어'가 된 영어를 공부해야 된다는 것도 충분히 이해합니다. 그 사실이 국민적 동의를 얻어 이 나라에서는 십사오 년 전부터 영어 열풍이 일어나 이제는 광풍에 휩쓸리고 있습니다. 우리말도 미처 익히지 못한 세네 살짜리들을 앞 다투어 영어유치원으로 내몰고, 본토 발음을 하게 한다며 혀 수술까지 시키는 것이 유행한 지 오래되었습니다. 그리고 자격 검증도 제대로 안 된 소위 원어민 교사들이 전국에서 얼마나 많은 돈을 챙기고 있는지 그 숫자조차 제대로 파악되지 않습니다. 그런데 영어 사교육비는 해마다 눈덩이처럼 불어나 한 해 12조 원을 넘었다는 통계입니다. 10년이면 120조 원입니다. 아니, 해마다 불어났으면 불어났지 줄지 않을 것이니 150조가 될지 2백

조가 될지 모를 일입니다. 10년 동안의 은행 이자만 따져도 그 액수가 얼마입니까. 그런데 그렇게 영어 공부를 시킨 덕으로 우리는 그보다 더 큰 이익을 얻을 수 있을까요?

답은 분명 '아니다'입니다. 왜냐하면 학생 절반 이상이 영어 공부를 지긋지긋해하고 있기 때문입니다. 그들을 억지 춘향이로 만드는 것은, 그들의 젊은 인생을 망가뜨리는 것이며, 국력을 무한정 낭비하는 어리석음입니다.

국가의 발전을 위해 영어 공부는 꼭 필요합니다. 그러나 영어를 하고 싶은 학생에게만 시키면 됩니다. 능력 있고 의욕 있는 학생에게만 집중 교육을 시키고, 싫어하는 학생에게는 제도적 강요를 풀어 그들이 하고 싶은 공부를 하도록 자유를 주어야 합니다.

어느 여성은 새 시대의 주인공이 되기 위해서 고등학교 때부터 10년 넘게 그야말로 영어에 '몰입'했습니다. 여행 같은 것은 아예 갈 생각도 하지 않았고, 학비도 많이 들었습니다. 그 결과 토플 성적 거의 만점으로 꿈에 그리던 대기업에 입사했습니다. 그런데 그 여성은 10년이 다 되도록 영어를 한 번도 써먹지 못했습니다. 영어가 필요한 부서에서 일할 수 없었기 때문입니다.

"영어에 바친 제 인생이 뭡니까. 너무 후회스럽고 허망합니다. 더 의미 있게 살았어야 했는데……"

얼굴을 가린 그 여성의 울먹이는 목소리가 변성 처리되어 텔레비전에서 흘러나오고 있었습니다. 1년 전의 일입니다. 그렇게 후회하는 사람이 그 여성뿐일까요. 그 슬픈 항변을 잊을 수가 없습니다.

수출로 먹고살아야 하는 이 나라가 영어를 잘해야 하는 건 필수 조건입니다. 그러나 수출업무를 온 국민이 나서서 하는 건 아닙니다. 그러므로 온 국민이 영어를 하느라고 체력 소모, 금력 소모, 인생 소모를 할 필요가 없는 것입니다. 정부는 전 국민의 영어 교육화를 폐지하고, 이 나라에서 꼭 영어를 해야 할 사람이 얼마나 필요한지를 파악해야 합니다. 그리고 영어를 하고 싶은 학생을 뽑아 국비로 영어 교육을 집중적으로 시키는 것입니다. 그런 다음 그들을 영어를 할 필요가 있는 기업이나 기관에 배치해주고, 투자된 교육비를 받아 재투자하는 식으로 하면 오늘의 영어 광풍에서 벗어날 수 있습니다.

학과를 불문하고 영어로 강의를 한다는 것을 대학들이 자랑하고 뽐내는 넋 나간 시대입니다. 서울을 비롯한 대도시만이 아니라 지방의 산골 소도시까지 영어 간판이 범람하는 시대입니다. 우리는 일본의 식민 정책의 잔혹성을 말할 때 두 가지를 거론합니다. 첫째, 조선어 말살, 둘째, 창씨개명입니다. 그런데 이제 우리는 우리 스스로 민족어 경시, 훼손에 나서고 있습니다. 이것은 민족의 분단만큼 중대한 비극적 사태입니다.

빗나간 이야기가 너무 길어져 장광설이 되고 말았습니다. 길게 쓰는 것은 규제할 대책이 없는 저의 주특기이니 이해하시기 바랍니다. 또, 이런 기회에 이런 이야기를 쓰는 것도 이런 글을 쓰는 목적의 하나일 수 있습니다.

물론 제가 이런 글을 써도 행정기관에서는 끄떡도 하지 않고, 세상도 들은 척도 안 한다는 것을 잘 압니다. 그러나 옳은 일, 바른 말은 열번이고 스무 번이고 하고 하고 또 해야 하는 것이 지식인의 사명이고 책무입니다. 그 바보스러운 되풀이가 쌓이고 쌓여 결국에는 잘못된 세상사가 바로잡히고, 새로운 정책이 수립되고 합니다. 그것이 역사가 가르쳐주는 교훈입니다. 인류의 역사는 그런 우둔한 듯한 힘들이 뭉치고 커져서 변화하고 발전해왔습니다.

저는 몇 년 전부터 신문 칼럼을 통해서, 방송을 통해서 잘못된 영어 교육에 대해 거듭거듭 말해왔습니다. 그리고 앞으로도 계속, 죽는 날까지 발언을 할 것입니다(여러분, 저의 끈기가 얼마나 질긴지 잘 아시지요? 저는 대하소설을 세 편이나 쓰지 않았습니까. 허허허⋯⋯). 여러분 중에서 몇 명만이라도 제 의견에 동의하셨다면 제 목적은 조금씩 달성되어가는 것입니다. 낙숫물이 바위를 뚫는다! 눈앞의 현상은 서글프기 한이 없지만 그 일 또한 이 땅의 작가로서 마땅히 해야 할 일이니 기꺼운 마음으로 해나갈 것입니다.

암기가 아닌 책 읽어 익히기

"3학년 영어 선생 짱구 대가리 있잖냐? 대학생 때 콘사이스를 앞뒤로 달달 외워버렸는데, 한 페이지를 다 욀 때마다 그 페이지를 찢어내 질겅질겅 씹어 삼켰다고 하잖아. 절대 잊지 않기로 결심하는 마음으로 말야. 아주 독종이라니까."

"야, 전교 1등 하는 경식이네 형이 영어 공부를 어떻게 하는지 알아? 글쎄 영어 단어들이 머리에 쏙쏙 들어가게 하려고 잘 때면 사전을 꼭 머리에 베고 잔다더라. 우리도 그렇게 해볼까?"

5,60년대에 영어가 대중교육의 중심으로 자리 잡으면서 유행했던 에피소드들입니다. 아마 그 영어 선생은 위암에 걸려 죽었을 것이고, 그 1등짜리는 뒤통수에 굳은살이 박이다 못해 피부암에 걸려 죽었을 것입니다. 검은 인쇄 잉크에는 얼마나 독한 화학물질이 섞여 있으며, 목침 덩어리와 다를 것 없이 딱딱한 사전을 평생 베개로 벴을 터이니 (죽을 때까지 사전을 다 욀 도리가 없으니까) 뒤통수 여기저기에 굳은살이

줄줄이 안 박였을 리가 없지요(재수가 좋아 피부암은 안 걸렸더라도 목 디스크는 틀림없이 걸렸을 것임).

모든 언어의 기초 단위가 단어요, 어학을 잘하려면 단어를 많이 알아야 한다는 것은 핵심을 뚫은 판단이고, 정곡을 찌른 인식입니다. 거기까지는 훌륭한 표창감이지만 그렇다고 사전을 통째로 외우겠다고 덤비다니, 이런 어리석고 가엾은 낙제감이 어디 또 있겠습니까.

우리나라 문인 중에도 국어대사전을 통째로 외우겠다고 나선 분네들이 없지 않습니다. 소설가 오 아무개 씨가 첫 번째 도전자였는데, 그 소식을 들은 어느 여성 작가 왈.

"그 사람 왜 그래? 딱하기도 해라. 그럴 시간 있으면 차라리 낮잠이나 자고 공상이나 하라고 해주지."

그 말을 한 여성 작가는 고 박경리 선생입니다. 마지막 말 '해주지'는 무슨 뜻인가? 박 선생 당신은 그 남성 작가에게 그런 충고를 해줄 만큼 가깝지 않으니 그와 친한 그 누군가를 가리키는 안타까움 아닙니까.

두 번째 도전자는 시인 고 아무개 씨입니다. 그분은 1980년대 후반에 시국사건으로 영어의 몸이 돼 독방 생활을 하는 중에 국어사전을 한 장씩 넘기기 시작했습니다.

"깜빵 생활이라는 게 시간이 어찌 그리 굼벵이 걸음인지 몰라. 그래서 시간 죽이기로 국어사전 독파를 마음먹었지. 간수한테 사정사정해서 조그만 휴대용 인주와 성냥개비 하나를 얻었지. 그래 사전을 쭉 읽어 내려가면서 필요한 단어, 다시 봐야 할 중요한 단어에 성냥개비 도장을 찍어나갔어. 아, 시간도 잘 가고, 우리 단어의 전모를 훑어볼 수도 있고, 아주 도움이 많이 됐어."

고 시인은 현명했습니다. 무작정 외우려고 들지 않았으니. 그러나

이 방법도 감방에 갇혀서 지루한 시간 죽이기로는 소득이 많은 영리함이지만, 일상생활을 하는 사람에게는 역시 권할 만한 것이 아닙니다.

세 번째 도전자는 김 아무개 작가였습니다. 그는 대학생 때까지는 '소설은 사랑 이야기 나부랭이나 쓰는 것'이라고 하시해 소설가가 될 생각은 아예 하지 않았다고 합니다. 그러다가 신문 기자가 되고, 소설이 결코 사랑 이야기 나부랭이나 쓰는 것만은 아니라는 데 눈이 뜨이면서 부쩍 소설가가 되고 싶은 욕구에 시달리게 되었습니다. 그러나 그는 겁이 났습니다. 소설가가 되기에는 자신이 단어를 너무나 모르고 있다는 위축감을 떼칠 수가 없었던 것입니다. 혼자 고민고민하던 그는 국어사전 독파를 결심했습니다.

퇴근한 그는 밤마다 자정을 넘겨가며 국어사전 속으로 파고들었습니다. 그러기를 꼬박 1년. 그는 마침내 국어사전 독파를 완료했습니다.

"모르겠어요. 단어들이 얼마나 머릿속에 남았는지. 그러나 국어사전을 한바탕 통독했다는 것은 뿌듯해요. 그리고 열등감과 위축감도 사라졌고요."

모국어의 밀림을 답사한 그는 다음 해에 작가가 되었습니다. 사전을 전부 외우려고 한 것이 아니라 한 번 통독을 하고 싶어 한 그의 선택이 좀 다릅니다. 꼭 권할 건 아니지만 결심이 선다면 한 번쯤 시도해봐도 괜찮은 방법이 아닐까 싶습니다.

그런데 그 젊은 작가는 작품을 잘 써나가다가 갑자기 세상을 떠나고 말았습니다. 아까운 나이의 그를 데려간 것은 간암인가 췌장암인가 그랬습니다. 그런데…… 그의 건강을 좀먹게 한 건 밤마다 늦게까지 국어사전을 독파했던 과로가 아니었을까…… 저 아래 후배의 빈소에서 돌아서며 제가 한 생각이었습니다.

그러고 보면 단 한 번이라고 하더라도 그 방법은 결코 권할 것이 못 된다는 것을 다시 확인합니다. 제가 다 몰라서 그렇지 다른 문인들도 같은 일을 했을 수 있습니다. 그러나 사전을 통째로 머릿속에 넣고자 하는 것은 아름다운 욕구인 동시에 어리석은 탐욕입니다.

이제 길어진 이야기의 마무리를 해야 할 것 같습니다. 모든 문인은 한 가지 공통적인 병을 앓고 있습니다. '내가 사전의 단어를 얼마만큼 사용하며 글을 쓰고 있을까……' 이 회의와 강박감은 더욱 새로운 글을, 더더욱 잘 써야 한다는 문인들의 피할 수 없는 숙명에서 비롯되고 있습니다.

인간의 '자기 표현욕'은 본능 중의 하나라고 합니다. 그래서 저 옛날부터 무용담을 중심으로 하는 구전문학이 생겨난 거겠지요. 그리고 일기 쓰기가 보편화된 것도 그 욕구의 실천입니다. 또한 경제적으로 살 만해지고 책 만들기가 쉬워진 세상을 만나 많은 사람들이 자기 한 평생을 기록해 자식들에게나마 남기고 싶어 하는 것도 그 욕구의 발로입니다. 어떠한 형식이든 글을 쓰고 싶어 하는 여러분, 국어사전은 늘 손을 뻗치면 닿을 수 있도록 가까이 두고 평생 친구로 삼되 그것을 송두리째 외우려는 무모하고 아둔한 짓은 하지 마십시오. 왜냐하면 제아무리 머리 좋은 사람도 사전을 전부 암기할 수는 없으며, 다 암기한다 해도 정작 소설을 쓰는 데는 그 단어들이 다 필요하지도 않기 때문입니다. 사전은 단어의 뜻과 개념을 확실하게 하기 위해서 닳아지도록 부지런히 펼치는 것이지, 암기의 대상이 아닙니다.

그럼 어떻게 해야 많은 단어를 습득하게 되느냐고요? 그건 간단한 방법이 있습니다.

앞에서 말한 '삼다'의 첫 번째 것! 무엇이지요? 많이 읽어라!

맥 빠지십니까? 고작 이 말을 하려고 그 긴 장광설을 늘어놓은 거냐고요? 다시 생각해보십시오. 컴퓨터로 마구 찍어대는 것도 아니고 원고지에다 한 글자, 한 글자 써나가야 하는 신세에 제가 왜 그렇게 긴 이야기를 적었는지를. 그만큼 문학에서의 단어 비중이 절대적이고, 그 습득이 중요하기 때문입니다.

책을 많이 읽으면 첫 번째 얻게 되는 효과가 많은 단어를 알게 된다는 것입니다. 그다음의 효과는 단어들의 적확하고 효과적인 쓰임새를 파악하게 됩니다. 이 효과 때문에 반드시 책을 많이 읽어야 됩니다. 물론 사전에도 낱말의 용례가 나와 있습니다. 그러나 그것만 가지고는 어림없습니다. 작가는 자기 나름의 재능과 개성에 따라 기발하고 특이하게 단어들을 조립하고 배합해나갑니다. 그 다양하고 절묘한 낱말들의 쓰임새를 생동감 있는 글을 읽어가며 확인하는 것, 그것이 낱말 하나하나의 생명감과 활용 폭을 제대로 터득하는 방법입니다. 그러므로 사전의 단어 하나하나를 읽어나가는 그 아까운 시간에 잘된 작품을 많이 읽으라는 것입니다. 그러면 사전을 통독하는 것보다 몇 십 배 큰 효과를 볼 수 있습니다.

어디 단어 많이 익히기뿐이겠습니까. 훌륭한 작품을 많이 읽게 되면 글 잘 쓰는 데 필요한 다른 여러 문제들도 동시에 해결해줍니다. 다독은 글을 잘 쓰게 해주는 고민 해결사고, 만병통치 신약입니다. 다른 문제 해결에 대해서는 뒤에서 더 보태겠습니다.

자식 영재로 키우기

이야기를 끝내면서 한 가지 덧붙이고자 합니다.

"말문이 터진 아이들에게 말을 쉽게 하려고 애쓰지 말고 어른들이 쓰는 말을 그대로 쓰십시오. 그리고 아이가 무슨 뜻인지 물으면 그때 자상하게 설명해주십시오. 아이들은 모르는 말은 절대로 그냥 지나치지 않고 꼭 묻게 되어 있습니다. 그래야만 아이들의 어휘량이 확장되고, 두뇌가 빨리 개발됩니다."

아동 전문의들이 하는 말입니다.

아이가 연달아 묻습니다. 찬란하다가 뭐야? 황홀하다가 뭐야? 운명이 뭐야? 인생이 뭐야? 이 물음들 앞에서 주저하지 않고 선뜻선뜻 대답할 엄마가 몇이나 될까요. 그런 형용사나 추상명사는 작가들도 깔끔하게 설명하기가 난감해집니다.

"아직 몰라도 돼."

"담에 크면 알아."

"쬐끔한 게 별걸 다 묻고 그래."

젊은 엄마들이시여, 이렇게 대응하시겠습니까? 아이들이 제기한 얄밉도록 귀여운 물음을 그렇게 무식하게 무질러버리는 엄마들을 심심찮게 보게 됩니다. 그러면서도 자기 아이가 영재이기를 무작정 바랍니다. 계속 그런 식으로 무책임하게 아이들을 대하는 것은 '바보' 만드는 첩경입니다.

그럼 어찌해야 할까요? 방법은 간단합니다. 국어사전을 사십시오. 비싸다고요? 옷이나 화장품은 거침없이 사시면서. 물론 큰 사전은 비쌉니다. 그러나 그건 필요치 않습니다. 휴대하기 편하고, 가장 싼 포켓사전이면 충분합니다. 그것 하나만 장만하면 밑천 톡톡히 뽑으며 평생 잘 쓸 수 있습니다. 전문가가 아니니 개정판을 또 살 필요가 없으니까요.

아이가 예쁜 입을 달싹이며 물을 때마다 망설이지 말고 사전을 펼치십시오. 그리고 뜻풀이를 찬찬히 읽고 설명을 해주십시오. 또한 거기서 그치지 말고 당신이 학생 때 국어 시험에 대비하느라 울며 겨자 먹기로 했던 '짧은 글짓기'를 해서 설명을 구체화하십시오. 그게 곧 단어 응용법이며, 그 교육을 통해 당신의 사랑스러운 자식은 영재로 쑥쑥 자라나게 됩니다. 그리고 또 하나의 덤이 있습니다. 그러는 동안에 당신의 단어 실력도 봄풀 자라듯 해 친구들 중에서 일기와 편지를 가장 멋지게 잘 쓰는 사람으로 변하게 될 것입니다.

● 선생님의 작품을 읽다 보면 묻고 싶은 것이 많이 생깁니다. 그중 가장 궁금한 것은 역시 문장을 잘 쓰는 비결입니다. 기성 작가의 좋은 작품을 베껴 써보는 것도 한 방법일 수 있나요?

김은지 • 이화여대 정치외교학과

　　저는 이 질문 앞에서 문득 당황합니다. '비결'이라는 말 때문입니다. 그 단어는 강연장의 질문에서도 더러 나옵니다. 독자들로서는 자연스럽게 사용하는 말입니다만 질문을 받는 입장에서는 매번 당황하게 됩니다. 왜냐하면 그 어떤 비결도 가지고 있지 않기 때문입니다. 모든 종류의 예술 행위에는 '재능＋노력'이 있을 뿐 비결은 없습니다. 그런데도 일반인들이 보기에는 예술가들이 특이하고 특출하게 보여주는 감동에 매료되면서, 거기에는 특별한 비결이 있으리라 생각하게 됩니다. 그건 단순한 착각이 아니라 지극히 당연한 반응입니다. '비결이 있지 않고서야 어찌 저렇게 할 수가 있는가!'

　　어느 인기 높은 드라마 작가의 얘기입니다. 쓰는 작품마다 술집이 비게 할 정도로(남성 동포께서 술 마시는 것도 마다하고 드라마 보려고 집으로 들어가버려) 인기가 높으니 당연히 나오는 질문.

　　"그 비결이 무엇입니까?"

　　작가가 난감해하는 표정으로 고개를 숙인 듯하더니 잠시 후에 고개를 들며 하는 말.

"저절로 돼요."

이 대답에 대한 반응이 어떠했겠습니까. 더 말할 것 없이 흔히 하는 말로 '욕으로 패대기를 쳤습니다.'

시건방지다, 안하무인이다, 잘난 척 더럽게 한다, 눈꼴시어서 못 봐주겠다…… 이 세상의 나쁜 욕이란 욕은 총동원되어 그녀를 향해 십자포화로 날아갔습니다.

그러나 예술 하는 거의 모든 사람들은 그 여성 작가의 대답에 고개를 끄덕이게 됩니다. 비결이 따로 없고, 말로는 표현이 안 되니까 그렇게 대답하는 것이 가장 합당하다는 것을 이해하는 것이지요. 그런 처지와 감정을 동병상련(同病相憐)이라고 하나요.

예술의 시작과 모방론

'예술은 모방에서 시작된다.'

'예술 감각은 모방으로 자극된다.'

'모방 아닌 예술은 없다.'

모방과 예술, 예술과 모방의 관계는 저 고전주의 시대부터 현대의 포스트모더니즘 시대에 이르기까지 그 논의가 분분했습니다. 인간이 타고나는 여러 가지 본능 중에는 모방 본능이 분명히 있습니다. 그 모방의 본능이 예술이나 문화의 발생과 발달의 요인이었다는 모방설도 그래서 나온 것이고, 예술 하는 사람들은 그 사실을 부인하지 못합니다. 자기들도 모두 모방의 욕구와 모방의 경험을 가지고 있기 때문입니다. 저라고 예외일 리 있습니까. 그러나 50여 년에 걸쳐 글을 써온 입장에서 이렇게 정리하고 싶습니다.

'모든 예술은 모방으로 시작하되, 그것을 넘어서야 한다.'

이렇게 말해놓고 나면 글을 처음 쓰고자 하는 사람들이 온 세상이 잠든 한밤중에 아무도 모르게 살금살금 모방을 하는 것은 아무 잘못이 아니고 더구나 죄 될 리 없습니다. 제가 앞에서 좋은 책을 많이 읽으라고 누누이 말한 것도 '창조적 모방'을 하라는 뜻일 수 있습니다.

좋은 글을 읽고 감동하고, 그 감동에 자극되어 글을 쓰고 싶은 욕구가 샘솟을 때 그 글을 닮고 싶어 하는 건 너무나 자연스럽고 당연한 일입니다. 닮고 싶은 글이 있으면 서슴지 마시고 그 글을 흉내 내십시오. 그러나 여기서 필히 조심할 것이 있습니다. 한 작가의 작품에만 고정되거나 집착해서는 안 된다는 것입니다. 다른 작가들을 보지 못하고 특정 작가에게만 빠져들다 보면 그 작가의 아류가 되고 맙니다. 그것은 자살의 올가미고 죽음의 늪입니다. 자기만의 창조적인 세계를 구축하지 못하고 아류로 끝나는 것처럼 비참한 실패는 없습니다.

여러 작가를 모방하되 끝내는 자기의 개성적인 세계를 창조해내야만 예술가로 입신할 수 있으니까 모방을 하되 '창조적 모방'이 되게 하라는 것입니다. 이 말을 말로만 들으면 어렵습니다. 그러나 실행을 하면서 자꾸 생각해나가면 자연스레 수긍이 되고, 길이 열리는 것을 느끼게 됩니다.

옮겨 베끼기의 긍정성

문장 공부를 효율적으로 그리고 치열하게 하는 방법으로 마음에 드는 좋은 작품을 옮겨 베끼는 것이 가끔 이야기되기는 합니다. 어떤 작가는 자신의 실제 경험을 털어놓기도 합니다. 물론 작가가 되는 데 효과를 보았다는 회상이지요.

그러나 그 방법은 효과와는 반대로 적잖은 위험을 안고 있기도 합니다. 옮겨 베끼기(필사)의 목적은 아류가 되자는 것이 아니고 보다 빠르고 효과적으로 자기의 본체를 확립하자는 것입니다. 그 누구도 흉내 내지 않은 자기만의 특색과 개성을 갖춘 문장, 그것을 문체라고 합니다. 앞에서 말한 '창조적 모방'이 바로 '자기만의 문체 확립'입니다. 그것은 작가가 될 수 있는 첫 번째 조건이면서 객관적 조건입니다.

그런데 등단한 지 몇 년 안 되는 신진 작가들이 표절 사건을 종종 일으키는 일이 있습니다. 그건 작가로서 가장 수치스럽고, 다른 작가들까지 치욕스럽게 만드는 몰염치하고 비양심적인 짓입니다. 왜냐하면 독자로 하여금 문학 전체에 불신감을 갖게 하고, 그 불신감의 확대는 수십 년에 걸쳐 애써 글을 써온 선배 작가들의 명예까지 훼손하는 것이기 때문입니다.

그런데 그런 부끄러운 행위는 왜 발생할까요? 그 첫 번째 이유가, 모방을 넘어서 '창조적 모방'을 확실히 이루기 전에 작가가 된 때문이 아닌가 합니다. 곧 모방의 습관성의 연장이라는 뜻이지요. 두 번째는, 작가로서 빨리 입신하고 싶은 조급성 때문이지요. 세 번째는, 세상이 모르겠거니 하는 비양심의 소행입니다. 이것이 가장 나쁜 동인(動因)입니다.

표절: 남의 시가·문장 등의 글귀를 훔쳐서 자기 것인 것처럼 발표함.

국어사전의 해석입니다. 이 '훔쳐서'라는 말은 무슨 뜻인가요? 다름 아니라 '도둑질'이라는 것입니다. '글 도둑질'이 곧 표절입니다.

앞에서 밝힌 문학의 가치, 작가의 위상 같은 것을 상기할 때 글 도둑

질이 있을 수 있는 일입니까. 그런 행위를 하게 되는 건 능력 부족, 치열성 부족, 노력 부족, 양심 결여의 결과입니다.

표절 사건은 예술의 모든 분야에서 수백 년 동안 반복되어오는 비극입니다. 모방으로부터 예술 행위를 시작하는 것은 아름다우나 끝내 모방 중독자가 되어버리는 것은 가장 비참하고 추한 모습입니다. 그 위험한 함정에 빠지지 않도록 조심하십시오. 그 방법이 뭐가 있느냐고요? 예, 아주 손쉬운 방법이 있습니다. 살 껍질이 닳아지고, 속살이 닳아지고, 뼈가 닳아질 때까지 '노력'하고 노력하십시오.

● 그렇게 긴 소설을 많이 쓰려면 책도 많이 읽으셨을 텐데, 어떤 책을 골라 읽어야 합니까. 책이 너무 많아 정신이 없고 혼란스럽습니다.

송은하 • 한국외대 독일어과

● 그렇습니다. 큰 밥상에 입맛 나는 반찬들이 하도 많아 어떤 것을 먹어야 할지 알 수 없는 것처럼 수많은 책이 넘쳐나는 것이 우리의 현실입니다. 사회 전체가 가난했던 1950년대나 1960년대에는 상상할 수도 없는 일이었지요. 그때는 교과서는 당연히 물림으로 쓰는 것이었고, 소설집은 사는 것이 아니라 몇 십 명씩 돌려 읽는 것이었습니다. 헌책방은 그런 사회 환경 속에서 번창한 사업이었습니다.

그런 시절에 「소나기」의 작가 황순원 선생의 장편소설 『나무들 비탈에 서다』가 나와 장안의 화제를 모으고 있었습니다. 저는 그 책을 빨리 읽고 싶었지만 책이 제 차례가 될 때까지 하염없이 기다릴 수밖에 없었습니다. 그 책은 대학생인 저의 형 친구들 손에서 손으로 옮겨지며 돌려 읽히고 있었습니다. 한 달이 넘게 걸려 그 소설은 제 손에 들어왔습니다.

"다 읽고 나서 맨 뒷장에 사인해."

형이 책을 넘겨주며 한 말입니다.

출판사의 판권이 표시된 맨 뒷장 위부터 여러 사람의 이름이 죽 씌어져 있었습니다. 그 수는 열다섯을 넘었습니다. 이쯤 되면 눈치 채셨습니까. 그건 책을 돌려 읽은 사람들의 이름이었습니다. 가난하던 시절에 모두가 함께 살아가던 삶의 지혜였고, 미덕이었습니다. 우리는 그렇게 문학을 즐겼고, 다 읽은 다음에 차례로 사인을 함으로써 문화교양인의 긍지를 확인했던 것입니다.

그러나, 생각해보십시오. 책 한 권을 그 지경으로 돌려 읽었으니 작가가 받는 인세 수입은 얼마였겠습니까. '쥐꼬리'가 아니라 '모기 뒷다리' 정도였겠지요. 우리의 선배 작가들은 그런 환경에서도 굳세게 글을 써냈습니다. 지금 작가들로서는 상상하기 어려운 일이지요.

그런데 경제가 차츰차츰 발전하기 시작했습니다. 그에 따라 출판시장도 점점 확대되어갔습니다. 1970년대가 지나고, 날마다 민주화 시위만 한 것 같았던 1980년대에도 1백만 부 팔리는 베스트셀러가 예사로 나타나게 되었습니다. 소설집도 아닌 김초혜 시인의 시집 『사랑굿』이 바로 1백만 부를 돌파한 베스트셀러였습니다(김초혜 시인이 이 글의 필자와 무슨 관계인지 모르시는 분도 있을까).

세계문학전집 완독

1980년대의 출판시장 확대는 두 가지가 상승작용을 일으킨 결과입니다. 첫째는, 대중교육 수준의 향상이고, 둘째는, 경제력의 지속적 신장이었습니다. 다시 말해 지적 수준이 높아지고, 잘살게 되면서 책을 많이 읽게 되었던 것입니다. 그 사회적 요구에 따라 출판 사업이 대호황을 누리게 되었습니다.

출판업의 활기는 질 좋은 책 출판으로 이어졌습니다. 그에 따라 지난날의 일어판 중역이 아닌 원본에 충실한 새 번역으로 세계문학전집이 나오기 시작했습니다. 그 작품은 오랜 세월에 걸쳐서 많은 전문가에 의해 충분히 검증을 거쳤습니다. 그 1백여 편의 작품은 안심하고, 기필코 읽어야 합니다. 그 작품은 나라가 다르고, 민족이 다르고, 시대가 다르고, 작가가 다르기 때문에 다양하기 이를 데 없는 이야기를 담고 있습니다. 그것은 풍요로운 인류사의 파노라마이며, 다채로운 인간사의 드라마입니다.

앞에서 다독에 의한 단어 습득과 문장 강화에 대해 얘기하며 또 다른 이점에 관해서는 뒤에서 다시 말하겠다고 했습니다. 이제 그 문제를 얘기할 차례입니다.

세계문학전집에 뽑혀 올라온 작품은 이미 '위대하다'고 평가가 내려져 있고, 그 작가들은 바로 '인류의 스승' 자리에 올랐음을 우리는 인정해야 합니다. 그 작가들을 흔히 일러 천재라 합니다. 좀 속상하고 기죽더라도 그 사실 또한 인정할 수밖에 없습니다(우리는 이런 우스갯소리를 가지고 있습니다. '천재'란 다른 말이 아니라 '천하에 재수 없는 인종'이라는 뜻이다. 남들을 기죽고 분하게 하니까).

그 위대한 천재들의 작품을 정신 집중해 차근차근 또박또박 읽어나가십시오. 그러면 당신은 무수한 봉우리를 넘고 골짜기를 건너며 온갖 보석을 줍게 될 것입니다. 작가마다 다른 다채로운 문체, 형형색색의 소재, 각양각색의 주제, 온갖 기발한 구상, 기기묘묘한 표현 기법, 무궁무진한 상상력, 세련된 대사 처리의 효과, 과감한 생략의 역효과, 뜻밖의 상징의 감동, 살아 생동하는 무수한 인물 군상……

그건 세계적인 천재들이 맘껏 펼치는 문학의 대향연이며, 언어의 대축제입니다. 그 잔치에서 맘껏 마시고, 취하고, 즐기십시오. 아무도 간섭하는 사람이 없습니다. 그러면 당신은 당신이 그토록 알고 싶어 하는 소설 실기, 소설 잘 쓰는 방법 등 모든 것을 한꺼번에 얻게 될 것입니다.

평론가들이 딱딱한 말로, 어려운 말로 길게 늘여놓은 '창작실기'가 그 위대한 소설 속에서는 생생한 생명으로 살아 숨 쉬는 것입니다. 위대한 작가들은 벌떡벌떡 맥박이 뛰는 생짜로 여러분에게 소설을 체득케 합니다. 왜 평론가들의 창작실기론을 읽지 말고 잘된 작품을 많이 읽으라고 하는지 이해가 되십니까.

이런 말이 있습니다. 인간과 똑같은 기능을 하는 로봇을 만들면 그 크기가 사방 3백 미터에 달하는 정육면체가 된다. 그러고도 인간처럼 안 되는 것이 한 가지가 있다. 피부 접촉으로 느끼는 감각인 촉각이다.

이게 20여 년 전 이야기니까 그동안 IT 기술이 발달해서 그 크기는 많이 줄일 수 있을지는 모르지요. 그러나 여전히 촉각은 만들어낼 수 없을 것입니다. 그것이 과학의 한계요, 이론의 한계입니다. 평론가들의 창작실기론도 그 한계를 벗어날 수가 없습니다. 그러니까 잘된 책을 많이 읽으라는 것입니다. 그 책 속에는 천재들이 '최선을 다한 촉감'이 들어 있습니다. 그 촉감과 얼마나 진하게 교감하느냐 아니냐는 전적으로 당신에게 달렸습니다. 당신의 집념과 열정과 끈기와 성실이 그것을 결정지을 것입니다.

납득이 되십니까, 왜 책을 많이 읽으라고 하는지. 이제 저는 더 말할 것이 없습니다.

한국문학전집도 완독

우리나라 출판계에는 세계문학전집만 있는 것이 아닙니다. 그와 버금가는 분량으로 한국문학전집도 갖추고 있습니다. 그것도 똑같은 마음가짐으로 열독하십시오. 거기에는 한국 문학 1백 년의 소설들이 오롯이 담겨 있습니다.

"한 곡을 5백 번 이상 연습하지 않고는 무대에 올라가지 마라."

이 말이 무슨 말인지 아십니까? 성악을 공부하려고 세계 각국에서 모여든 학생에게 이탈리아 음악학교 교수들이 하는 말입니다.

그 느낌이 어떻습니까. 준열하고 섬뜩하지 않습니까? 1백 번이 아니라 5백 번입니다. 이탈리아에 공부하러 온 각국 학생은 이미 음악적 기본 재능을 인정받은 영재입니다. 그럼에도 불구하고 5백 번의 연습을 '명령'합니다. 모든 명령은 반드시 따라야 하는 것이 그 특징입니다. 5백 번씩이나 연습을 하면 저 같은 음치라도 음악회를 열려고 나설 것 같습니다(저는 반음을 맞추지 못한다고 평생 아내한테 구박을 당하고 삽니다).

왜 굳이 이런 말을 하는지 현명한 여러분은 잘 아실 것입니다. 저는 여기서 이탈리아 교수의 어법을 빌려 말하고자 합니다.

"5백 권의 책을 읽지 않고는 소설을 쓰려고 펜을 들지 말라."

그 5백 권의 책이란 세계문학전집 1백 권, 한국문학전집 1백 권, 중·단편 소설집 1백 권, 시집 1백 권, 기타 역사·사회학 서적 1백 권입니다. 그것도 한 차례씩만 읽고 말 것이 아니라 5년을 주기로 되풀이해서 읽으면 그보다 더 좋을 것이 없습니다. 그뿐이 아니라 그때그때 발간되는 신간을 골라 읽는 꾸준한 독서 생활을 글쓰기와 병행해야 하는 건 더 말할 것이 없습니다.

예, 50권도 읽지 않고 소설가가 될 수도 있습니다. 그러나 이 사실을 잊지 마십시오. 얼마만큼 재능을 타고났다면 누구나 한두 편의 소설은 쓸 수 있습니다. 그러나 열 편, 스무 편까지 쓰기는 어렵습니다. 더구나 아흔 편, 백 편까지는 더 말할 게 있겠습니까.

소설가의 생애는 대충 4단계 정도로 구분할 수 있습니다. 첫 번째는, 소설가가 되는 입문의 단계입니다. 두 번째는, 소설가로서의 역량을 확실하게 인정받는 입신의 단계입니다. 세 번째는, 새 작품을 기다리는 확고한 독자층이 구축된 성숙의 단계입니다. 네 번째는, 부동의 사회적 위치가 굳어진 결실의 단계입니다.

이 네 단계까지 이르는 데는 대강 40여 년이 넘는 세월이 걸리며, 작품도 중·단편, 장편을 합해 2백여 편 이상 써야 합니다. 그런데 50여 권도 못 읽고 등단을 하고, 그 자만에 빠져 계속 책 읽기를 게을리 한다면 그 작가의 생애는 몇 단계쯤이나 갈까요? 끝내 네 단계까지 이르러 작가로서의 삶을 성공적으로 완성하고 싶으면 제가 말한 대로 해야 합니다. 그 기본 노력을 하지 않아 중도 탈락하는 사람을 수없이 많이 보아왔습니다. 기본체력의 확보 없이 마라톤 풀코스를 완주할 수 없습니다. 다리를 깊이 구부린 개구리만이 높이 뛸 수 있으며, 날기 연습을 많이 한 새만이 수만 리 고향 땅으로 날아갈 수 있습니다.

모든 문인이 등단을 하면 '천하를 얻은 듯이' 기뻐합니다. 그만큼 등단은 어렵고, 소망은 간절했으니 그런 감격에 들뜨는 건 퍽 인간적인 일입니다. 그러나 그런 기쁨은 한두 달, 더 길어야 6개월 정도에서 끝나야지 계속 취해 있는 건 더없이 촌스럽고 딱한 일입니다. 거기다가 문인이 되면 '술을 많이 마시는 것'으로 착각하는 사람이 뜻밖에도 많습니다.

이 대목 이야기를 마무리하겠습니다. 글쓰는 작업은 오로지 혼자 하는 것입니다. 그리고 무한정 긴 시간을 필요로 합니다. 아무리 세상이 변해도 이 사실은 절대 변하지 않는 철칙입니다. 그러므로 자기 기질이나 체질이 혼자 있는 것을 싫어하거나, 여러 사람이 모여 떠들썩하게 술 마시기를 좋아하거나, 이런저런 잡스러운 놀이를 좋아하거든 일찌감치 글쓰기를 포기하십시오. 제가 자신 있게 장담하건대, 그런 사람은 절대로 작가로서 성공할 수가 없습니다. 제가 점쟁이라서가 아니라, 그런 경우를 숱하게 보아와서 하는 말입니다. 술이나 잡기에 대해서는 뒤에서 좀더 얘기하겠습니다.

● 선생님 연보를 보면 초등학교 4학년 때 벌써 개인 문집을 가지고 있었다고 되어 있습니다. 그게 무슨 얘기인지요? 그럼 그때부터 문학을 하셨다는 건가요? 그랬다면 도대체 언제, 어떻게 문학을 접하게 되셨는지요?

유슬기 • 서강대 국어국문학과

● 슈바이처는 다섯 살 때 이미 인생의 허무를 느꼈다고 합니다. 그걸 읽으며 고개를 갸웃했던 먼 기억이 떠오릅니다. 귀하가 '초등학교 4학년짜리의 개인 문집'에 대해서 의아하게 생각하는 것은 그럴 수 있습니다. 그 나이쯤이면 '글짓기'를 하는 것이야 국어 시간에 으레 하는 일이지만, 한 아이가 자기 문집을 갖는다는 것은 흔한 일이 아니니까요.

그 대답이 순조롭게 이루어지기 위해서는 뒷 질문부터 대답을 하는 게 순서겠군요. 제가 처음 문학을 접하게 된 것은 초등학교 2학년 때쯤이었습니다.

여기서 아버지 얘기를 피해 갈 수가 없게 되었군요. 제 아버지는 순천 선암사 승려였고, 시조시인이었습니다. 중·고등학교 교과서가 개편되기 15년쯤 전까지 조종현(趙宗玄)이라는 이름으로 그분의 시조가 교과서에 실려 있기도 했습니다. 아버지는 열여섯 살에 고향 고흥 왕주를 떠나 선암사로 출가했습니다. 신식 공부를 하고 싶은 욕심 때문이었지요. 절과 신식 공부? 연결이 잘 안 되시겠지요. 얘기를 더 들어보시지요.

제 아버지의 아버지는 족보만 양반이었지 생활은 가난에 허덕여야 하는 농부였습니다.

"함안 조씨는 말 똥구멍에서 태어나도 양반이다."

이 말은 가난해 배를 쫄쫄 굶으면서도 제 할아버지가 유일하게 내세운 서글픈 긍지였습니다. 양반인 것을 얼마나 강조하고 싶었으면 함안 조씨들은 이런 비유법까지 창작해냈을까요. 문사를 많이 배출한 문중답습니다.

제 아버지는 서당 공부나 겨우 마치고 농사일을 익히기 위해 지게를 져야 했습니다. 간절하게 공부는 하고 싶고, 쪼들리는 가난에 신식 학교를 다닐 수는 없고, 하늘을 보고 한숨짓고 땅을 보고 낙담을 토하던 아버지는 어느 날 나무하던 지게를 내던지고 집을 등졌습니다.

불교의 전국 30대 본산에서는 재산을 많이 가지고 있었습니다. 불교계에서는 불교의 현대화를 위해서 그 재산을 인재 양성에 쓰도록 했습니다. 그게 절에서 젊은 승려들에게 신식 교육을 시키게 된 계기였습니다. 어디선가 그 소식을 듣게 된 아버지는 30대 본산 중의 하나인 선암사를 향해 잰걸음질을 한 것입니다.

스물넷에 법사가 된 아버지

절에서는 1년 내내 밥하고, 빨래하고, 나무하는 일만 시켰을 뿐 공부라고는 불경 한 줄 가르쳐주지 않았습니다. 절을 믿을 수 없다고 생각한 아버지는 새 길을 찾아 일단 집으로 가기로 했습니다. 하루빨리 신식 공부를 하고 싶은 아버지에게 새경도 없는 머슴살이 1년은 너무나 긴 세월이었던 것입니다.

"그놈 똑똑하고 쓸 만하니 데려와 가르치자."

이런 원로회의 결정을 가지고 한 승려가 아버지를 데리러 왔습니다.

아버지는 그때부터 공부를 시작했습니다. 신식 공부가 아니라 승려가 기본적으로 갖추어야 하는 불경 공부였습니다. 신식 공부는 그다음에 시켜주는 것이었습니다.

아버지는 스승들이 놀라도록 공부 실력을 드러냈습니다. 어렵기로 소문난 불경 공부는 기본 수준을 금세 뛰어넘어 전문 영역으로 진입해 들어갔습니다. 제자의 총명에 스승들이 놀라고, 스승들의 칭찬에 제자는 더욱 공부에 신명이 났습니다.

선암사에 인물 하나 났다는 소문 속에 아버지의 불경 공부는 최고 수준에 이르게 되었답니다. 더 가르칠 것이 없다고 스승들이 물러선 아버지 앞에 놓인 건 법사 자격 시험이었습니다. 법사란 일반 승려에게 불경을 가르칠 수 있는 자격, 곧 교수를 말합니다.

법사 시험은 구두시험입니다. 전국 최고 승려들 7, 8명이 시험관이 되고, 응시생은 하나. 시험관들은 응시생을 향해 질문을 퍼붓습니다. 시험 범위는 불경 전체. 범위도 없고, 생각할 여유도 없는 그 시험은 한 번으로 통과하는 사람이 없다고 소문나 있었습니다.

그런데 제 아버지는 그 시험을 통과해 법사가 되었습니다. 나이 스물넷이었습니다.

비밀결사 만당(卍黨)의 일원

전국의 젊은 승려 3백여 명이 일제에 저항하는 비밀결사를 조직했습니다. 총재는 만해 한용운 스님이었고, 이름은 만당(卍黨)이었습니다. 제 아버지는 만당의 재무위원을 맡았습니다.

그렇게 이루어진 만해 선생과의 인연으로 아버지도 시조를 쓰기 시작했습니다. 만해 선생이 독립투쟁의 또 하나의 방법으로 시 쓰기를 택했듯이, 아버지는 우리 고유의 시가인 시조를 택했던 것입니다.

그런데 아버지는 천년 고찰 선암사에서 결혼을 한 최초의 승려가 되어야 했습니다. 왜냐하면 조선총독부는 그 당시 최대의 교세를 확보하고 있던 불교(요즈음 표현으로 하면 '국민종교')를 장악해야만 식민 통치가 용이해진다는 판단 아래 종교 황국화 정책을 추진한 것입니다. 그 방법의 하나로 젊은 승려들을 결혼시켜 일본식의 '대처승'을 만드는 것이었습니다.

그러니까 저는 일제의 은혜로 풍경 소리와 목탁 소리를 태교 삼아 태어난 목숨입니다. 사람이 은혜를 입었으면 보답을 해야 도리지요. 그래서 저는 『아리랑』을 쓴 것입니다.

해방이 되었습니다. 아버지는 절 앞에 세 개의 현수막을 내걸었습니다.

'사답(寺畓)을 소작인들에게 무상분배해야 한다.'

'절은 사회에 봉사해야 한다.'

'승려들은 공부에 매진해야 한다.'

그러나 주지의 생각은 부주지인 아버지의 생각과 달랐습니다. 그건 요즘 말로 하면 보수와 진보의 대결이었습니다.

그런데 그 유명한 '여순사건'이 일어났습니다. 총알이 빗발치는 혼란 속에서 아버지는 경찰서로 잡혀 갔습니다. 모함하는 주지의 손가락질 때문이었지요. 총을 겨눈 군인들의 발길질에 걸어채어 나뒹굴며 끌려가던 아버지의 모습이 지금도 눈에 선합니다. 그때 제 나이 겨우 여섯 살이었는데, 60년이란 긴 세월이 흘러갔는데도 그 기억은 조금도 흐려지지 않고 어찌 그리도 선명한지요. 아마 죽을 때까지 그 선명도는 흐려지지 않을 것입니다. 기억의 선명도는 충격의 강도와 비례하는 것 같습니다. 그렇게 시작된 여순사건은 제가 처음으로 내다본 세상의 풍경이었고, 최초로 겪은 살육 사건이었습니다.

재판 없는 즉결 처분이 자행되는 광란의 소용돌이 속에서 아버지는 세 차례나 죽음 직전까지 끌려갔다가 아슬아슬하게 살아나고는 했습니다.

"저 사람은 죽이면 안 된다. 아무 죄 없는 스님이다."

유지들이 나섰던 것입니다.

아버지는 엄청난 폭행을 당하며 순천 지법을 거쳐 광주 고법까지가 무죄로 풀려났습니다. 아버지가 여든넷으로 세상을 떠날 때까지 유난히 추위를 타셨던 것은 그때 몸을 몹시 상했기 때문입니다. 그런 아버지를 생각하면 지금도 눈물이 납니다. 그때까지만 해도 제 벌이가 시원찮아 아버지께 두꺼운 털외투를 사드릴 수 없었던 것입니다. 지금은 몇 벌이든 사드릴 수 있는데……

1949년 여름이 지나고 우리 가족은 순천을 떠나 논산으로 이사를 가게 되었습니다.

"아무도 모르는 데 가서 사세요. 세상이 너무 뒤숭숭합니다."

아버지를 아끼는 어떤 유지가 거처도 마련해주고 이사 비용도 대준 것이었습니다. 그때 보도연맹이 결성되고, 아버지가 강제로 가입해야 하는 것을 그 유지는 차마 그냥 보아 넘기기 어려웠던 모양입니다.

그런데 다음 해에 한국전쟁이 터졌습니다. 그리고 대전 이남의 전국에서 30여만 명을 처형한 보도연맹사건이 벌어졌습니다. 그 고마운

분이 아니었더라면 우리 가족 여덟은 순천에서 꼼짝없이 저승객이 되고 말았을 것입니다. 여순사건에 의한 갈등과 불신이 깊어 여수와 순천에서의 처형은 다른 지역보다 훨씬 가혹했다는 것은 잘 알려져 있습니다.

장터길 오가며 시조 읊기

충남 강경 가까운 피난지에서 아버지는 여섯 자식을 먹여 살리느라 허둥지둥 정신이 없었습니다. 아버지는 자신 있는 한문 실력을 밑천으로 서당을 차렸습니다. 아버지의 능력을 알아본 동네 어른들이 사랑방을 내준 것입니다. 그러나 서당 훈장질로는 여덟 식구 입에 풀칠할 도리가 없었습니다. 그래서 아버지는 5일장이 서는 두 곳 장터로 포목 장사를 하러 다녔습니다. 자본도 없고 하니까 무명이며 삼베 서너 필씩을 등에 지고 다니는 최소규모의 일종의 행상이었던 셈이지요. 그야말로 노느니 염불하자는 그런 거였지요. 물론 어머니도 자식들 입에 밥 들어가게 하려고 진일, 마른일 가리지 않고 온몸을 던져 동네 궂은일을 도맡고 다녔지요. 천만다행하게도 어머니는 손끝이 재고 엽렵해 바느질을 잘했고, 음식 솜씨가 좋았습니다. 긴 겨울밤 어머니가 잠 못 자고 남의 집 한복을 지을 때 바늘귀에 실을 꿰어드리던 일이 지금도 생생합니다. 제가 실을 꿰드리면 한숨 가득한 어머니 얼굴에 웃음이 어렸거든요.

아버지는 포목 짐을 지고 장터길을 나설 때는 꼭 저를 데리고 갔습니다. 그 전부터 말을 전할 심부름 같은 것은 저를 데리고 다니며 시켰습니다. 제가 형보다 숫기가 좋고 입놀림을 잘했기 때문입니다.

장터길은 20리에 이르렀습니다. 언제나 배가 고파 허덕이는 처지에

20리 길을 걸어간다는 것은 너무나 아득하고 힘겨웠습니다. 아버지도 그 길을 혼자 걷기가 너무 지루하고 심심해 제 손을 잡고 다니셨을 겁니다.

아버지는 황토 들길을 걸으며 늘 시조를 읊으셨습니다. 길게 늘어지는 노랫가락일 때도 있었고, 좀 느린 뇌까림 같을 때도 있었습니다. 그리고 그 시조들은 유명한 옛 시조(뒷날 커서 알았지만)이기도 했고, 아버지가 짓는 시조이기도 했습니다. 저는 아지랑이가 숨 막히게 아롱아롱 피어오르는 속에서 노고지리(종다리)가 자지러지게 우는 소리를 배경 음악으로 시조 읊는 소리를 들었고, 더위와 배고픔에 지쳐 가물가물 졸고 걸으며 시조 가락을 들었고, 온갖 곡식이 익어가는 싸아한 가을바람 속을 걸으며 시조 어우러지는 소리를 들었습니다. 그렇게 제 귀에 감겨들고, 영혼에 스며든 시조들은 아무런 설명 없이 시조 공부가 되었고, 제가 자연스럽게 문학에 접한 계기가 되었습니다.

중학교 2학년 무렵 "시조의 형식은 초장 3·4·3·4……" 하며 국어 선생이 설명할 때 저는 들을 필요가 없었습니다. 저는 국어 선생보다 고시조를 훨씬 더 많이 외고 있었고, 시조 형식도 더 잘 아는 학생이었습니다. 저는 그때 이미 시조를 수십 편이나 지었던 무명 시조시인이었습니다. 어떤 마음 끌리는 사물을 보면 시조를 짓고 싶고, 생각을 모으면 '저절로' 시조가 되었습니다. 무등산을 처음 오르고 나서는 다섯 수의 연시조를 짓기도 했으니까요. 이런 상태를 문학 전문용어로 '육화'라는 것이겠지요. 물론 그때의 시조가 남아 있다면 차마 보아줄 수 없도록 우스웠을 겁니다.

최초의 충격과 시샘

피난지의 초등학교 3학년 때였습니다. 학예회 기간에 5, 6학년의 글과 그림이 복도에 전시되어 있었습니다. 그것을 구경하다가 저는 한 곳에서 우뚝 멈춰 섰습니다. 그것은 글짓기 1등상을 탄 글이었습니다. 그 글 아래에는 1등을 나타내는 새빨간 리본이 붙어 있었습니다. 그 리본이 너무 눈부셨고, 저는 무엇에 끌리듯 그 글을 읽기 시작했습니다. 글을 읽어나가면서 제 가슴은 점점 심하게 뛰기 시작했습니다. 그리고 글을 다 읽었을 때는 얼굴까지 확확 달아올랐습니다.

'아아, 이런 글을 쓴 사람은 누굴까. 나도 이런 글을 쓰고 싶다. 나는 이보다도 더 잘 쓸 수도 있다……'

저는 이런 생각에 휘말리며 그 앞을 떠나지 못했습니다. 아지랑이와 종달새가 어우러진 봄 풍경을 쓴 그 글은 제가 꼼짝할 수 없도록 잘 쓴 글이었습니다. 제가 받은 최초의 충격이었고, 시샘이었습니다(지금 제 눈앞에는 그때의 복도와 빨간 리본이 환하게 떠오릅니다. 이것은 대책 없는 저의 고질병 중의 하나입니다). 그리고 제 몸속에서 글을 쓰고 싶은 욕구가 솟구치는 최초의 발견이었습니다. 왜 그렇게 그런 좋은 글을 쓰고 싶은 마음이 동하는 것인지 제 마음을 저도 모를 일이었습니다. 그걸 굳이 설명하자면 배고플 때 밥을 먹고 싶은 마음과 같은 것이라고 하면 되지 않을까 싶습니다. 글 말고, 이 세상 모든 일에 대해 각자가 하고 싶은 마음은 이런 식으로 절로 동해야 합니다. 그렇게 마음이 동하는 일이 있으면 망설임 없이 그 일을 직업으로 삼으면 실패가 없고, 후회가 없고, 그 생애는 행복합니다. 단, 사람에 따라서 그 발견의 시기가 다를 뿐, 누구나 한 가지 일에는 마음 동하게 되어 있습니다. 지금 우리가 사는 세상에는 2만 5천 가지가 넘는 직종이 있고, 하늘은 사람마다 그중 한 가지씩은 잘할 수 있는 능력을 주어 이 세상에 점지해 주셨습니다. 그 능력을 재능이라 해도 좋습니다. 그 발견은 부모가 하는 것이 아니라 자기 자신이 하는 것입니다.

몇 번씩 되짚어보고, 점검해보아도 그 발견이 틀림없다고 확인되면 과감하게 그 길로 가야 합니다. 부모의 우격다짐이나 고집에 밀려 인생길을 시작하면 십중팔구 후회하고 회한을 갖게 됩니다. 부모가 자식의 인생에 마구잡이로 개입하는 것은 지나친 욕심과 탐욕 때문입니다. 내 자식만은 남들보다 잘되어야 한다는 욕심과, 잘되게 만들고 말겠다는 탐욕, 그것은 결국 자식을 망치는 첩경입니다. 오늘날 나라를 망조 들게 하는 사교육 열풍과 영어 교육 광풍도 그 욕심과 탐욕의 결과 아닌가요.

인생의 선택을 앞둔 젊은이 여러분, 부모의 지나친 개입을 단호히 거부하십시오. 여러분은 부모의 소유물이 아니며, 노예는 더구나 아닙니다. 여러분은 여러분만의 개성과 능력을 가진 인격체며 독립체입니다. 그렇다고 건설적인 상의나 이성적인 충고, 사려 깊은 조언까지 묵살하라는 건 결코 아닙니다. 부모는 나를 제외하고 나를 가장 사랑해주는 존재며, 앞서 인생살이를 경험한 더없이 좋은 교사이기도 합니다. 인생길의 선택 앞에서 현명하게 분별하시기 바랍니다.

이야기가 또 샛가지를 쳐 세상 부모에게 반감 살 소리만 했습니다. 이런 눈치 없는 입바른 소리를 제 아내는 제일 싫어합니다. 또 아내한테 한소리 듣게 생겼습니다. 그러나 이 대목에서 이 얘기를 덧붙이지 않으면 언제 합니까. 전 어차피 그렇게 나이 먹어버렸으니 어쩔 수 없습니다. 그런 쓴 소리를 계속해야 하는 게 작가의 한 소임이며, 숙명이기도 합니다.

'똥지'로 만든 문집

우리 가족은 1953년 봄에 벌교로 이사했습니다. 아버지가 벌교상업 고등학교에 국어 선생이 된 것입니다. 그 학교 교장이 송광사 출신으로, 선암사와 송광사를 서로 오가며 정을 쌓은 도반이었고, 아버지처럼 일본에서 신식 공부를 한 덕에 그분은 환속을 해 교장이 되어 있었습니다. 그 당시 외국에서 신식 공부를 한 많은 승려들이 절을 떠나 사회에 진출해 있었습니다. 그들이 결혼한 처지였는데다가, 해방된 조국은 새 인재들을 많이 필요로 하고 있었던 것입니다.

벌교로 이사한 다음 제게는 믿을 수 없는 변화가 일어났습니다. 너무나 창피스럽고 수치스러워 꼭 죽고만 싶은 야뇨증이 저도 모르는 사이에 치료가 된 것입니다. 야뇨증이 뭐냐고요? 한문으로 유식하게 말해서 그렇고, 우리말로 쉽게 하면 오줌싸개입니다. 글쎄 제가 오줌싸개였다니까요.

"말도 또록또록 잘허고, 시상 물정도 어런보담 더 초롱초롱 잘 알시로 워째 오짐은 싸고 요런다냐 와. 시상에 귀신이 곡헐 노릇이 따로 읎당께로."

어머니가 제 머리통을 인정사정없이 쥐어박으며 쏟아놓는 전라도식 넋두리였습니다.

어찌 그렇게 구박을 안 할 수 있었겠습니까. 나날이 먹을 것을 구하려고 온갖 궂은일을 찾아 허둥지둥하는 형편에, 사흘이 멀다 하고 이부자리에 세계지도를 그려놓으니, 전시라 빨랫비누는 귀하고, 일손은 모자라고, 세상살이는 숨 막히게 팍팍하고……, 성질 뻗히는 대로 쥐어박을 수밖에요(그때 당한 구타로 제 머리가 상당히 나빠진 것이 분명한데, 그렇지 않았더라면 소설을 훨씬 더 잘 썼을 텐데요. 생각할수록 안타깝고 애석

한 일입니다).

　그러나 저는 멍청하거나 모자라서 오줌을 싸는 것이 아니었습니다. 저로서는 오줌을 싸게 되는 분명한 이유가 있었습니다. 숨 막히고 가위눌리는 무시무시한 꿈을 꾸게 되면 어김없이 오줌을 싸고 말았습니다. 여순사건 때 아버지를 겨누던 총, 순천재판소 광장에 수없이 널브러졌던 시체, 마구 총질을 해대는 군인들을 피해 도망치다가 총에 맞고 죽어가는 나…… 그리고 한국전쟁이 터지며 보았던 불타는 논산 시내, 아래로 곤두박이다가 위로 치솟으며 내쏘는 비행기들의 폭격, 갑자기 나타난 제트기들의 기총소사로 순식간에 수십 명이 죽어가는 모습, 마구 대포를 쏘아대며 내달리는 탱크들…… 이런 악몽들이 쉴 새 없이 저를 찾아왔습니다. 저는 그런 무서운 꿈을 꾸지 않으려고 이를 갈며 결심하고 결심했습니다. 그러나 야속하게도 그런 결심은 아무 소용이 없었습니다. 저는 그런 속사정을 어머니에게 차분하게 말로 전할 수가 없었습니다. 형이나 누나에게도 말하지 못한 채 모자라고 이상한 놈 취급을 당하며 줄곧 머리통을 쥐어 박히는 구박덩어리가 될 수밖에 없었습니다.

　그런데 벌교에서 몇 달 살자 거짓말처럼 야뇨증이 사라진 것입니다. 물론 악몽에도 시달리지 않게 된 것이지요. 왜 그랬을까요? 우연이었을까요? 아닙니다. 그건 필연이었습니다. 벌교는 논산 근방과 전혀 다른 세상이었던 것입니다. 논산 근방은 미군 탱크부대가 후퇴하고 전진하는 전쟁터였습니다. 시체가 아무 데나 나뒹굴고, 불탄 기차가 시뻘겋게 녹슬어가고, 후퇴하던 미군이 민가로 분탕질을 치고 다니고, 폭탄을 잘못 만져 아이들이 한꺼번에 대여섯씩 죽어가고, 아이들은 공부보다는 엿 바꿔 먹을 탄피 따먹기를 하다가 코피 터뜨리는 싸움판을 날마다 벌이는 곳이 논산이었습니다.

그러나 벌교는 그런 살벌함이 전혀 없이 아름다운 풍광에 평화로운 곳이었습니다. 하루에 두 차례씩 들고 나는 밀물과 썰물이 신비롭기 그지없었고, 포구의 풍성하고 기나긴 갈대밭이 한없이 아름답고 포근했으며, 철따라 날아왔다가 떠나가는 기러기 떼의 그 정연한 비행과 청아한 울음소리는 또 얼마나 신기하고 마음 맑아지는 음악이었는지 모릅니다. 첨산의 신령스러움, 징광산의 우람함, 제석산의 의연함, 그리고 20리 방죽길의 길고 긴 아득함과 중도 들판의 풍성함, 갯내음 스민 개울가 논둑에 숨은 참게를 갈대꽃대로 살금살금 유인해 잡던 그 깨소금 맛, 설한풍 속에 피던 핏빛 동백의 처연한 아름다움, 겨울밤 대나무밭 참새 사냥의 설레임, 옛날이야기가 치렁치렁 이어졌던 겨울밤 머슴들 사랑방에서 생고구마 깎아 먹던 맛과 생두부에 김치를 감아 먹던 맛, 과부인 친구 어머니의 슬프고 외로운 소복 모습을 닮았던 하얀 치자꽃, 보리며 밀 서리를 하다가 쫓기던 재미, 비 쏟아지는 여름밤 발가벗고 감나무를 타고 올랐던 단감 서리의 아슬아슬함, 이런 벌교의 평화로움과 정다움이 저를 어루만지고 안정시켜 약효 좋게 야뇨증을 치료해준 것입니다.

그 야뇨증이 극심한 전쟁 공포에서 비롯한 정신 불안증이었다는 것을 안 것은 40년쯤 지난 뒤였습니다. 어린 제가 그런 원인을 규명할 도리가 있을 리 없고, 의학 전문지식이 전혀 없는 어머니 또한 그런 정황을 알 리 없으니 치료책은 그저 쥐어박는 것일 수밖에 없었지요.

야뇨증 공포에서 해방되면서 저는 학교 공부에도 무척 흥미를 느끼게 되었습니다. 특히 매달 학생 월간지 《학원》을 읽는 것은 최고의 기쁨이고 즐거움이었습니다. 전쟁의 소용돌이 속에서 읽을거리가 없었던 그 시절에 학생 종합교양지 《학원》은 학생들 사이에서 최고 인기를 누리는 잡지였습니다.

《학원》은 제가 산 것이 아니었습니다. 아버지는 선생이었지만 식구가 많아 집안의 궁핍은 여전했습니다. 그런데 형의 친구 중에 부잣집 아들이 하나 있었습니다. 그 사람이 매달 《학원》을 사서 읽고 첫 번째로 빌려주는 것이 형이었습니다. 형 다음에는 제 차례였습니다.

저는 《학원》을 받아 쥐면 밥 먹는 것을 잊을 지경이었습니다. 제가 가장 좋아했던 것이 김용환 선생이 그리던 「만화 삼국지」였습니다. 그다음이 독자가 투고한 문예 작품들이었습니다.

저는 「만화 삼국지」를 그야말로 환장하게 좋아했습니다. 한 번 죽보고 마는 것이 아니라 보고보고 또 보았습니다. 그렇게 자꾸 보는 것은 내용을 읽는 것이 아니라 그림을 샅샅이 뜯어보는 것이었습니다. 그 뜯어본다는 것은 그림의 짜임만을 보는 것이 아니라 눈으로 그림을 따라 그리는 것입니다(이 버릇은 지금도 남아 있습니다. 좋은 그림을 보면 저도 모르게 눈으로 따라 그리고 있습니다). 저도 그렇게 멋진 그림을 그려보고 싶은 욕구가 몸 어딘가에서 스멀스멀 솟기 때문입니다. 그런 마음은 저도 모르게 '저절로' 솟는 것입니다.

"아이고메, 그 빌어묵 놈에 만화 그리 눈 빠지게 본다고 밥이 나오냐 떡이 나오냐. 니 후제 커서 머시 될라고 요리 뺀들뺀들 말을 안 듣냐!"

보다 못한 어머니의 꾸지람이었습니다.

그러나 제 귀에는 어머니의 걱정스러운 지청구가 하나도 담기지 않았습니다. 오히려 그림을 더 가까이 끌어당겼습니다. 왜냐하면 눈으로 따라 그리는 것으로 만족하지 못해 직접 그리려고 나섰던 것입니다.

모든 잡지들이 그렇듯《학원》에도 책의 두 배 크기의 차례가 양쪽으로 펼쳐집니다. 그 오른쪽 뒤에 또 차례를 담은 긴 페이지가 펼쳐집니다. 거기에 바로 제 눈을 사로잡는 그림이 끼워져 있었던 것입니다. 그것은 다름이 아니라『삼국지』의 으뜸 장수로 그 유명한 관우(관운장)가 힘센 말을 타고 긴 창을 휘두르며 적을 무찌르는 모습이었습니다. 부릅뜬 눈, 굳센 입, 준엄한 얼굴, 휘날리는 긴 수염, 전신에서 뻗쳐나는 힘, 긴 창을 꼬나 잡은 억센 두 팔, 그리고 전신의 근육이 울퉁불퉁 드러난 말의 역동적인 모습.

그 생생히 살아 있는 모습은 충격적이고 감동적인 것이 아닐 수 없었습니다. 그림을 보고 제 가슴이 떨리도록 감동을 받은 것이 그때가 처음이었습니다. 저는 그 감동을 어찌할 수 없어 손수 그릴 욕심을 냈습니다.

저는 어머니 눈을 피해가며 그 그림을 그리기 시작했습니다. 며칠을 그렸지만 그림은 뜻대로 되지 않았습니다. 눈으로 따라 그리는 것과 직접 손으로 그리는 것은 너무나 차이가 컸습니다. 일주일이 넘도록 낑낑거리며 고생했지만 그림은 결국 실패하고 말았습니다. 애초에 될 일이 아니었습니다. 우리나라 최고 솜씨의 만화가의 그림을 그대로 그리겠다고 덤비다니. 초등학교 4학년짜리가. 그러나 저는 후회하지 않았습니다. 그 실패가 창피하거나 기분 상하지도 않았습니다. 그 멋진 그림을 따라 그려보았다는 것이 저는 그저 기쁘고 즐거웠습니다. 그래서「만화 삼국지」를 더 열심히 보았고, 저는『삼국지』를 일찍이 만화로 다 읽었던 것입니다.

《학원》에서 열심히 본 것은 만화만이 아닙니다. 독자 문예 작품들도 보고 또 보았습니다. 그런데 저는 보는 것에서 끝나지 않았습니다.

'아, 학생들이 이런 유명한 잡지에 글을 실을 수 있다니!' 저는 이런 부러움을 떼치지 못해 동시와 동요를 짓기 시작했습니다. 그들처럼 중학생, 고등학생이 되면 저도 잡지에 실릴 꿈을 안고서.

"이것이 니가 지은 것들이냐?"

어느 날 누군가가 갑자기 물었습니다. 그 사람은 뜻밖에도 아버지였습니다. 저는 동시를 짓느라고 정신이 팔려 아무런 인기척을 못 느꼈던 것입니다.

"예에……"

저는 당황해서 기어드는 소리로 대답했습니다. 집 안에서 휘파람을 불지 못하게 하고, 밥 먹을 때 쩝쩝 소리도 절대 못 내게 하는 아버지는 자식들 모두에게 엄하기만 한 존재였던 것입니다.

"이리 낱장에 쓰면 되겠냐. 이리 와 앉아라."

아버지는 엉뚱하게도 반짇고리를 찾아와 제 손가락에 실을 걸게 했습니다. 그리고 실을 세 겹으로 길게 늘였습니다.

"봐라, 양쪽 실을 실이 꼬인 같은 방향으로 적당히 꼰다. 그런 담에 두 줄을 합해 반대 방향으로 꼬면 실이 풀리지 않는 끈이 된다."

아버지는 능숙한 솜씨로 실을 꼬아나가며 설명하셨습니다.

그런 다음 아버지는 휴지로 쓰는 학생들의 시험 답안지를 가지고 왔습니다. 그것을 글씨가 등사되지 않은 반대쪽으로 접기 시작했습니다.

"니도 접어라."

답안지 몇 십 장은 금세 공책의 모습을 갖추었습니다. 아버지는 옛날 책 매는 방식으로 공책을 만든 것입니다. 아버지의 그 능숙한 솜씨는 절에서 오래 익힌 것이었습니다.

"여기다 글을 지어라. 그래야 안 없어지지."

아버지는 이렇게 말씀하시며, 글짓기를 모아두는 공책을 '문집'이라고 한다는 말까지 가르쳐주셨습니다. 저는 그때 아버지가 저를 무척 사랑한다는 것을 처음으로 느꼈고, '내 글짓기를 아버지가 기쁘게 생각하신다!'는 발견에 뛸 듯이 기뻤습니다.

그때까지 저는 아버지가 저를 별로 사랑하지 않는다고 생각해왔습니다. 저는 족보를 짊어지는 장남이 아닌데다(여기저기 피난을 다니면서도 아버지는 족보를 꼭 장남에게 지웠습니다) 칠칠맞지 못한 오줌싸개였기 때문입니다.

저는 그 '똥지 문집'에다 동요, 동시를 열심히 지었습니다. 그때는 지질이 너무 나빠 보통 시험지의 색깔이 거무스름한데다가, 지우개도 질이 나빠 걸핏하면 찢어졌고, 뒷면은 글씨를 쓰기 마땅찮게 거칠거칠해서 사람들은 흔히 그 종이를 '똥지'라 하대했습니다. 그러나 저는 저만의 문집을 가진 벅찬 기쁨으로 글짓기에 신명이 나 있었습니다.

아버지는 아무런 말씀 없이 새 문집을 또 만들어주고는 했습니다. 제가 오줌을 쌀 때도 단 한 마디도 꾸중을 하지 않으셨던 것처럼 아버지는 제가 쓴 글을 보시고도 아무 말씀도 하지 않으셨습니다. 저는, 새로 문집을 만들어주는 것이 아버지의 칭찬이라고 생각했고, 아버지란 그렇게 말이 무거워야 한다는 것도 어렴풋이 느끼며, 배우고 있었습니다. 그렇게 모인 문집이 초등학교 졸업할 때까지 대여섯 권이 되었습니다. 그러나 지금은 그 흔적이 없습니다. 광주로, 서울로 이사를 다니며 그 따위 것은 첫 번째로 없애버려야 할 귀찮은 것이었겠지요.

글짓기 전교 1등상

4학년 2학기 때 저는 글짓기 전교 1등상을 받았습니다. 그것이 제 생애 최초로 받은 상이었고, 글짓기를 처음으로 인정받은 것이었습니다.

벌교상업고등학교 영어 선생이었던 외삼촌이 새 직장을 따라 서울로 떠났습니다. 그런데 외삼촌은 어머니처럼 솜씨가 좋아 닭장을 멋지게 지어 닭을 꽤 많이 길렀습니다. 그 닭들이 다 우리 차지가 되었고, 몇 달이 지나자 암탉 한 마리밖에 안 남게 되었습니다. 모두 우리 식구 보신감이 된 것이지요.

글짓기 소재는 그 암탉이었습니다. 수탉 없이도 알을 낳는 신기함, 혼자 서성이는 암탉을 볼 때마다 샘솟는 외삼촌에 대한 그리움 같은 것을 쓴 것이었습니다. 그리고 한 가지 덧붙인 색다른 점은, 달걀이 암탉의 배에서 막 나올 때는 물컹하다가, 그다음 순간 눈 깜짝할 사이에 껍질이 굳어진다는 사실을 쓴 것이었습니다. 저는 암탉이 달걀 낳는 것을 유심히 엿보다가 그 사실을 발견했던 것입니다. 글짓기를 심사하신 선생님들은 그 부분에다 빨간 동그라미를 다섯 겹씩 쳐주셨습니다. 저는 달걀 낳는 것만이 아니라 나팔꽃이며 채송화가 시간 따라 피었다 오므렸다 하는 것을 직접 눈으로 확인하려고 몇 시간씩 쪼그리고 앉아 꽃을 지켜보는 좀 이상한 아이였습니다.

그 즈음에 했던 또 하나 남다른 짓이 머슴방 밤 마실 돌기였습니다. 무한정 이어지는 옛날이야기를 듣는 맛에 홀렸던 것입니다. 옛날얘기 듣는 맛은 어찌 그리도 고소하고 달고 차지고 간드러졌던지요. 저는 이 세상에 재미있는 얘기들이 그렇게 무진장하게 많다는 것이 신기하기만 했고, 저도 그런 얘기들을 많이 알아 재미있게 엮어내는 사람이 되고 싶었습니다. 그건 또 하나 마음이 동하는 병이었는데, 매일 밤 재미난 얘기를 찾아 머슴방을 싸돌아다니니 숙제를 해갈 틈이 있었겠습니까. 그래서 두 팔 드는 벌을 자주 서고, 종아리깨나 많이 맞았습니다.

그러나 그런 벌이 저의 밤 마실 버릇을 고치지 못한 것은 물론입니다.

초등학교 시절에 누구나 지긋지긋해한 방학숙제가 하나 있지 않습니까. 그건 그 야만적(?)인 '일기 쓰기'입니다. 그러나 저는 그 숙제를 가장 반겼습니다. 왜냐하면 날마다 쓸 거리가 무궁무진했기 때문입니다.

아이들은 으레 '오늘은 썰매를 탔습니다. 재미있었습니다.' 다음날은 '오늘은 연을 날렸습니다. 재미있었습니다.' 사흘째는 '오늘은 별일이 없었습니다. 심심했습니다.' 그다음부터는 '오늘은 어제와 같습니다.' '오늘도 어제와 같습니다' 하다가 그만 일기 쓰기를 끝내고 맙니다.

그러나 저는 전혀 달랐습니다. 썰매를 만들었으면 그 과정을 세세하게 써나갑니다. 그러다 보면 하루 일기가 대학노트 두 장도 되고, 석 장도 되었습니다(그렇습니다. 저는 일기 숙제를 하기 위해 네모칸 큰 초등생용 공책을 쓰지 않고 처음부터 대학노트를 썼습니다. 쓸 것이 많다는 제 말에 아버지가 특별히 사주신 것이었습니다). 썰매를 타는 재미도, 얼음이 깨져 죽을 뻔한 일도 몇 장씩의 일기가 되었습니다. 뻘밭에서 한쪽 다리가 크고 빨간 농게를 잡다가 엎어지고 뒤집어지며 아이들과 싸운 일, 갈대꽃술 끝으로 참게를 까딱까딱 놀려 굴 밖으로 유인해낸 순간 재빨리 덮치다가 그만 손가락을 물려 소리소리 지르며 뺑뺑이를 치던 일들을 실컷 써나가다 보면 겨울방학 숙제와 여름방학 숙제는 대학노트 한 권으로는 모자라고는 했습니다.

아버지는 새 대학노트를 사와 다 쓴 처음의 대학노트와 합본을 만들었습니다. 그건 먼저의 대학노트 뒷표지와 새 대학노트 앞표지를 실로 꿰매는 것이었습니다. 아버지는 평생에 걸쳐서 여자가 하는 일은 그 어떤 것도 손에 댄 일이 없습니다. 그런데 아버지는 대학노트 앞뒤 표지를 꿰매는 그 서툴고 어설픈 바느질을 손수 하셨습니다. 우리나라의 엄한 아버지가 거의 다 그렇듯 제 아버지도 자식들에게 '잘했다'는 그 간단한 칭찬 한마디를 한 일이 없습니다. 그런데 저는 아무말 없이 대학노트 두 권을 합치고 있는 아버지의 손길이 제 머리를 쓰다듬는 것 같은 부드러움과 따스함을 느꼈습니다.

대학노트 두 권의 일기 숙제는 당연히 1등상을 받았습니다. 잘 썼기 때문이겠습니까. 양으로 타의 추종을 불허한 탓이 아니었겠습니까. 저는 그렇게 글쓰기를 익혀나가고 있었습니다.

이 대목에서 곁들일 얘기가 있습니다. 저는 피난지에서 오줌싸개 못난이만이 아니었습니다. 해가 지고 날이 어두워지면 한쪽 하늘이 영사막이 되는 환상을 저녁마다 보았습니다.

"저기, 저기, 저기 봐! 총 막 쏘고, 사람들이 막 죽고 있잖아."

저는 하늘을 가리키며 소리쳤습니다.

"있긴 뭐가 있어. 또 헛소리 하네."

"정신 차려라. 너 밤마다 왜 이러냐."

형과 누나들의 눈에는 아무것도 보이는 게 없는 모양이었습니다.

제 눈에는 틀림없이 '활동사진'이 돌아가고 있었습니다. 비행기들이 폭격하고, 시가지가 불타고, 사람들이 죽어가고, 탱크들이 대포를 쏘아대는 장면들이 역력하게 펼쳐지고 있었습니다. 그것은 꿈에 나타나는 장면들이기도 했습니다. 그것도 정신 불안증의 일종이었을 거라고 생각하게 된 것은 긴 세월이 흘러간 다음이었습니다.

● 흔히 예술은 아무나 하는 것이 아니라고 말합니다. 문학도 예외는 아닐 것입니다. 선생님은 누구보다도 많은 글을 써오셨습니다. 예술을 하는 데 재능(소질)과 노력은 어느 정도 비율이어야 합니까?

이재덕 • 고려대 식품자원경제학과

● 우리가 자주 듣는 말에 '타고났다'는 말이 있습니다. 그게 소질이나 재주를 가리키는 것이겠지요. 그렇게 말하고 싶지 않지만, 답을 피할 수 없게 됐으니 말하겠습니다. 그렇습니다. 예술은 일단 타고난 재능이 있어야 합니다. 그러나 재능은 예술에 국한하지 않습니다. 이 세상에 모든 직종의 일이 재능을 필요로 합니다. 이 말을 다시 바꾸면 이렇습니다.

'천재란 1퍼센트의 영감과 99퍼센트의 노력으로 이루어진다.'

이건 발명왕 에디슨이 한 말입니다. 여기서 영감이란 재능이나 소질을 말합니다. 아인슈타인과 함께 과학계의 2대 천재로 불리는 에디슨의 이 말뜻은 무엇인가요? 천재란 재능이 아니라 노력이 결정짓는다는 것 아닙니까. 다시 말하면, 아무리 뛰어난 재능이라도 최선의 노력을 바치지 않으면 아무것도 얻을 수 없다는 의미일 것입니다.

에디슨의 말은 흔히 말하는 '천재의 겸손'이 아닙니다. 그가 그 많은 발명품을 만들어낼 때마다 실패에 실패를 거듭하면서도 수백 번,

수천 번의 노력을 다 바친 다음에 얻은 진정한 고백일 것입니다.

눈을 돌려 유명한 운동선수들을 좀 보십시오. 각 분야마다 정상에 오른 선수들은 하나같이 '죽을 것 같은 기분이 들 때까지' 노력했다는 것을 고백하고 있습니다.

40여 년 전인 1970년대에 '눈 달린 공'을 던진 아시아 최고의 농구 스타 신동파 선수 얘기입니다. 백발백중의 눈 달린 공을 던질 수 있게 된 비결이 뭐냐고 기자들이 물었습니다.

"비결은 없습니다. 저는 정규 연습이 끝난 다음에 아무도 보는 사람이 없는 자정부터 하루에 5백 번씩 슛 연습을 했습니다. 그랬더니 언제부턴가 정말 공에 눈이 달린 것처럼 쑥쑥 들어가기 시작했습니다. 그것뿐입니다."

골프의 슈퍼 땅콩 김미현 선수가 있습니다. 저는 단 한 번도 골프채를 잡아본 적도 없고, 앞으로도 죽을 때까지 골프를 치는 일은 없을 것입니다. 그런데도 김미현 선수의 일화는 똑똑히 기억하고 있습니다. 그만큼 감동적이었기 때문입니다. 김미현 선수가 미국에서 고생하다가 키 작은 체력적 열세를 극복하고 마침내 우승을 이루어내자 모든 매스컴은 그녀에게 집중되었습니다. 그때 어느 텔레비전 화면에서는 그녀가 얼마나 피나는 노력을 했는지를 보여주었습니다. 두툼한 카펫 위에 미국 동전 두 개가 포개져 놓입니다. 뭉툭한 골프채 끝이 그 동전을 칩니다. 동전은 정확하게 위의 것만 날아갑니다. 또 동전을 포갭니다. 골프채가 동전을 칩니다. 또 그 얇은 위의 동전만 날아갑니다. 또 다시 시도합니다. 결과는 똑같습니다. 저는 그 화면을 지켜보면서 전신에 소름이 돋는 전율을 느꼈습니다. 그 얼마나 정신을 집중하는 연습을 하고 또 했으면 그렇게 될 수 있겠습니까. 그 뭉툭한 골프채 끝에는 한 사람의 치열한 영혼이 직결되어 있었던 것입니다.

어디 그들뿐이겠습니까. 박지성의 평발 극복 신화나, 김연아의 끝없는 엉덩방아찧기는 우리 모두에게 줄기찬 노력이 얼마나 큰 힘의 원천인지를 확실하게 보여주는 본보기입니다.

날마다 조금씩 나아지는 것 같아서

카잘스는 세계가 인정하는 천재 첼리스트였습니다. 그런데 그에게 붙여진 별명은 천재에 어울리지 않게 '연습벌레'였습니다. 그는 평생에 걸쳐 하루도 거르지 않고 날마다 세 시간씩 따로 연습을 해왔기 때문입니다. '따로'란 교향악단이 합동연습을 하는 날에도 혼자 또 연습을 했다는 뜻입니다.

그런데 그 지독한 끈질김은 여든을 넘기고, 아흔을 넘어서도 계속되었습니다. 아무도 따를 수 없는 그 노력이 당연히 화제가 됐습니다.

"선생님은 전 세계가 인정하는 최정상입니다. 그리고 연세까지 아흔을 넘기셨습니다. 그런데 왜 지금도 매일 세 시간씩 연습을 하시는 겁니까?"

기자가 물었습니다.

"날마다 조금씩 나아지는 것 같아서……"

카잘스의 나직한 대답이었습니다.

무슨 말을 더 하겠습니까. '징그럽고 끔찍하다'고 할 수밖에 없는 그런 노력을 바치지 않고, 하는 일이 잘 안 된다고 푸념하고 불평하고 재능 탓만 해야 되겠습니까.

예술가들이 자기가 꿈꾸는 세계를 이루기 위해 목숨을 바치는 치열함으로 줄기찬 노력을 다한 일화는 셀 수 없이 많습니다. 그래서 예술가에게 있어서 '열정은 능력이다' '가장 뛰어난 능력은 지치지 않는 열정을 유지하는 것이다' 하는 말들이 생겨나게 되었을 것입니다. 모든 예술가 지망생이 너나없이 갖는 의문과 회의는 '나는 과연 재능이 있는가' 하는 것입니다. 그것은 지극히 정상적인 현상입니다. 남다른 천재성은 갖고 싶고, 확인은 되지 않고 하니까 일어나는 현상입니다.

그런데 스스로 재능을 확인하는 것은 전혀 어려운 일이 아닙니다. 우선 자신을 바라보십시오. 누가 시키는 것이 아닌데 자기 스스로 그 어느 분야의 예술에 끌리고, 하고 싶고, 하면 즐겁습니까? 그렇다고요? 그렇다면 당신은 그 분야 예술에 재능을 타고난 것입니다. 이 확인이 필요조건인 동시에 충분조건입니다. 그 재능을 믿고, 그 길로 가고 싶으면 거침없이 가십시오. 그 선택에는 아무런 실수도 하자도 없습니다. 왜냐하면 당신 스스로의 선택이기 때문이고, 당신 인생의 주인은 당신 자신이기 때문입니다. 그런 다음 설령 실패하더라도 당신은 후회하지 않게 됩니다. 아쉬움은 있을지언정, 그 아쉬움은 예술을 해오는 과정에서 여러 가지 사정으로 최선의 노력을 다하지 못했다는 반성일 것입니다.

문학청년 시절에 저도 초조한 마음으로 소설을 쓰고 또 쓰고, 신춘문예에 자꾸 낙방하고, 문예지 추천도 안 되고 하면서 저의 재능에 끝없이 회의했습니다. 그 회의가 없다면 사람일 수 없고, 발전도 있을 수 없겠지요. 그리고 그런 낙방들은 실패가 아니고 수련이고 단련입니다.

흔히 얘기하는 교훈 중에 대기만성(大器晩成)이라는 말이 있습니다. 국어사전은 '큰 그릇을 만드는 데는 시간이 오래 걸린다는 뜻으로, 크게 될 사람은 늦게 이루어진다는 말'이라고 했습니다. 이 뜻풀이는 글자의 의미에 충실하고 있습니다. 여기서 '만성(晩成)'은 오래 걸린다는 뜻만이 아니라 '오래도록 노력해야만 한다'는 의미도 담고 있습니다. '크게 되려면 오래 노력해야 한다.'

　모든 분야에서 노력은 '재능'을 능가하는 힘이며, 인간에게 신술(神術)을 가져다주는 마력을 발휘하며, 유치하게 금언을 흉내 내서 말하자면 '성공의 어머니'입니다.

　제 노력에 대한 더 구체적인 얘기는 뒤로 미루어둡니다. 그러나 한마디, "저는 저의 재능보다는 노력을 더 믿었습니다."

◉ 우리 학교 선배님이신 걸로 알고 있는데요. 대학생 조정래는 어떠했습니까. 그 당시부터 역사를 다룬 대하소설을 쓰고자 마음에 두고 계셨는지요. 어떤 방법으로 작가의 소양을 가꾸고자 하셨는지 궁금합니다.

정명아 • 동국대 경제학과

대학생 조정래는 어떠했느냐고요? 독자들이 궁금해할 것 같은 질문이군요. 글쎄요, 어떠했을까요?

"물들인 군인 작업복을 걸치고, 군화를 칙칙 끌면서, 온 세상의 고민은 혼자 다 짊어진 것처럼 얼굴을 잔뜩 찡그린 채 고개를 푹 숙이고 다니던……"

어떻습니까. 문학청년으로 이만하면 매력이 있습니까? 이건 시인 김초혜가 대학생 조정래의 모습을 표현한 말입니다(예, 제가 얼마나 매력적이었으면 우리나라에 하나밖에 없었던 문예지 《현대문학》에 대학생의 몸으로 추천 시인이 된 김초혜가 언제 소설가가 될지 알 수 없는 문학청년을 애인으로 삼았겠습니까. 주위에는 동급의 시인 남학생들이 수두룩했는데 말이죠).

김초혜 시인이 묘사한 대학생 시절의 제 모습은 한마디로 노숙자 꼴이었습니다. 디자인 멋진 세계 유명 상표의 옷들을 해지기도 전에 버리고 새 옷을 사 입는 대부분의 요즘 대학생들로서는 검정 물 들인 군인 작업복에, 낡아빠진 군화를 끌고 다닌다는 것은 상상할 수도 없는 일일 것입니다. 그러나 1960년대 초반 대학생의 모습은 거의 그랬습니다. 그게 전후의 가난에 찌들었던 우리 사회의 모습이기도 했습니다. 그래서 모두가 남루했지만 부끄러울 것이 없었고, 그것이 서로서로를 감싸는 힘이기도 했습니다.

그때까지도 복개가 안 된 부분의 청계천에는 깡통이나 헌 판자를 이어붙인 무허가 움막이 넝마보다 더 남루한 꼴로 다닥다닥 붙어 있었고, 썩은 물 찌적찌적 흘러내리는 천변에는 드럼통을 절반으로 자른 솥들이 싸구려 염색 물감의 역한 냄새를 풍기며 군인 작업복에 검정 물을 들이고 있었습니다. 그 드럼통 솥들은 미아리 고개 넘어 정릉 천변에서도, 청량리 밖 중랑천변에서도 흔히 볼 수 있었습니다.

그 싸구려 검정 물감은 물빨래에도 잘 빠질 뿐 아니라 햇볕에도 잘 바래 1년 넘게 입게 되면 불그스름하게 변색되기 시작하고, 햇볕을 많이 받는 양쪽 어깨 부분은 특히 심했습니다. 그 후줄근한 옷은 가난한 대학생의 교복이었습니다. 그 낡은 작업복에, 헐어빠진 군화를 끌며, 항시 얼굴을 잔뜩 찌푸리며(그때부터 저의 구제할 수 없는 '표정 주름'이 생기기 시작한 게 분명합니다만) 고개를 떨구고 걷는 제 모습이 어떠했겠습니까. 노숙자 꼴이었다는 것이 지나치지도 과장도 아닐 것입니다.

'형식'보다 '내용'을

김초혜 시인은 '온 세상의 고민은 혼자 다 짊어진 것처럼'이라고 제 모습을 표현했습니다.

옳습니다. 저는 엄청나게 큰 고민들로 날마다 고뇌를 씹고 있었습니다.

'어떻게 해야 문학을 잘할 수 있나……'

'무엇을, 어떻게 써야 하나……'

'무엇이 더 중한가, 어떻게가 더 중한가……'

'나는 왜 하필 이런 역사의 땅에 태어났을까……'

'나는 왜 하필 문학을 하려 하는가……'

이런 고민이 얽히고설켜 그야말로 자나 깨나 머릿속이 어지러웠고, 그 어디를 둘러봐도 풀릴 길은 없었습니다. 철학도에게 '죽느냐, 사느냐'가 절체절명의 화두이듯이 문학도에게 그런 고민은 지상 최대의 화두가 아닐 수 없는 것이었습니다. 그러니 그건 곧 '온 세상의 고민'과 다름없는 것이었고, 김초혜의 투시력은 시인답게 예리하고 정확했던 것입니다(부부끼리 그렇게 야하게 '띄워주기'냐고요? 에이, 오해 마십시오. 저는 원래 그런 사람으로 소문난 게 40년이 넘었는걸요. 공처가→경처가→잉꼬부부→애처가를 거쳐 요즘에는 '닭살부부'로 바뀌어 텔레비전 화면까지 타버리지 않았습니까).

아닙니다. 그런 고민은 저만 가진 게 아니었습니다. 모든 문학도들은 다 같이 그런 고민에 빠져 있었습니다. 아이들이 반드시 홍역을 앓아야만 어른이 될 수 있듯이 문학도도 그 고민의 늪을 무사히 건너야만 문인이 될 수 있는, 그것은 통과의례였습니다. 다만 각 개인에 따라 고민의 밀도나 농도의 차이는 있을 것입니다.

우리 문학도들은 가난 속에서도 술을 자주 마셨습니다. 가난한 세상 사람들이 적은 돈으로 취할 수 있는 싼 술인 막걸리가 있었기 때문입니다. 지금 흔해빠진 소주는 그때 너무 비싸 가난뱅이는 감히 구경할 수조차 없었고 그보다 더 귀족인 맥주야 더 말할 것이 없었습니다. 그 흔한 막걸리는 지금의 순곡 막걸리가 아니라 잡곡에다 무언가를 섞어 만들어 그저 마시면 취하니까 마셨던 것입니다. 싼 막걸리에 취해가며 햇병아리 문학도들은 떠들고 또 떠들었습니다. 그 기본적인 고민들에 대해서. 낭자해지는 술기운을 따라 열변들은 더욱 무성해지고, 마침내 말의 홍수에 떠밀려 술집을 나섭니다.

그러나 술을 깨고 나면 어제 무언가 좀 해결된 것 같았던 기분은 흔적도 없이 사라져버리고, 많이 떠들어댄 공허감만 남고는 했습니다. 그러나 그런 술자리의 반복이 결코 부질없는 낭비는 아니었습니다. 그런 자리가 거듭되면서 고민이 더 깊어지는 것을 느끼게 되고, 그런 고민은 누가 해결해주는 것이 아니라는 것을 어렴풋이 자각하기 시작하고, 문학은 오로지 혼자 하는 것이라는 사실을 차츰 인식해나가게 되고, 그런 과정 속에서 '문학의 길'을 포기하기 시작하는 학생이 생겨났던 것입니다.

저는 그 고민의 과정을 치열하게 거치면서 제 나름의 답을 얻게 되었습니다.

'어떻게보다는 무엇에 치중해야 한다.'

'무엇은' 써야 할 '내용'이고, '어떻게'는 쓰는 '형식'일 것입니다. 내용 앞에 형식이 나설 수는 없다는 인식이었습니다. 그 내용 중시의 의식은 우리의 처절하고 험난한 역사에 대한 인식과 발을 맞춘 것이기도 했습니다.

저는 남달리 이 척박한 역사의 땅에 태어남과, 문학이라는 것의 특이한 의미와, 글로 써서 남겨져야 할 가치를 심각하게 생각했고, 그 결과 소설은 연애 이야기나 쓰는 것이 아닌 그 이상의 어떤 것을 써야 하는 존엄한 것이라는 생각을 굳혔던 것입니다. 그리하여 그 토대 위에서 사회의식·역사의식이 강한 제 소설은 탄생하기 시작했고, 제가 글을 써온 40년의 세월은 그 대학 시절에 형성된 의식을 심화·확대해온

노정이었습니다.

'내가 지난 4년 동안 변화해온 것처럼 앞으로도 4년 단위로 그렇게 변해간다면 아마 40년쯤 후에는 나는 성인으로 변해 있을지도 모른다.'

졸업을 앞두고 제가 학교 신문에 썼던 글의 내용입니다. 저는 그렇게 대학 생활에 만족을 표시했습니다. 비록 소설가는 못 되었지만 문학의 길은 찾았으니까요.

지금 생각해도 대학 시절의 저는 대견합니다. 젊은 시간에 많이 고민하십시오. 고민 없는 젊음은 젊음이 아니고, 젊은 고민은 인생의 문을 열어줍니다.

● 등단하시기 전까지 정말 많은 책을 읽으셨을 것이고 습작도 많이 하셨을텐데, 그 중에서 가장 존경하거나 닮고 싶은 작가가 있었다면 누구였는지 궁금합니다.

정승석 · 경원대 경영학과

● 대학생들을 대하다 보면 이 질문도 곧잘 받고는 합니다. 그 궁금증이 어디서 비롯하는지 알 만합니다. 자기가 관심을 두는 작가를 통해서 자신의 선택에 도움을 받고 싶은 욕구겠지요. 그런 방법은 영리하고도, 효과를 빨리 얻을 수 있어 좋습니다.

사람을 사귀고, 인연을 맺게 되는 데 흔히 쓰는 말이 '왠지 끌려서'입니다. 그 막연한 감정을 나타내는 모호한 말이 사실은 꽤나 구체적이고 농밀한 감각의 작용을 받고 있음을 알게 됩니다. 그 누군가에게 '왠지 끌리는 것'은 말로는 표현하기 어려운 그 어떤 호감, 그 어떤 동질감, 그 어떤 동류감을 느낀 결과입니다. 그런데 어차피 우리의 언어는 우리의 모든 생각을 다 나타내기에는 많이 부족한데다, 특히 우리의 복잡 미묘한 감정과 느낌을 완벽하게 표현하기에는 거의 불가능합니다.

그런데 그 이상하게 끌리는 감정은 사람의 관계에서만이 아니라 책을 읽으면서도 생겨납니다. 그래서 좋아하는 작가와 싫어하는 작가가 자연스럽게 구분되는 것이겠지요. 저에게도 대학생 때부터 이끌리고, 마음에 두었던 작가가 있었습니다.

그 사실을 밝히기에 앞서 해두고 싶은 얘기가 있습니다. 앞에서 책을 많이 읽으라고 했던 대목에서 접어두었던 얘기입니다. 좋은 책을 많이 읽어야 하는 중요성 때문에 그 얘기까지 꺼내는 것은 삼갔던 것입니다.

내가 차지해야 할 빈자리

좋은 책을 읽었습니다. 그다음 무엇을 하라고 했지요? 예, 많이 생각하라고 했습니다. 얼마나 많이지요? 책을 읽는 데 소모한 시간만큼 생각하라 했습니다. 많이 쓰는 것까지 그 비율이 4:4:2라 하지 않았습니까.

책 한 권을 읽는 데 이틀 걸렸으면 이틀을, 사흘 걸렸으면 사흘을 생각하는 일에 바치십시오. 책을 읽을 때와 똑같은 집중과 관심으로 그 책에 대해 이모저모 세세하게 생각해나가십시오.

'왜 그런 소재를 선택했을까.'

'주제와 소재는 효과적으로 조화되어 있는가.'

'주제의 형상화는 잘 이루어졌는가.'

'사건 전개는 우연이나 조작적이지 않고 실감 있고 필연적인가.'

'구성의 허술함이나 무리는 없는가.'

'인물들의 개성과 생동감은 살아 있는가.'

'문체의 특성은 무엇인가.'

'감각과 묘사력은 특색이 있는가.'

'결말 처리는 효과적이었는가.'

'소설로서 성취도는 어느 정도인가.'

이런 것들을 소가 눈 지그시 감고 느긋하게 되새김질하듯 차근차근 곱씹고 되씹으며 따져 나가야 합니다. 그것이 작품에 대한 객관적 분석이고 비판입니다. 그리고 그것은 당신 스스로 하는 가장 효과가 큰 소설에 대한 종합 공부입니다.

그런데 이 지점에서 한 가지 필히 확인할 사실이 있습니다. 소설에 대한 당신의 전체적 감상입니다.

'아, 아, 내가 쓰고 싶었던 걸 다 써버렸네.'

'빌어먹을, 난 백 번 죽었다 깨어나도 이렇게 쓸 도리가 없어.'

이런 생각과 함께, 막다른 골목에 몰린 기분 같기도 하고, 깎아지른 절벽 앞에 서 있는 것처럼 절망스럽습니까? 자신의 마음은 자신이 가장 잘 압니다. 좋다는 작품들을 읽을 때마다 그런 생각에 압도당하면 참 곤란합니다. 당신의 작가적 영혼은 그 작품들에 함몰되어 자기만의 영토를 상실해버렸기 때문입니다.

'아, 잘 썼다. 그치만 별것 아니네.'

'나도 딴 방법으로 얼마든지 쓸 수 있어.'

당신이 소설을 쓸 수 있으려면 아무리 좋은 작품을 읽었더라도 당신의 독후감은 늘 이래야 합니다. 그것이 객기든, 만용이든, 오만이든, 오기든 다 좋습니다. 좋은 작품을 좋다고 인정하면서도 한 가닥 곤두서는 자신감. 그것이 당신의 영토이며, 당신이 차지할 수 있는 빈자리입니다. 수백, 수천 편의 좋은 작품을 읽었더라도 그 '빈자리'는 당신의 의식 속에 꼭 확보되어 있어야 합니다. 그렇지 않으면 섭섭하지만 작가 되기를 포기해야 할 것입니다. 기죽고 가위눌려서 되는 일은 없으니까요.

하늘의 태양만 하나가 아닙니다. 예수만 하나가 아닙니다. 최고 권력자만 하나가 아닙니다. 모든 예술가들은 자기 하늘에 뜬 태양입니다. 그 긍지, 그 자존감 없이 예술의 길을 갈 수 없고, 빼어난 작품을 창작해낼 수 없습니다. 당신 스스로 태양이어야 하기 때문에 그 태양이 뜰 빈자리는 언제나 확보되어 있어야 합니다.

저는 그랬냐고요? 예, 솔직하게, 사실 그대로 말씀드리자면, 문청 시절부터 지금까지 변함없이 그랬습니다. 그 철없음, 고질병 때문에 줄기차게 작품을 써왔고, 이 나이에도 장편 열 편쯤을 더 쓸 계획으로 취재수첩을 마련해두고 있습니다. 그 빈자리가 없어지는 날이 제가 작가로서 죽는 날일 것입니다.

빅토르 위고처럼 되고 싶었다

'나는 빅토르 위고 같은 작가가 되고 싶다. 왜냐하면 사회 · 역사의식을 문학성과 가장 조화롭게 형상화한 모범이기 때문이다.'

이것은 제가 작가가 되고 나서 4년이 지난 1974년 《문학사상》에 썼던 글입니다. 저는 문청 시절부터 그때까지 읽었던 작가들을 통틀어 빅토르 위고를 골랐던 것입니다. 그 선택은 지금까지 변함이 없습니다.

제가 처음으로 프랑스에 간 것은 1983년입니다. 그때 발견했던 것이 프랑스의 역사는 두 사람으로 대표된다는 사실이었습니다. 정치사적으로 나폴레옹, 문화사적으로 빅토르 위고였습니다. 저는 제 선택이 빗나가지 않았음을 확인할 수 있었습니다. 빅토르 위고는 모든 비인간적인 것에 저항하며, 인간의 인간다운 삶을 옹호하는 작가였습니다. 그보다 더 값진 작가의 삶은 없을 것입니다. 그런 태도와 그런 생애는 어느 시대에나 작가로서 귀감입니다. 그런 작가의 길을 근엄주의니 사고의 경직이니 해가며 비웃거나 사시로 보는 작가들이 적지 않습니다. 뭐, 생각은 자유이니 괜찮습니다. 말초적인 이야기, 지엽말단적인 이야기를 1인칭으로 중언부언해가며 자칭 '예술의 극치'에 취해 있는 것도 나쁠 것 없습니다. 예술이야말로 다양한 것이니까요.

그러나 인간과 인간 세상의 본질을 잊어서는 안 됩니다. 인간은 혼자일 수 없고 서로서로 관계를 맺는 존재이며, 그 관계의 얽히고설킴이 사회고, 그 속에서 벌어지는 문제적 이야기들을 형상화하는 것이 소설입니다. 이 의식을 굳건히 세우고 있으면 어떤 방향으로 가야 하고, 어떤 소설을 써야 할지 그 길이 보일 것입니다.

다시 말합니다. 소설은 시시한 것이 아니라 인간사에 남겨지게 되는 중요한 기록 중의 하나입니다.

● 선생님의 작품은 늘 현실과 사회와 밀접한 관련을 지니고 있습니다. 그 기원과 연유에 대해 알고 싶습니다. 또한 현실 참여적이지 못한 순수문학에 대해서는 어떻게 생각하시는지요?

안세진 • 명지대 국어국문학과

●   여기서 '그 기원과 연유'라는 말의 쓰임새부터 먼저 지적하고자 합니다. '기원'과 '연유'라는 단어는 이 문맥에 잘 어울리지 않기 때문입니다.

기원은 '사물이 생긴 근원' 또는 '사물이 처음으로 생김'을 뜻합니다. 그러므로 그 쓰임도 '인류의 기원' '우주의 기원' '지구의 기원' '만물의 기원'처럼 '최초와 처음'의 의미가 크게 부여되는 단어와 어울려져 쓰여야 할 것입니다. 연유도 그 쓰임이 적합하지 않습니다. 연유는 '어떤 일이 벌어지게 된 까닭'으로 '사유'나 '유래'와 같은 뜻의 말입니다. 그러므로 '인간의 불행은 탐욕에서 연유한다' '학술의 발달은 인재 양성에 연유한다' 등으로 써야 합니다.

이 질문에서는 한 작가의 작품이 '늘 현실과 사회와 밀접한 관련을 지니고 있는 것'에 대해 알고 싶어 합니다. 그러니까 여기서는 '그 기원과 연유' 대신에 '그 원인과 이유'라고 평이하게 쓰는 게 합당합니다. 왜냐하면 한 작가의 '작가의식'이 어떻게 이루어진 것인지 알고 싫어 하기 때문입니다.

앞에서 '단어'를 많이 알아야 하는 중요성에 대해 말했습니다. 우리는 그 일에서 두 가지 목적을 동시에 달성해야 합니다. 첫째, 낱말들의 뜻을 정확하게 파악하는 것입니다. 둘째, 낱말들의 쓰임새(언어 개념)를 적확하게 터득해야 합니다. 이 두 가지가 다 이루어져야 좋은 글, 바른 글을 쓸 수 있게 됩니다.

언어 개념이 잘못되어 단어들이 적확하게 쓰이지 않게 되면 그건 마치 색깔이 어울리지 않는 옷을 입거나, 발에 맞지 않는 신발을 신은 것처럼 어색하고 찜찜하여 영 글맛이 나지 않습니다. 국어 시간에 대부분의 학생들이 싫어했던 '짧은 글짓기'가 바로 언어 개념을 적확하게 터득케 하는 연습이었습니다.

작가의식은 우주적 총체

작가의식은 작가정신과 같은 말입니다. 작가로서 마땅히 갖추어야 할 정신세계를 가리키는 것이며, 그것은 곧 작품 세계의 핵심으로 우리의 뇌와 같은 역할을 합니다. 모든 작가의 작품은 작가의식에 의해 형성되며, 작가의식에 따라 좌우됩니다.

그 중요성 때문인지 많은 독자가 작가의식이 어떻게 형성되는지를 궁금해합니다. 그러나 문제적인 한 사람의 성격 형성이 어떻게 이루어졌는지 한마디로 할 수 없듯이 작가의식의 형성에 대해서도 한마디로 하기가 어렵습니다.

그러나 인간의 정신 형성이 인간의 성장 단계와 연관되어 있다는 사실에 따라 짚어나가면 그다지 어려운 일도 아닙니다. 이 세상 모든 사람의 도덕관·가치관·사회관·세계관 같은 것은 어느 한순간에 이루어지는 것이 아니고 개개인의 삶과 생애 전체와 연결되어 형성됩니다. 작가의식도 그 형성 과정은 그와 다르지 않습니다. 단, 그가 '작가'이기 때문에 범인들과는 달라야 한다는 점이 다릅니다.

작가의식은 그 작가가 타고난 기질과 체질 그리고 성격과 성품에서 발아하기 시작하는 것입니다. 그 요소들은 절대불변의 것은 아니지만, 상당 부분은 변하지 않은 채 정신세계 형성에 꽤나 영향을 미치게 됩니다.

그다음에 성장 환경, 시대상, 교육의 영향, 인간관계, 여러 가지 경험과 체험, 생활 조건, 독서 경향 같은 것들이 종합적이고 포괄적으로 연결되고 얽혀서 상호작용을 일으키면서 작가의식은 형성되어가는 것입니다. 이런 복합성 때문에 작가의식을 한마디로 규정할 수 없는 것입니다. 작가의식은 작가의 생애 전체에 걸쳐서 그가 의식하고, 인식하고, 느끼고, 깨닫고, 행동하는 그 모든 것들이 모여 형성되는 것이므로 그의 우주적 총체라고 해야 할 것입니다.

두 살 때의 일

그해 여름은 무척 더워 선암사 산골의 개울물에 목욕을 시켜도 소용없이 저는 땀띠가 나기 시작했다고 합니다. 자면서 땀띠를 긁고, 낮에 땀을 흘리면 새 땀띠가 나고, 다시 밤에 긁고 하면서 땀띠는 자꾸 심해져 진물로 번져가면서 곪기 시작하고, 마침내 제 왼쪽 귀 위에는 주먹만 한 고름 주머니가 잡히게 되었다고 합니다.

어찌할 수 없어 어머니는 저를 업고 쌍암 장터의 한의원을 찾아갔다고 합니다.

한의사는 고름 주머니를 째야 한다고 진단했습니다. 그리고 고름 주머니에 대침을 꽂았습니다. 그다음 순간이었습니다. 저는 울음을 터뜨리며 주먹을 치켜들고 한의사에게 덤벼들었습니다. 너무 갑작스러워 어머니는 저를 놓쳤고, 고름 주머니에서는 피고름이 흘러내리고 있었습니다.

"허어, 그놈 성깔 한번 굉장허시. 담에 크면 솔찬허겠는디."

한의사가 껄껄 웃으며 한 말이었다고 합니다.

"니 성질이 그랬니라. 그 성질 눌러감서 살아야 쓴다 잉."

어머니는 그 이야기를 한두 번 한 것이 아니었고, 그 끝에는 꼭 이 말을 덧붙이고는 했습니다.

물론 저는 그때의 일이 기억에 없습니다. 제가 두 살 때 일이니까요. 지금도 왼쪽 귀 위에 남아 있는 2센티미터 정도의 흉이 그때의 고름 주머니가 꽤나 컸음을 말해주고 있을 뿐입니다.

꺾일 수 없는 싸움

1·4 후퇴와 함께 택한 피난지는 평야 지대의 마을이라서 부자가 꽤나 많았고, 그 부자에게 붙어 사는 가난한 사람은 더욱 많았습니다. 그것은 지주와 소작인으로 이루어진 전형적인 농촌의 구조였습니다.

평야 지대라서 전쟁이 멀리 스치고 지나가버린 그 전통 마을을 찾아든 우리 식구는 외톨이였고 불청객이었습니다. 저를 기다리는 것은 외지인에 대한 텃세였습니다. 동네 아이들이 부리는 텃세는 학교를 오가는 길에서 붙는 싸움이었습니다.

제 나이 또래의 열서너 명 중에서 대장급에 속하는 아이들은 당연히 지주 집안 자식이었고, 나머지 소작인 자식은 그 꼬붕(당시에 이런 정도의 일본말은 아이들도 자연스레 썼습니다) 노릇을 했습니다. 그들의 책보를 들어다주거나, 말타기 놀이에서 말 노릇을 하는 것 등으로.

그 대장급 아이들이 학교를 오가는 길에 동그라미를 큼직하게 그려놓고 싸움을 시킵니다. 외지인인 저와 소작인 자식 하나가 지명을 당합니다. 남자들은 다 아는 것이지만, 그 싸움을 피할 길은 없습니다. 그것을 피하려 하면 몰매를 맞은 다음 가장 못나고 약한 등신 취급을 당하게 됩니다. 일단 싸워야 합니다. 그리고 이겨야 합니다. 이기지 못하면 가장 약자로서 그들의 맨 끝에 붙는 꼬붕이 되어야 합니다.

계속되는 피난살이로 굶주려 빼빼 마른 저는 이를 악물고 결사적으로 싸웠습니다. 가운뎃손가락의 마디가 툭 튀어나오게 주먹을 꼬나쥐고, 그 튀어나온 마디에 연방 침을 발라가며 죽기 살기로 싸웠습니다. 주먹으로 싸우다가 안 되면 할퀴고, 더 급하면 물어뜯기까지 했습니다. 먼저 코피가 터지는 쪽이 지고, 먼저 울음을 터뜨리는 쪽이 지는 그 싸움은 끝이 없었습니다.

한 번 이기면 그 다음 날에는 조금 더 센 놈과 붙어야 합니다. 그 싸움은 대장급 아이들의 심심풀이였으니까요. 저는 계속 싸우고 또 싸워나갔습니다. 기죽고 꺾여 그들 발밑에 들어가는 것은 죽어도 싫었기 때문입니다. 제 얼굴에는 피맺힌 손톱자국이 날로 늘어갔습니다.

"아이고메 으쩌끄나, 요 잘생긴 얼굴을. 금메 쌈 좀 에지간히 허고 댕기라니께. 얼굴에 잽힌 손톱 숭은 평상 안 가신다는디, 얼굴 요리 돼 갖고 장개는 가겄냐."

속도 모르는 어머니의 애타는 꾸중이었습니다. 그렇다고 싸움의 내막을 말할 수는 없었습니다. 아버지는 왜 싸워야 하는지 다 안다는 듯 그저 못 본 척할 뿐이었습니다. 그런데 저보다 세 살이 위인 형의 얼

112

굴에는 싸운 흔적이 전혀 없었습니다. 형과 저는 그렇게 달랐던 것입니다.

저는 계속 이길 수는 없었습니다. 싸움이 거듭될수록 점점 힘센 아이들을 상대해야 했기 때문입니다. 그러나 저는 코피가 터져서 졌지, 울어서 진 적은 없었습니다. 그들 앞에 계집애처럼 우는 모습을 보이고 싶지 않았던 것입니다. 모든 남자들은 압니다. 그 나이 적에 계집애 같은 취급을 당하는 게 가장 치욕이라는 것을. 그게 여자들이 이해하지 못하는 남자들의 세계입니다. 여자에 비해 5분의 1에 지나지 않지만 남자에게도 눈물 주머니가 있습니다. 그러나 남자는 어렸을 때부터 울지 않도록 길들여지고 훈련됩니다. 울고 싶도록 아프고 슬퍼도 눈물을 참아야 하는 것, 그것이 남자만의 비애입니다. 여자는 무조건 온순하고 정숙해야 한다고 강요당하면서 그런 척해야 하는 것이 여자만의 비애이듯이.

텃세 싸움이 끝났을 때 제 서열은 중간쯤으로 올라 있었습니다. 그리고 대장급 아이들이 자기네 틈에 끼워주려는 눈치를 보였습니다. 왜냐하면 제 아버지가 서당 훈장님으로 자리 잡고 자기네 아버지들과 맞상대를 했기 때문입니다. 그러나 저는 그 부잣집 아이들이 마뜩찮았습니다. 그들과 가까이 하면 인절미나 고구마 하나라도 더 얻어먹을 수 있지만 그 대신에 늘 기죽고 눈치 보며 꼬붕 노릇을 해야 하는 것입니다. 하지만 소작인네 아이들과 놀면 쫄쫄 배가 고프긴 해도 마음이 편했습니다.

저는 그때 지주와 소작제가 무엇인지 자세히 알게 되었습니다.

"이, 농새는 뼛골 빠지게 우리 아부지 엄니가 다 짓고, 타작허면 쌀 절반을 지주덜이 싹 뺏어가부러야. 긍게로 농사진 우리는 풀떼죽 묵고, 놀고 묵는 지주덜언 사시장철 흰 쌀밥 묵는 것 아니여."

소작인 자식들이 조심스럽게 하는 말이 제 가슴에 담기고 있었습니다.

누구는 지주고 누구는 소작인인지. 왜 그런 차등이 생기게 되었는지. 그게 누구의 잘못인지. 의문이 꼬리를 물고 생겨났습니다.

그러나 그걸 물어볼 사람이 없었습니다. 소작인 자식들이 그 말을 조심스럽게 하듯 저도 그 말을 아무한테나 물어서는 안 된다는 것쯤 눈치 채고 있었습니다. 아버지는 지주 덕에 훈장질을 해서 매달 쌀말을 받아왔고, 어머니가 하는 궂은일도 모두 지주네한테서 맡는 것이었으니까요.

그 즈음에 저는 아무도 가르쳐주지 않았는데도 어떻게 아이를 낳는지 알았고, 주인의 눈을 피해 잽싸게 고구마 서리도 했고, 어른들이 버리고 가는 담배꽁초를 주워 몇몇이서 뻐끔거리는 도둑 흡연자이기도 했습니다. 그런 저의 머릿속에는 왜 이 세상에 부자와 가난뱅이의 차등이 있어야 하는지 의문이 자꾸 커져가고 있었습니다.

"여보, 애들이 아무것도 모른다고 생각하는 건 어른들의 큰 착각이야. 나는 열 살 때 알 만한 것은 다 알았고, 그때 일들을 지금도 생생하게 기억하고 있어. 누군가 외국 사람이 쓴 책 있잖아. '난 유치원 때 모든 것을 다 배웠다' 하는 거 말야. 우리 어렸을 때에 비하면 지금은 세상이 얼마나 많이 달라졌어. 텔레비전에 영화에, 수많은 어린이책에……"

저는 두 손자 재면이와 재서를 키우면서 아내에게 몇 번이고 이 말을 했습니다.

알아버린 수수께끼

초등학교 6학년 우리 반 60명 중에서 도시락을 싸오는 애들은 20여명, 나머지는 점심을 굶었습니다. 그 20여 명 중에서 흰 쌀밥에다 계란부침이나 멸치볶음, 장조림 같은 것을 싸오는 아이는 네댓 명이었습니다. 물론 지주 집안의 아이들이지요. 그중에서 눈이 오거나 비가 오면 머슴 등에 업혀 오는 아이가 둘이었습니다.

저는 도시락을 싸오는 아이되, 깡보리밥에 된장과 장아찌 반찬이 고작이었습니다. 아버지가 고등학교 학생과장이라 신분은 상급이었지만 경제력은 중급에 겨우 들었습니다. 그때 제가 가장 미워했던 것이 머슴에게 업혀 오는 두 아이였고, 그다음에 쌀밥 싸오는 아이들이었습니다.

그때 저는 전교 대대장으로 빨간 줄 다섯 개가 둘러진 완장을 차고 전교생 조회 때 구령을 외치고, 학급에서는 분단장도 하고 있어서 겉으로는 그들과 친한 사이였습니다. 그들도 학급의 감투를 다 쓰고 있었으니까요. 그들의 집에 놀러가 유과며 곶감이며 지짐이 같은 맛있는 것들을 얻어먹으면서도 마음속으로는 뜨악한 간격이 벌어져 있었습니다(그때는 전쟁이 막 끝난 상태라 초등학교까지 군대 편제였습니다. 대대장인 저는 목이 터져라 구령을 해야 했기 때문에 날마다 목이 쉬었습니다. 대대장이란 학생 활동을 총괄하는, 요즘 말로 하면 학생회장입니다). 그 꼴을 보다 못한 아버지가 아버지만 특혜를 누리는 생달걀을 깨서 저한테 먹이며 말씀하시고는 했습니다. "오늘은 소리 지르지 마라. 어려서 목청 버리면 평생 흠 되니라." 저는 아버지의 말을 듣지 않았습니다. 아니, 들을 수가 없었습니다. 아버지의 말을 들으려면 대대장을 하지 말아야 하는데, 그 최고의 자리를 그냥 내놓다니요. 권력의 맛이 그렇게 달고 고소하다는 것을, 권력은 영원히 갖고 싶은 거라는 것을……, 그게 첫 체험이었습니다(아버지의 말씀은 역시 적중했습니다. 예술 장르 중에서 특히 음악, 노래 실력이 형편없고, 한평생 좋지 않은 목소리를 갖게 된 것은 그 때 너무 소리를 질러대 목 어느 부분이 회복될 수 없도록 심하게 패어버린 탓이 분명합니다).

제가 그들을 싫어한 이유는 명확했습니다. 5학년 4월쯤에 전교생이 읍사무소로 갔습니다. 그 넓은 마당에는 끔찍스럽게도 시체 대여섯 구가 가마니때기 위에 눕혀져 있었습니다. 그 시체들은 옷도 때에 전 누더기인데다가 총 맞고, 수류탄 파편에 찢기고 해서 처참하기 이를 데 없었습니다.

총을 멘 경찰들이 아이들을 두 줄로 세워 그 시체들을 구경시켰습니다. 그 마지막 빨치산들은 죽어서 반공 교육용이 되고 있었습니다. 저는 그 시체들 중에 여자 하나가 끼어 있는 것에 놀랐고, 여러 개의 치료용 핀셋에 반사되는 햇빛이 눈부셔 눈을 뜰 수가 없었습니다(지금 이 글을 쓰는데 그때 장면이 너무나 선명히 떠올라 소름이 끼칩니다).

우리 반에 아버지가 '산사람'이 된 아이가 여럿 있었습니다. 도시락을 못 싸오는 그 아이들도 그 시체들을 구경해야 했습니다. 전교생이 다 구경했으니 그 시체 중에 어느 아이의 아버지가 있었는지도 모릅니다.

저는 그때 이미 왜 소작인이 '산사람'이 되어야 했는지를 꽤나 자세하게 알고 있었습니다. 그 의문을 조금씩 풀어준 것은 바로 머슴방의 이야기들이었습니다. 그런 의문들을 솔솔 풀어주니 머슴방 마실을 안 돌 수가 있겠습니까.

"산사람이 되고 싶어 된 사람이 어디 있겠느냐. 그런 사람들 자식이라고 차별하지 말고 사이좋게 지내라."

세배를 갔을 때 담임선생님이 한 말이었습니다. 저는 그 말뜻을 금방 알아차렸습니다.

소작인이 산사람이 된 것은 전부 지주 잘못 탓이라는 것을 알고 있었으니 마음속으로 지주의 자식들이 좋아질 리 없었던 것입니다.

그 즈음에 만화 보기에 신명이 났던 제 눈에 문득 잡힌 것이 있었습니다. 미국 흑인 노예의 슬픈 이야기를 그린 만화였는데, 백인에게 쫓겨 아기를 안고 얼음장을 타고 넓은 강을 떠내려가는 흑인 여자의 모습이었습니다. 그 순간 저는 그 여자로 변했습니다. 왜 그러는 것인지 그런 제 마음을 제자신도 잘 알 수가 없습니다.

시간이 지나도 그 불쌍한 흑인 모녀는 뇌리에서 지워지지 않았습니다. 그 모녀가 가엾고 안쓰러울수록 백인에 대한 감정은 나빠지고 있었습니다.

그것은 '작가적 가슴'

중학생이 되어 노예해방과 민주주의를 알았습니다. 너무 자연스럽게 링컨을 존경하는 인물로 삼게 되었고, 민주주의를 좋아하는 만큼 봉건주의를 싫어하게 되었습니다. 가장 인간적인 것이 민주주의라면 가장 비인간적인 것이 봉건주의기 때문이었습니다.

제가 고등학교 2학년 때 아버지는 장남인 형과 차남인 저를 불러 앉히고 족보 찾는 법을 가르치려고 했습니다.

"아버지, 지금 세상이 어떤 세상인데……" 하며 저는 즉각 반발했고, 아버지는 선조 앞에 불경하게 구는 차남에게 손찌검을 했습니다. 부모한테 맞을 때는 빨리 달아나는 것이 효도라는 말이 있습니다. 저는 효도를 하느라고 재빨리 도망쳤고, 예순의 절반 고개를 넘긴 지금까지도 족보 찾을 줄을 모릅니다. 그러나 저는 그 무식을 부끄러워하지 않습니다.

20여 년 전에 '문중을 빛낸 어른'이라며 화수회(花樹會)에 가입하라고 사람이 왔습니다. 저는 어떻게 했을까요? 이 세상에 있는 모든 화수회는 다 없어져야 한다는 사실을 교육시켜(?) 직원을 돌려보냈습니다. 그 생각은 지금도 변함이 없습니다. 생각해보십시오. 민주주의의 모태인 국회의원을 뽑는데, 경상남도 함안에서는 해방 이후 지금까지 '함안 조가'가 아니면 절대 당선이 되지 않습니다. 이게 봉건주의의 답습이지 민주주의입니까? 다른 성씨들이라고 다를 게 없습니다. 이 땅의 민주주의가 요원할 수밖에 없는 그 뿌리가 바로 그것입니다. 대통령에 출마한 사람들이 문중 찾아가 곰팡이 슨 봉건 시대 예복 걸치고 큰절하고, 묏자리 옮기는 것이 유행입니다. 그러고도 민주주의 하겠다고 기염을 토하니 참 거룩하고 장하십니다.

어차피 정치인이란 '강도 없는데 다리를 놓겠다'는 자들이니까 그렇다 치더라도 문학을 한다는 사람들이 양반 족보 과시하고, 양반 제도 찬양하는 걸 보면 참으로 가관입니다. 나이가 여든을 넘었으면 또 모르겠는데, 예순도 안 된 자들이 그러니 그 문학 참 위대할 수밖에 없습니다. 옛날 양반님네들이란 평소에 세금 한 푼 내지 않았고, 국난이 닥쳐도 군대에 가지 않았던 부류들입니다. 그들은 백성의 ○○○이요, ○○○였습니다(여기까지 읽으시느라고 수고하셨기에 이 퀴즈를 냅니다. 이 여섯 글자를 맞히시면 『태백산맥』 『아리랑』 『한강』에 제 사인을 해서 보내드리겠습니다. 힌트를 좀 드리고 싶지만 여러분의 수준을 모독하는 것 같아 삼갑니다. 정답은 2009년 11월 30일까지 출판사로 보내시면 됩니다).

대학교 2학년 때였을 것입니다. 〈스파르타쿠스〉라는 영화를 보게 되었습니다. 수많은 노예가 엄청나게 큰 바윗덩이들을 끌고 밀며 거대한 왕의 무덤을 만들고 있었습니다. 그중에 한 여자는 이미 고정된 바위와 새로 붙이는 바위 사이에서 흙이며 티끌을 쓸어내는 일을 하고 있었습니다. 그런데, 어느 순간 밀려드는 바위틈에 옷자락이 끼어 그 여자는 자꾸 좁혀져 오는 바위 사이에서 빠져나오려고 발버둥 치다가 끝내 두 바위가 밀착되는 가운데 흔적도 없이 으깨져 죽고 말았습니다. 옛날에 만화를 보고 그랬던 것처럼 저는 다시금 그 불쌍한 여자로 변해 가슴이 아프고 분노가 커지고 있었습니다.

그 즈음의 일입니다. 무슨 얘기를 하다가 김초혜가 '양반'을 자랑스러워하는 듯한 말을 했습니다. 저는 반사적으로 공박했습니다.

"그게 도대체 무슨 케케묵은 소리야. 이런 민주주의 시대에. 그런 사고방식 당장 버리라구."

김초혜는 그 얘기를 집에 가서 할머니한테 했더랍니다.

"할머니, 함안 조가가 상놈이지요?"

"아니, 양반 맞다. 안동 김씨만은 못해도."

"근데 왜 제가 아는 남학생은 양반이나 족보 같은 얘기는 질색을 하죠?"

"응, 똑똑한 학생이구나. 깨인 아이야."

동학농민혁명도 겪은 양반 가문 출신인 김초혜의 할머니는 신문 연재소설을 읽으실 정도로 개명하신 분이었고, 저는 김초혜보다는 그 할머니께 먼저 인정을 받은 셈이었습니다.

저는 성장해갈수록 모든 비인간적인 것에 증오를 느꼈고, 가엾고 억울하게 당하는 힘없고 가난한 사람들의 일이 제 가슴에 정면으로 부딪쳐와 통증을 일으키고는 했습니다. 그건 누가 시켜서 그렇게 되는 것이 아니었고, 누가 말린다고 그렇게 안 되는 것이 아니었습니다. 그 어찌할 수 없이 그렇게 되는 것, 그것이 작가의식일 것입니다. 그 대책 없는 가슴에 대해 몇 년 전에야 '작가적 가슴'이라고 이름 붙여주었습니다.

순수문학에 대해서는 뒤에서 따로 얘기하겠습니다.

● 선생님의 소설을 읽다 보면 그 많은 등장인물 때문에 곤란을 겪게 됩니다. 누가 누군지 혼란스러워 이미 읽은 부분을 다시 읽었던 기억이 있는데, 반대로 생각해보면 그토록 많은 인물을 만들어낸 선생님의 창의력이나 인간에 대한 탐구에 대해 놀라움을 금할 길이 없습니다. 후배 작가들이나 작가를 꿈꾸는 지망생들에게 인물 창조에 대해서나, 혹은 소설을 쓸 때 큰 틀을 그리는 방법 등에 대해 조언해주신다면 어떤 말씀을 해주시겠습니까?

이영준 · 한양대 경영학부

● 　예, 제 소설을 읽은 많은 독자들이 다 똑같이 그런 고역과 수고를 치른 것으로 알고 있습니다. 죄송하고, 고맙습니다. 제가 생각해도 미련하게 인물을 많이 등장시켰습니다. 그런데 아까운 돈 내서 책을 사고, 그 많은 등장인물 일일이 기억해가며 그 긴 소설을 읽어내셨으니 여러분 또한 미련합니다. 그렇지만 그 미련스러운 힘이 모여 그 무언가를 이루어내는 큰 힘이 된다는 걸 잊지 맙시다.

　그러나, 제가 소설 쓰다가 안 되면 작명소 차릴 연습하느라고 그 많은 인물을 만들어냈겠습니까. 아니면, 독자 여러분을 놀리고 골탕 먹이려고 그랬겠습니까. 아닙니다. 소설이 10권짜리, 20권짜리로 길어도 작가는 단 한 문장이라도 쓸데없는 것은 쓰지 않으려고 최후의 순간까지 압축하고 다듬습니다. 그와 마찬가지로 아무리 미미한 역할의 인물이라도 등장시키려면 작가는 수십 번 생각하고 점검한 다음에 결정을 내립니다. 그러니까 제 소설에 등장해 여러분을 괴롭힌 그 많은 인물은 모두가 그 나름으로 꼭 등장해야 할 필연성 때문에 등장해 자기 역할을 다함으로써 여러분이 감동을 느끼게 하는 데 일익을 담당하는 것입니다.

우리 몸에는 헤아릴 수 없이 많은 기관이 있습니다. 그 크고 작은 기관은 제각기 자기 역할을 다하면서 전체적으로 조화를 이루어내 우리 몸이 원활하게 움직일 수 있도록 작용합니다. 아무리 작은 기관 하나라도 고장을 일으키면 우리 몸은 곧 균형이 깨지고, 정상 활동을 할 수 없게 됩니다. 자동차나 엘리베이터가 움직이는 데 대략 2만 5천 개의 부품이 필요하다고 합니다. 그중에서 아주 작은 부품이라고 해서 덜 중요한 것은 하나도 없습니다.

인물, 그 처음과 끝

중·고등학교 교과서에 소설을 설명하는 대목에서 제일 먼저 나오는 게 무엇이지요? 소설의 3대 요소 아닙니까. 그 고리타분한 상식을 다시 상기하십시오.

'인물·사건·배경.'

이 세 가지는 소설이 이루어지는 데 없어서는 안 될 요소들로, 우리 몸을 지탱하는 데 꼭 필요한 3대 영양소와 같은 것입니다.

앞에서 소설은 무엇이라고 했던가요? '인간에 대한 탐구'라고 했습니다. 그러니까 소설의 3대 요소 중에 '인물'이 첫 번째로 꼽히게 됩니다. 그리고 인간의 '사람 인(人)' 자는 무엇을 형상화한 것입니까? 두 개의 막대기가 '서로 받치고 기대고 있는' 형상입니다. 인간은 혼자서는 살 수 없고, 서로서로 받치고 기대며 사는 존재라는 의미입니다. 그러므로 소설은 최소한 두 사람 이상의 이야기라는 뜻입니다(단편소설에서 가끔 한 사람만 등장하기도 합니다만, 그것도 이야기의 진행 그 어딘가에는 또 다른 인간이 감추어진 것을 피할 수 없습니다).

두 사람 이상의 관계가 엮어지면 필연적으로 그 어떤 사건이 생기게 됩니다. 그 사건은 크냐 작으냐, 긍정적이냐 부정적이냐의 차이가 있을 뿐입니다. 그리고 그 어떤 사람이든 그 생존에는 특정한 시간과 특정한 공간이 있게 마련입니다. 그것이 곧 배경입니다.

개성적인 인물 창조는 작가 능력 평가의 척도

'한 작가의 능력을 평가하는 데는 그 작가가 얼마나 많은 작품을 썼느냐가 아니라 얼마나 많은 개성적인 인물을 창조했느냐로 결정된다.'

오랜 세월에 걸쳐서 세계적인 정설로 통하는 문학론의 하나입니다.

이 문학론에 따라 이야기하자면 '소설은 인물 창조와의 싸움이다'라고 해도 지나치지 않을 것입니다.

또 이런 말도 있습니다.

'모든 인물은 제각기 개성적이어야 하는 동시에 전형성을 획득해야 한다.'

한 나무에 붙은 잎들도 모두 비슷비슷하게 닮았을 뿐 똑같은 것은 하나도 없습니다. 이 말은, '이 지구상의 인간이 가진 지문 중에 똑같은 것은 하나도 없다'는 말과 함께 창조주의 전지전능함을 새삼 칭송할 때 하는 말입니다. 이 세상에 존재하는 무수한 인간의 생김이나 성격도 어슷비슷하되 똑같은 사람은 단 한 사람도 없습니다.

소설에서 인물을 창조한다는 것은 그 어슷비슷한 가운데 존재하는 '미세한 차이'를 발견해내는 것입니다. 그것이 개성입니다. 그다음에 절대적이라고 할 수 있는 것이 '인물의 전형성'입니다. 전형성이란 그 역할, 그 사건, 그 상황, 그 시대에 없어서는 안 되도록 꼭 어울리는,

생생히 살아 있는 것 같은 요소를 갖춘 인물을 말합니다. 독특한 개성은 있되 전형성이 없으면 그 인물은 생동감이 없고, 실감이 없고, 어우러짐이 없고, 그래서 들뜨고 겉돌아 작품을 실패로 몰아가는 암적 존재가 됩니다.

개성적인 인물을 많이 창조할 수 있는 능력을 기르기 위해서 필연코 해야 하는 일이 있습니다. 당신이 소설을 쓰고자 한다면 이 말을 '최초이자 최후의 경고'로 받아들이십시오.

'1인칭이 아니라 3인칭 소설을 써라.'

지금 우리나라 단편소설의 99퍼센트는 1인칭 소설입니다. 그것은 벌써 20여 년 가까이 된 아주 잘못된 작풍이고, 무분별한 유행입니다. '나는, 나는'으로 시종일관하는 서술로는 인물의 개성, 인물의 독창성, 인물의 전형성이 창조될 도리가 없습니다. 그러니까 1인칭 소설은 열 편을 쓰나, 백 편을 쓰나 그 작가가 만든 인물은 '나' 하나일 뿐입니다.

그런데 왜 모두 1인칭 소설을 쓸까요. 쉽기 때문입니다. 3인칭 인물들을 만들어내야 하는 그 까탈스러운 요건들을 피해 설 수 있으니까. 더 놀라운 것은 장편소설마저 1인칭인 것이 더러 있습니다. 장편소설은 필연적으로 인물이 많이 나오기 마련인데, 1인칭으로 서술되다 보니 다른 인물들은 '나'를 통해서만 움직일 수 있을 뿐입니다. 그러니 인물들의 자율성이 없어지고, 능동성이 억압되고, 개성이 빈약해지고, 전형성이 결여되어 하나같이 그림자 같은 인물이나 죽은 인물이 되고 맙니다. 그리 되면 남는 것은 소설의 실패입니다. 1인칭으로 장편을 쓰려는 것은 주머니칼로 호랑이를 잡겠다고 나서는 일이고, 나룻배로 태평양을 건너겠다고 나서는 일입니다. 그런 작가는 필연적으로 조로하고, 빨리 도태됩니다. 과거의 사례가 미래를 비추는 거울입니다.

당신이 감동 깊은 작품을 쓰고, 오래도록 행복한 작가 생활을 누리고 싶다면 기필코 3인칭 소설을 습작하십시오. 그리고, 당신이 기성작가라면 어서 저의 충고를 받아들여 1인칭으로 쓰는 악습 고치기에 나서십시오. 그러나 알고 있습니다. '충고란 그동안 있어왔던 우정에 대한 배신'이라는 것을. 결국 당신 인생의 주인은 당신이고, 당신 운명의 주인도 당신입니다.

● 『태백산맥』에만 약 280여 명의 인물이 등장하는 것으로 알고 있습니다. 그 많은 인물들을 그려낼 수 있는 선생님만의 노하우를 알고 싶습니다.

은유정 • 이화여대 정치외교학과

● 　문학 얘기를 하는 판에 흔히 쓰는 '비결'이라고 하지 않고 '노하우'라는 말이 뛰어드니 멈칫 이상하군요. 좋습니다. 세계화 시대고, 외래어의 수용도 국어 확장의 한 영역이니까요.

　『아리랑』에 6백여 명, 『한강』에 4백여 명, 그래서 세 소설에 등장하는 인물이 1천 2백여 명이 넘습니다. 헷갈리지 않으려고 작은 수첩에다 그 인물의 이름을 적어나가며 책을 읽었다는 독자가 적지 않습니다. 바로 그것입니다! 대하소설을 읽을 때는 미리 작은 수첩을 준비하고, 등장하는 인물마다 이름을 적어나가고, 이야기의 진행에 따라 그 행적도 메모를 해나가는 것이 가장 바람직한 독서 방법입니다. 그러면 복잡한 이야기의 줄거리가 명료해질 뿐 아니라 인물들도 뚜렷뚜렷하게 기억할 수 있어 독서 효과를 몇 배로 증폭시킬 수 있습니다. 그런 독서 체험은 평생 잊혀지지 않으면서, 그 효과는 두고두고 삶의 자양이 될 것입니다. 그리고 그 수첩을 다 모아두면 그보다 더 좋은 추억은 없을 것입니다. 인생은 어차피 추억 만들기 아니던가요. 또 그 아름다운 지적

자산은 자식에게 부모를 재인식시키는 계기가 될 것이며, 수천 마디 말보다 강한 삶의 교훈이 될 것입니다. 저는 평생에 걸쳐서 그런 식으로 독서를 해왔고, 앞으로도 그럴 것입니다.

그 많은 인물을 각기 다르게 개성적으로 그려내는 노하우. 그 요령이나 기술, 또는 비결을 어느 장소의 약도 그려주듯이, 맛있는 밥상 차려주듯이 할 수 있다면 얼마나 좋겠습니까. 그러나 앞에서 누누이 말했듯이 소설 쓰기란 인스턴트 식품 사 먹는 것이 아니니 그 방법이란 것이 모호하고 그 요령이라는 것이 난해합니다. 그러나 아무리 험준한 산도 정복되고, 아무리 넓은 바다도 건너가게 됩니다. 노력 앞에 소설 쓰기인들 풀리지 않을 리가 있겠습니까.

꿰뚫어지게 유심히 사물 보기

예, 제가 그 많은 인물을 만들어낸 노하우를 굳이 말하자면 없는 것이 아닙니다. 그건 바로 이 세상에 있는 모든 사물을 '유심히 보기'입니다. '무심히'가 아니라 '유심히'입니다.

유심히는 주의 깊게, 관심 있게, 마음을 한 곳으로 쏟아, 정신을 집중해, 잡생각하지 말고, 한 생각에 몰두하여, 같은 뜻을 다 포함합니다.

바로 앞 질문에서 이 세상 모든 사람의 지문은 같은 게 하나도 없다고 했습니다. 지문만 그렇습니까. 아닙니다. 얼굴도 같은 얼굴이 하나도 없습니다. 성격은 어떻습니까. 성격도 같은 성격이 하나도 없습니다. 아아, 이 믿기 어려운 사실이 사실입니다. 어찌 그리도 무한한 다양함을 만들어낼 수 있을까요. 그것은 인간이 아닌 오로지 창조주만이 가능한 능력입니다. 그 어마어마한 다양성, 그 상상을 초월하는 다양성의 발견 앞에 우리 인간은 우주의 신비에 기죽고, 자연의 능력에 가위눌리며 무릎 꿇고 고개 숙이며 만들어낸 절대 우상이 바로 창조주나 조물주라는 이름입니다. 바로 그 미궁의 세계를 지배, 관리하는 자인 창조주의 발명이 종교 아닙니까.

소설에서 작가의 인물 창조란 자연의 그 위대하고 탁월한 능력이 빚어낸 인간의 그 다양함의 차이를 발견해내는 일입니다. 그런데 인간의 수가 하도 많고 많아 그 차이란 아주 미세하고도 섬세합니다. 그러므로 그 차이를 '뚜렷하게' 찾아내려면 유심히, 뚫어지게, 꿰뚫어지게 보아야(관찰) 합니다.

저는 김초혜 시인에게 인정받은 게 한 가지 있습니다.

"당신 거적 깔아도 돼요. 사람을 슬쩍 한 번 보고도 어찌 그리 속을 다 알아차리는지. 1년이냐 5년이냐 시간 차이만 날 뿐이지 적중률이 90퍼센트 이상이거든요. 가끔 섬뜩한 생각도 들어요."

그러니까 길가에 관상쟁이로 나서도 된다는 얘기입니다.

예, 사람을 겪어보지도 않고 그냥 지나치듯 한 번 보아도 '저 사람 어떨 거야' 하면 그 말이 거의 들어맞는 것입니다. 어떤 사람은 10년쯤 지나 들어맞는 경우도 있습니다. 아내는 그럴 때 섬뜩함을 느끼는지도 모르지요.

제가 그렇게 된 것은 특별히 백두산 신기를 타고났거나 색다른 능력이 있어서가 아닙니다. 사물을 유심히 보는 노력을 계속하다 보니 저도 모르게 그렇게 된 것입니다.

결국은 자연의 모방

"나는 파리의 등적부에 적힌 숫자만큼 내 인물을 창조해낼 수 있다."

이게 누구의 말입니까. 빅토르 위고, 발자크와 함께 프랑스 3대 작가로 꼽히는 플로베르의 말입니다.

이 말에서 당신은 무엇을 느낍니까? 작가의 자신감을 느낍니까. 자만심을 느낍니까. 자신감과 자만심은 이웃사촌입니다. 자신감이 자칫 지나치면 자만심이 되니까요. 그 경계는 모호하고 위험합니다. 그러나 당신이 느껴야 하는 건 '플로베르의 줄기찬 인간 관찰의 유심함'입니다. 그 사실을 인정하고 앞의 말을 바꾸면 이렇습니다.

"나는 파리 시내의 모든 사람이 내 소설의 주인공이 될 수 있도록 언제나 뚫어지게 관찰한다."

바로 이것입니다. 서울 시민은 1천 2백만 명을 헤아립니다. 그들은 모두 당신 소설의 주인공입니다. 건성으로, 무신경하게 지나치지 말고 짧은 시간이라도 집중해서 꿰뚫어지게 살피십시오. 그리고 그들을 당신의 필요에 따라 분해하고, 나누고, 덜어내고, 결합하고, 덧붙이고, 수정해서 재구성해내십시오. 개성적인 인물은 그렇게 해서 탄생됩니다.

'예술은 자연의 모방이다.'

이 말은 위대합니다. 불변이기 때문에. 플로베르나 저나 눈 부릅뜨고 사람을 유심히 살피는 것은 자연의 마술적 창조력을 흉내 내기 위한 것일 뿐입니다.

개성적 인물, 전형적 인물은 생김의 다름만을 말하는 것이 물론 아닙니다. 성격·성품·지적 수준·직업·행동·어투·의식, 이런 것들이 총체적으로 뒤섞여 한 인물을 형성하게 됩니다. 그 모든 것을 이루어 내기 위해 작가는 꾸준히 노력해야 하며, 줄기찬 노력이 이루지 못할 일은 없습니다.

이렇게 되면 당신은 기대했던 노하우가 존재하지 않는다는 것을 발견하게 될 것입니다. 실망하셨습니까? 실망하지 마십시오. 인생사 그 어느 것도 쉽게 되는 일은 없습니다. 어떤 직업의 일이든 최소한의 노력을 바치지 않으면 입에 밥이 들어오지 않습니다. 작가들이 눈 부릅뜨고 사물을 뚫어지게 유심히 보아야 하는 것은 직업인으로서 기본적이면서 최소한의 노력에 불과합니다.

저는 국문과나 문창과 학생들에게 사물을 작은 꽃 한 송이, 이슬방울 하나도 정신을 집중해 유심히 보라고 강조하고 또 강조합니다. 그러나 그들이 얼마나 절실한 실감으로 제 말을 받아들이는지 알 수가 없습니다. 하지만 한두 명은 꼭 있고, 그들은 저를 능가하리라는 믿음으로 그들을 대합니다.

● 선생님의 소설 속 인물들은 현실에 살아 있는 실재 인물 같다는 느낌이 듭니다. 그 소설 속 등장인물들의 모델이 되었던 현실 사회에서의 인물이 있습니까? 또, 그 많은 인물 중 자칫 실수로 겹친 경우는 없는지요?

김두루 • 고려대 영어영문학과

● 제가 만들어낸 인물들에 대해서 그렇게 좋게 생각한다니 계면쩍으면서도 고맙습니다. 이 세상 모든 부모가 가장 듣기 좋아하는 말이 자기 자식을 칭찬하면서 '자네보다 낫네' 하는 말이라고 합니다. 사람은 자기가 잘되는 것보다 남이 잘못되는 것을 더 좋아하는 심보를 지닌 존재인데도 말입니다. 그만큼 자식 사랑이란 끝없이 넓고 깊은 것이지요. 작가에게 작품이란 또 하나의 자식이지요. 그래서 잘났다면 기쁘고 보람차고, 못났다면 슬프고 쓰라리지요.

인물들의 실재 모델……, 이 점도 독자가 꽤나 궁금해하는 대목입니다. 『태백산맥』『아리랑』『한강』에는 실재 인물이 실명으로 적잖이 등장합니다. 왜 그럴까요? 역사 사건의 실감, 소설의 진실성 확보, 작품 진행의 극적 효과 확대, 허구 인물로서 불가능한 점의 극복 등 여러 가지 이유 때문에 실재 인물을 등장시키게 됩니다. 그런데 이 방법에는 아주 고약한 위험이 동반되게 됩니다. 그건 다름 아닌 '명예훼손' 위험입니다. 명예훼손 혐의란 그 범위가 턱없이 넓어서 사기죄로 벌

을 받은 사람을 놓고 '사기죄를 저지른 사람'이라고 말하는 것도 명예
훼손죄가 되고, 강간죄를 저지른 사람에 대해 '강간죄로 옥살이를 했
다'고 말해도 명예훼손죄가 됩니다. 말만 해도 그러는 판이니 글로 썼
다 하면 더 말할 것도 없지요.

제가 국가보안법 위반 혐의로 고발당했을 때 또 하나의 혐의가 겹
치기로 목을 조이고 있었습니다. 그게 바로 '사자(死者)에 대한 명예
훼손'이었습니다. 그 사자가 누굴까요? 이승만 대통령이었습니다(『태
백산맥』을 읽은 분들은 그 이유를 잘 아실 겁니다).

"역사 판단을 받아야 하는 공인의 삶을 산 사람들에게는 명예훼손
죄가 적용되어서는 안 된다. 그렇지 않고서는 객관적인 역사 비판이
나 역사 연구가 이루어질 수 없기 때문이다."

이건 담당 변호사에게 제가 한 주장이었고, 검찰에게 그런 논리로
대항하라는 압력이기도 했습니다.

"그 말씀이 타당합니다만, 그건 또 다른 국면이라······"

박원순 변호사의 망설임이었습니다.

상상력을 능가하는 극적 효과

그 외는 작가가 상상력을 총동원해가며 허구의 인물을 낳기 시작합
니다. 그런데 여기서 한 가지 문제가 생깁니다. 여러 방면의 취재를
해나가다 보면 어떤 특정인의 삶과 생애가 소설의 상황과 딱 부합하
고, 그 치열성과 극적 효과가 작가의 상상력을 능가하거나 압도하는
경우가 있습니다. 그런 국면에 부딪치면 작가의 고민은 몇 배로 커집
니다. 자기가 펼치는 자유로운 상상력에 제동이 걸리고, 그 특정인의
이야기를 쓰게 되는 경우 야기될 수 있는 문제들이 머리를 복잡하게

만듭니다.

거듭거듭 생각해서 자신의 상상력이 특정인의 삶을 능가할 수 없고, 그 사람의 역정이 극적 효과를 나타낼 수 있다고 확인되면 그 사람을 모델로 삼게 됩니다. 그 모델이 작가가 모르는 사람이거나 이미 죽고 없으면 별문제가 없는데, 그 사람이 작가 앞에 뻔히 살아 있다면 그건 또 보통 문제가 아닙니다(그 복잡한 문제에 대해서는 뒤에서 다시 얘기하겠습니다).

그런 모델이 몇 있습니다. 『태백산맥』의 김범우가 제 외삼촌(박순동, 그분은 김범우와 달리 순천 군정청에 근무했음)이고, 법일 스님이 제 아버지고, 소년 빨치산 조원제가 정치경제학자 박현채 선생입니다. 그리고 『한강』의 퇴직기자들은 한겨레신문 전 사장인 권근술 씨와 그분의 동료들이 간접 모델이 되었다고 할 수 있습니다.

작가의 실수, 두 명의 '허진'

작가가 만들어낸 그 많은 인물은 생김이나 성격만 다 달라야 하는 것이 아닙니다. 당연히 그 이름도 달라야 합니다. 그러니까 저는 1천 2백여 명을 낳고, 이름 붙여주고, 먹여 키우느라고 20년 세월을 다 보낸 셈입니다. 이 세상에서 자식이 가장 많은 사람이 미국 배우 율 브리너가 주연한 〈왕과 나〉의 주인공 그 왕으로, 자식들이 자그마치 1백 명이었습니다. 하지만 1천 2백여 명인 저에 비하면 그 정도야 조족지혈이지요. 이름 짓는 데만 제가 12배를 더 힘들여야 했으니까요.

그 많은 이름을 어떻게 다 지었느냐고 묻는 독자도 있습니다. 예, 그것도 각 인물의 생김과 언행과 역할에 꼭 어울리도록(이름도 전형성 확보에 한몫을 하는 거니까) 짓자면 진땀 나고 애먹는 일이지요.

여러분, 『태백산맥』을 읽는 독자는 『아리랑』이나 『한강』은 안 읽습니까? 그렇다면 소설 쓰기가 얼마나 수월해지겠습니까. 적당히 비슷하게 얼버무리면 되니까요. 그러나 한 작품을 재미있게 읽은 독자는 거의가 그다음 작품도 따라 읽게 됩니다. 그게 의식의 관성이고, 작품의 흡입력이고, 작가에 대한 애정입니다. 작가로서 그보다 더 고마운 독자가 없는 동시에 그보다 더 부담스러운 독자가 없습니다. 그들은 애정을 가진 만큼 기대를 걸기 때문에 새 작품과 전 작품을 비교 대조하는 감시자이고 비판자이기도 합니다.

하대치나 염상진, 외서댁이라는 이름이 『아리랑』이나 『한강』에 그대로 또 나오면 어떻게 되겠습니까. 말도 안 되는 소리는 아예 할 것이 없고, 독자 인상에 명확하게 박힌 중요 주인공의 성(姓)까지도 다음 작품에서는 써서는 안 됩니다. 유심히 보십시오. 작품마다 중요 주인공의 성이 전부 달라지고 있습니다. 그 일까지가 인물 창조의 고통에 포함됩니다. 그 '새로움'이 요구하는 고통, 그것이 작가의 업보입니다. 겁나서 그만두겠다고요? 아닙니다. 줄기찬 노력은 그 모든 고통을 하나하나 해결해줍니다.

"예, 겹치는 이름이 없습니다."

어느 텔레비전 프로에서 저는 자신만만하게 말했습니다. 그만큼 노력했으니까요.

그런데 며칠이 지나 출판사를 통해 한 통의 편지가 왔습니다.

'선생님께서 약간의 착각을 하신 것 같습니다. 『아리랑』 끝 부분에 나오는 허진이란 이름이 『한강』에도 나옵니다.'

이런 내용이었습니다.

저는 얼굴을 들 수 없었습니다. 제 얼굴은 순식간에 화끈화끈해졌고, 그처럼 수치스럽고 당혹스러운 감정은 처음이었습니다. 그리고 저는 그 여성 독자에게 미안함과 고마움을 동시에 느꼈습니다. 그 독자야말로 수첩에 주인공의 이름을 전부 적어가며 얼마나 열심히 읽었으면 그 이름을 찾아냈겠습니까. 『아리랑』의 허진은 그냥 지나치기 쉬운 단역 중의 단역이었는데 말입니다. 저는 제 책에 사인을 해서 사례를 하고 싶었습니다. 그러나 봉투에는 발신인의 주소가 적혀 있지 않았습니다.

세 편의 대하소설을 통해 작가는 모두 1천 2백여 명의 인물을 탄생시켰다.
사진은 『태백산맥』에 나오는 인물 구성표.

● 『태백산맥』『아리랑』『한강』에는 실로 헤아릴 수 없을 만큼 다채롭고 역동적인 삶을 사는 수많은 인물이 등장하여 우리 민족의 삶을 생생하게 보여줍니다. 그중 특별히 애착이 가는 캐릭터가 있다면 무엇입니까?

유다정 • 서강대 정치외교학과

　맨 끝의 '무엇입니까?'는 '누구입니까?'로 바꿔야 좋을 것 같습니다.

우리 속담에 '열 손가락 깨물어 안 아픈 손가락 없다'고 했습니다. 고른 자식 사랑을 이보다 더 잘 표현한 말은 없을 것입니다. 이것이 우리 민족의 문화 수준이고, 지적 능력이며, 철학적 깊이고, 문학적 감성입니다.

기왕 이야기가 나왔으니 몇 가지만 더 살펴봅시다. '돈은 귀신도 부린다.' 여기서 살짝 생략해서 감추어둔 말은 무엇인가요? '하물며 제 까짓 사람쯤이야' 아닙니까. 어떻습니까. 이 얼마나 절묘하며, 이 얼마나 명쾌하게 우리 인간의 속내와 행태를 꿰뚫었습니까. 돈의 마력과 그 앞에서의 인간의 허약함을 이렇게 잘 묘파할 수는 없습니다. 여러분이 한 번 시도해보십시오. 이 표현을 능가할 수 있는지. 저는 몇 년 동안 고심하다가 백기를 들었습니다. 무엇이든 '완성'이란 이런 것입니다.

'금강산도 식후경이오.'

'논 아흔아홉 마지기 가진 놈이 한 마지기 가진 사람보고 팔라고
한다.'

'외삼촌네 떡도 커야 사 먹는다.'

'열 길 물속은 알아도 한 길 사람 속은 모른다.'

어떻습니까. 너무 귀에 익어 시시하십니까. 그러나 경솔하게 생각
하지 말고 정색을 하고 다시 한 번 음미해보십시오. 우리 인간의 삶과
속마음, 그리고 심리를 이처럼 응축시켜 실감나게 갈파한 금언은 쉽
게 찾아보기 어렵습니다. 그 속담에는 수천 년에 걸친 우리 조상의 지
혜와 슬기와 철학과 교훈이 영원한 생명력으로 살아 숨 쉬고 있습니
다. 빼어난 속담 백 가지만 곱씹으며 살면 철학책 따로 읽을 것 없고,
삶도 실수 없이 바르게 살 것입니다.

우리나라에서 30년 넘게 산 어느 외국인은 우리나라 속담의 깊이와
절묘함에 대해서 진정으로 감동하고 감탄하는 것이었습니다.

"저는 일부러 서양 여러 나라의 속담을 많이 수집해서 살펴보았습
니다. 그러나 한국 속담같이 감칠맛 있고 감동적이지 않았습니다. 금
강산도 식후경이다. 이 얼마나 간략하면서도 의미가 깊고 사람의 심
리를 잘 나타냈습니까."

그의 능청스러운 한국말이었습니다.

바르고 굳센 민중성의 표상들

속담 감상은 여기서 마무리 짓겠습니다. '어느 작품이 가장 좋으
냐.' '어느 작품이 가장 애착이 가느냐.' 이런 질문을 받을 때 저는 가
장 곤혹스럽습니다. 이건 저만 그러는 게 아니라 모든 작가가 다 그럴
것입니다.

제가 짐작하기로는 독자 스스로 선별하기 어려우니까 작가에게 직접 듣고자 하는 것이 아닌가 합니다. 그러나 작가의 대답이 독자의 생각과 전혀 안 맞을 수도 있고, 엉뚱할 수도 있습니다. 가장 바람직한 것은 작품에 대한 작가의 맹목적 모성애를 이해하고 그런 질문을 하지 않는 것이 좋을 것입니다.

　주인공에 대한 질문 역시 마찬가지입니다. 아무리 악한 사람도 작가에게는 공들여 키운 자식입니다. 그리고 한 가지 작법상의 비밀이 있습니다. 작가의 입장에서는 주인공 중에서 단 한 명이라도 독자에게 버림을 받아서는 안 됩니다. 모든 주인공은 제각기 역할을 맡아 움직이면서 소설의 감동을 증폭하는 데 기여해야 하니까요. 그래서 아무리 악한 사람이고 못된 짓만 하는 나쁜 놈이라 하더라도 그들에게도 인간적인 면면이 있음을 작가는 살짝살짝 곁들입니다. 그 화장술 때문에 독자는 악역의 주인공을 미워하면서도 버리지 못하게 됩니다.

　『태백산맥』에서 독자 인기투표 1등을 차지한 게 누구인지 아십니까? 영화가 만들어질 때 배우들이 가장 맡고 싶어 경합을 벌인 역이 누구인지 아십니까? 『태백산맥』의 참 주인공이 누구인지 찾아내느라고 몇 시간씩 생각해도 잘 풀리지 않듯 그 주인공 알아맞히기도 쉽지 않습니다.

　그 사람은 다름 아닌 염상구입니다. 그 이유는 바로 앞에서 이미 설명했으니 납득이 가십니까. 그 인물을 만들어내고 키워가면서 미움은 많이 받겠지만 결코 버림받지 않게 하겠다는 것이 제 마음이었지만 그가 여기서도 저기서도 인기 1등을 누리리라고는 전혀 예상하지 못했던 일입니다. 작품의 결과란 이런 것입니다.

　작가의 입장에서 가장 마음에 드는 작품을 뽑는 일보다는 가장 마음에 드는 주인공을 고르는 것이 그나마 낫습니다. 주인공을 골라내는 일은 다른 작품을 훼손하는 기분이 들게 하지는 않으니까요.

제 자식을 차별하는 것 같은 죄책감을 무릅쓰며 세 작품에서 두 명씩만 뽑아보도록 하겠습니다.

『태백산맥』에서 하대치와 외서댁.

『아리랑』에서 공허와 필녀.

『한강』에서 유일표와 강숙자.

이 결과를 보면서 독자 여러분은 어떤 느낌이 드십니까. 여기서 어떤 공통점을 느낄 수 있습니까. 수긍하는 분도 계실 것이고, 의아해하는 분도 계실 것입니다. 그건 당연한 일입니다. 독자 여러분 모두가 개성이 다르고, 가치관이 다르고, 인간에 대한 선호가 다르기 때문입니다. 모든 독자는 소설을 읽어나가면서(특히 대하소설에서는 더욱) 자기 자신도 모르게 어느 주인공을 자기처럼 느끼기도 하고, 감정 이입까지 하게 됩니다. 그건 아주 자연스러운 현상이며, 독서 효율을 높임과 동시에 기억에 오래 남는 독서 체험을 하게 해줍니다. 만약 그런 현상이 일어나지 않았다면 그건 전적으로 작가가 소설을 잘못 썼기 때문이라고 해도 과한 말이 아닙니다.

저는 초등학교 때 『삼국지』를 만화로 읽으며 제가 꼭 '조조' 같다는 생각이 드는 것이었습니다. 그건 보통 괴로운 일이 아니었습니다. 조조는 나쁜 놈으로 이름이 나 있지 않습니까. 그 괴로움을 아무에게도 말을 못하고 대학생이 되어 이번에는 책으로 『삼국지』를 다시 읽었습니다. 그런데 여전히 제가 조조 같은 느낌이었습니다. 그리고 가장 좋은 사람이라는 유비는 영 답답하고 남자답지 못한 게 마음에 들지 않았습니다. 그런데 몇 년 전에 어느 대학 교수가 『삼국지』 주인공을 연구한 책을 내놓았습니다. 그 책은 『삼국지』의 진짜 영웅과 진짜 주인 공은 조조이고, 유비는 '쪼다'라고 표현하고 있었습니다. 저는 그때서야 찜찜했던 괴로움을 씻어낼 수 있었고, 제 독서 판단이 틀리지 않았음을 확인할 수 있었습니다.

제가 뽑은 여섯 명의 주인공이 갖는 공통점이 있습니다. 이미 그 점을 눈치 채신 분도 있을지 모르겠습니다. 그것은 '바르고 굳센 민중성을 갖춘 인물'이라는 점입니다. 사회과학에서 말하는 '민중'이라는 추상성을 저는 소설을 통해서 그 실체를 보여주고자 했습니다. 그래서 세 소설을 관통하는 세 가지 공통점 중의 하나가 '민중성'입니다. 나머지 두 가지는 차차 얘기하겠습니다.

● 어느 인터뷰에서 화가가 되려다가 못 되셨다는 말씀을 하셨는데, 그 사연은 어떻게 된 것인지요?

강은나래 • 연세대 원주캠퍼스 철학과

● 　앞에서 잠깐 얘기했듯 저는 그림에도 아주 관심이 많았습니다. 글을 잘 쓰고 싶은 욕구에 못지않게 그림을 잘 그리고 싶은 욕심도 컸습니다.

중학생이 되어 처음 수채화 물감을 사게 되었을 때 얼마나 감격했던지 목이 다 메었습니다. 가난에 찌들린 살림에 크레용이 아닌 수채화 물감을 갖는다는 건 참 쉽지 않은 일이었거든요.

"이놈아, 물감 아끼지 말고 푹푹 칠해. 물감 안 아끼고 그리면 100점인데, 90점밖에 못 받잖아."

미술 선생이 군밤을 먹이며 하는 말이었습니다.

그러나 저는 중학교 3년, 고등학교 2학년 때까지 물감을 맘껏 푹푹 써보지 못하고 그림 그리기를 마쳤습니다.

고등학교 1학년 때 심심풀이로 미술책에 있는 인물 데생을 스케치북에 그렸습니다. 그것이 옆에 앉은 미술반 아이 눈에 띄었고, 미술 선생이 보게 되었습니다.

"으음, 들어와, 미술반에 들어와."

머리 곱슬거리는 미술 선생이 코를 큼큼거리며 말했습니다.

"물감 대줄 돈 없다."

아버지의 이 한마디에 저의 미술반 행은 좌절되고 말았습니다. 그 좌절은 곧 화가의 포기로 이어졌습니다. 아버지 말씀의 위력이 절대적일 뿐만 아니라 수채화 물감에 비해 더더욱 비싼 유화 물감을 사댈 돈이 없다는 것은 저도 너무나 잘 알고 있었던 터였습니다.

저는 결과적으로 돈이 가장 적게 드는 문학을 하게 된 셈입니다. 백지와 잉크·펜촉(그 시절에는 볼펜이 일반화되지 않았고, 만년필은 비싼 귀물이었음) 값은 유화 물감에 비하면 거저나 마찬가지였으니까요. 책이야 으레 빌려보는 것이었구요.

그래서 저는 화가가 못 되면 김용환 선생 같은 만화가가 되고 싶었습니다. 만화는 물감 값이 안 들어도 되니까요. 그리하여 저는 아무도 모르게 노트에다 칸을 쳐가며 만화를 그리기 시작했습니다. 그게 노트 두 권 가득이었습니다. 그러나 저는 제풀에 지쳐 만화 그리기를 그만두었습니다. 만화가 지금처럼 대접받지 못한 시대였고(몇 년 전부터 대학에 만화과가 생기는 혁명적 시대가 도래했지만 여전히 만화를 천시하는 젊은 학부모들이 있다는 것은 통탄할 일이 아닐 수 없습니다), 제 재능의 모자람을 스스로 깨달았던 것이겠지요. 그 만화 노트가 지금까지 남아 있었더라면 얼마나 가관이었겠습니까(그거 '참여연대' 후원금 모금 바자회에 내놓았더라면 돈 좀 되지 않았겠어요. 허허허……).

아직도 그림 물감을 사는 이유

저는 이 나이까지도 그림 그리기에 대한 미련을 버리지 못했습니다. 그래서 손자들에게 줄 50가지 색 크레용이나 24가지 색연필 같은 걸 살 때는 제 것도 꼭 삽니다. 외국에 다녀오는 비행기 안에서도 그 가지가지 예쁜 색연필을 그냥 보아 넘기지 못하고 또 삽니다. 그런 저를 아내는 그저 웃으며 바라봅니다. 이루지 못한 꿈에 대한 애석함을 이해해주는 따스함이지요.

그러나 저는 상실한 꿈에 대한 아쉬움 때문에 여러 가지 물감을 사재기하는 것이 아닙니다. 언젠가는 그림을 그릴 작정으로 착실하게 준비를 하고 있는 것입니다. 그게 언제냐구요? 헤르만 헤세가 그랬듯 더 늙어 그 복잡한 구성을 해야 하는 소설을 쓰기 어려워질 때 저는 새 인생을 시작하듯 차분하게 그림을 그릴 예정입니다.

그때는 물감을 아끼지 않고 사재기한 것을 맘껏 써가며 고흐 같은, 루오 같은 질감으로 그림을 그릴 것입니다. 저는 파리와 로마는 백 번 가도 좋은 곳이라고 말하고는 합니다. 파리는 수많은 미술관이 있기 때문이며, 로마에는 중세 문화가 살아 있기 때문입니다.

저는 제 작품의 번역 등의 일로 파리를 여러 번 갔습니다. 그때마다 거르지 않고 꼭 미술관 순례를 합니다. 아아, 그 황홀한 감동이여, 넘쳐나는 행복감이여. 수많은 화가가 화폭 위에 뿜어내고 토해낸 열정을 만나고, 현란한 색깔이 물결쳐와 내 영혼을 적시는 그 감동의 시간을 뭐라고 형용할 수 있을 것인가.

외로웠기 때문에 더 치열할 수밖에 없었던 야성적 천재 반 고흐의 생가를 찾았을 때 소름 돋듯 끼쳐오던 감동. 저는 1974년에 낸 소설집 『황토』의 표지로 그의 〈까마귀 떼 나는 들녘〉을 골랐습니다. 반 고흐는 제가 고등학교 때부터 좋아했던 제일가는 화가였으니까요. 그런데 고흐의 하숙집 뒤편에서 바로 그 그림의 무대를 보지 않았습니까. 그리고 가까운 공동묘지에서 그의 무덤을 보게 될 줄이야! 동생과 나란히 누운 그의 무덤은 다른 무덤들과 달리 담쟁이덩굴만 무성하게 덮여 있었습니다. 가난해서 돌로 치장할 수 없었던 거지요.

저는 조심스럽게 그 잎 하나를 따서 한국으로 모셔왔고, 국어사전 속에다 잘 눌러 말려 『황토』와 함께 고이 모셔놓았습니다. 그림에 대한 제 항정입니다.

취재수첩에다 한풀이

저는 세계 여러 나라로 취재를 많이 다녔습니다. 흔히 '취재여행'이라고 말하는데 저는 '여행'이라는 말을 붙이고 싶어 하지 않습니다. 취재를 할 때는 흔히 말하는 여행 기분이 전혀 나지 않기 때문입니다 (이 대목은 뒤에서 따로 얘기하겠습니다).

취재 때 사진기를 휴대해야 하는 것은 취재수첩을 상비하는 것과 맞먹는 중요한 일입니다. 그러나 취재를 하다 보면 카메라가 무용지물일 때가 흔히 있습니다. 카메라의 렌즈 크기는 얼마나 협소합니까. 우리 눈의 시야는 180도입니다. 우리가 한눈에 볼 수 있는 풍경을 카메라에 담으려면 계속 이어서 셔터를 네댓 번씩 눌러야 합니다. 이런 경우까지는 그래도 카메라 덕을 볼 수 있습니다. 그러나 몇 십 리씩 이어진 지형이나 광범위한 지역을 담아낼 필요가 있을 때는 카메라는 아무 쓸모가 없게 됩니다. 7, 80리 청산리 골짜기를 무슨 수로 카메라로 찍을 것이며, 몇 십 리 겹겹인 연해주의 파르티잔스크 산악 지대를 어떻게 카메라로 담아낼 수가 있겠습니까.

그 문제를 해결하는 방법이 한 가지 있습니다. 취재수첩 두 페이지에 걸쳐서 제가 직접 그림을 그리는 것입니다. 그리고 중요 사항을 써넣습니다. 그럼 몇 개월이 지난 뒤에도 그 스케치를 보면 그 당시의 상황과 느낌과 냄새까지 생생하게 떠오릅니다. 저는 수십 권의 취재수첩에다 그림을 그리지 못하게 된 한풀이를 실컷 하는 것입니다.

　그 수첩은 전북 김제의 『아리랑』 문학관과 전남 벌교의 『태백산맥』 문학관에 가시면 다 전시되어 있습니다.

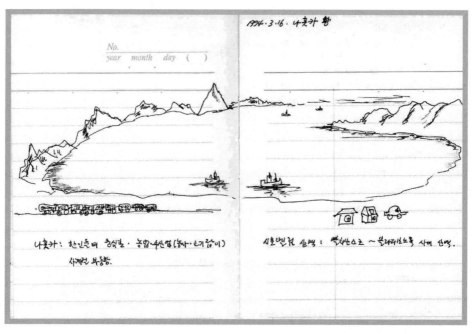

작가가 취재수첩에 그린 풍경.
화가를 꿈꾸었던 작가의 그림 실력을 엿볼 수 있다.

● 남들이 '공처가'라고 놀리면, 아내 앞에만 서면 깜짝깜짝 놀라는 '경(驚)처가'라고 스스로를 표현하신다고 알고 있습니다. 대학 시절엔 문학을 함께 공부한 동료이자, 지금은 아내가 되신 김초혜 시인. 두 분은 오래도록 아름다운 사랑을 하고 계신데요, 조정래 선생님의 문학 인생에 아내는 '어떤 전설'인가요?

김정인 • 서강대 국어국문학과

◉   그렇습니다. 젊었을 때도 경처가였는데, 이젠 이사 갈 때 떼놓고 갈까 봐 강아지 안고 이삿짐 차에 먼저 올라타는 나이가 되어 아내 이야기만 나오면 마음이 급해지니 결론부터 말씀드리겠습니다.

'내 소설 절반은 아내가 쓴 것이나 마찬가지다.'

이것은 제가 『한강』을 마치면서 작가의 말에 쓴 것입니다. 얼마나 아내가 무서우면 이다지도 아부를 하며 살겠습니까. 저 조선 시대부터 '뇌물 쓰고 아부해서 손해 보는 일 없다'고 했으니 저는 그 말만 믿고 도매금으로 아부하면서 살아갑니다. 곧 그 이유를 알게 됩니다.

앞에서 잠깐 밝혔듯이 대학생 김초혜는 이미 문단에 등단한 시인이었습니다. 그리고 '국문과'로서는 전국 제일로 꼽혔던 동국대 국문과의 통합 문학서클 '동국문학회'의 최초의 여학생 회장이었습니다. 물방울무늬 플레어스커트에 흰 하이힐, 긴 머리에 얼굴 하얀 그녀가 좁은 동대 캠퍼스에서 어떻게 보였겠습니까. 거기다가 그녀는 가장 현대적인 화가 피카소의 〈울고 있는 여인〉을 붙인 책받침을 가지고 다녔습니다(여러분은 저의 이런 기억력에 전혀 놀라시지 않으리라 믿습니다. 제가 저 코홀리개 적 시시콜콜한 일까지 다 기억하고 있다는 것을 이미 알고 계시니까). 그 난해한 그림은 선과 색이 얼마나 강렬하며, 그 그로테스크한 얼굴은 또 얼마나 첨단적입니까. 사르트르의 실존주의와 함께 바로 바다를 건너온 서양풍이었지요.

그런 그녀가 한갓 문청에 불과한 저의 연인은커녕 언감생심 눈길 한 번 주기도 어려운 존재 아니었겠습니까. 이미 시인이 된 선배 남학생 몇 명이 호심탐탐 그녀를 노리는 요상스런 분위기이기도 했으니까요. 그러나 적이 많다고 고지 점령이 안 되며, 골키퍼가 있다고 공이 안 들어가는 것 보았습니까.

문학회 합평회 준비를 하면서 저는 그녀의 만년필을 빌렸고, 빵을 사야만 돌려주겠다는 작전을 세워(이건 그때는 썩 기발한 최신식 방법이었는데 요즘에는 케케묵은 구식이고 웃음거립니다) 마침내 말문을 트게 되었습니다. 일단 말문을 텄으니 어찌 됐겠습니까. 조정래 표 말대포에, 충청도에다 안동 김씨 집안 규수 하나 넋 빠지고 말았지요(여러분, 젊은이의 가장 우둔하고 아름다운 착각이, 노인은 태어날 때부터 노인으로 태어났다고 생각하는 것이라 합니다. 저도 태어날 때부터 대머리였던 게 아니고 5월의 신록처럼 싱싱한 20대 젊음이 있었습니다. 그때 조정래는 걸음 멈춘 한 여자를 눈부시게 할 만큼은 생겼더라는 사실이지요. 믿거나 말거나).

첫 선물, 링컨의 초상화

저는 일거에 그녀의 마음을 사로잡고 싶었습니다. 이건 모든 남성 동료의 본능이기도 한데다가, 김초혜를 노리는 자들 때문에 제 마음은 더 한층 바빴던 거지요. 그러나 제게는 땡전 한 닢도 없었습니다.

선물 공세가 상투적인 방법이긴 하지만 효과가 나는 걸 어쩝니까(물질도 마음이며, 뇌물 써서 손해 보는 일 없다니까요).

한 달 전차비로 《현대문학》 한 권을 사보면 성북동 골짜기에서부터 남산 중턱 동국대학까지 꼬박 걸어 다녀야 하는 신세인 저는 고심하기 시작했습니다. 무엇으로 단번에 마음을 사로잡을 선물을 할까…… 고심을 거듭한 끝에 마침내 번뜩 영감이 떠올랐습니다(그렇습니다. 문인이 되고자 하는 저에게 생애 최초로 떠오른 영감은 작품에 관한 것이 아니라 연애에 관한 것이었습니다. 그러니 재학 중에 작가가 될 리가 있었겠습니까. 글을 쓰는 이 순간에 퍼뜩 떠오른 생각인데, 제가 재학 중에 작가가 못 되게 한 방해꾼은 전적으로 김초혜였습니다).

저는 그 영감에 따라 겨울방학이 시작되자마자 에이브러햄 링컨을 그리기 시작했습니다. 그림 그리는 도구는 아무것도 없이 글씨 쓰는 펜촉으로 링컨의 얼굴을 극사실적으로 그려나가는 것이었습니다. 서두르지 않았습니다. 날마다 조금씩, 이마의 주름 하나를 묘사하기 위해 눈썹보다 더 가는 선들을 수백 번 그렸습니다. 슬픈 듯 형형한 눈을 표현하기 위해서 바들바들 떨리는 손으로 며칠씩 눈을 부릅떴습니다. 젊은 저의 눈은 양쪽 다 2.0이었습니다. 그 눈이 쓰리고 따끔거리고 침침해지도록 수백, 수천의 선들을 그리고 또 그렸습니다.

나비넥타이를 그리는 것으로 링컨 그림을 다 완성했을 때 겨울방학은 끝나가고 있었습니다. 장편소설 20권은 읽을 수 있는 시간이 날아가버린 것입니다. 그러나 사랑에 눈먼 자가 그 시간이 아까울 리가 있겠습니까. 제 마음에 드는 그림을 완성했다는 사실만이 그저 뛸 듯이 기뻤지요.

그 그림을 정성스레 조정래식으로 표구하고, 포장해서 마침내 김초혜 시인께 바쳤지요.

"어머니가 믿지 않으셨어요. 정말 그 학생이 그린 거냐구요."

아아, 과연 시인은 남다르고, 역시 시인은 시인다웠습니다. 이 얼마나 은유적이고 세련되었으며, 그 한마디로 두 사람이 마음을 열었음을 시적으로 응축시킨 것 아닙니까(사실 그 그림은 제가 봐도 제가 그린 것이라고 믿을 수 없도록 잘 그렸으니 그 누구인들 반하지 않겠습니까. 에이그, 이런 식으로 하지 말라는 아내의 말을 듣지 않으니 더 크게 못 되는 겁니다).

그때 마침 저는 상 하나를 타게 되었습니다. 동대신문사에서 제1회 학술상을 공모했습니다. 그건 두 분야, 각 학과 전공에 따른 논문상과, 시·소설을 포함한 창작상이었습니다. 상금이 꽤 많았던 그 상은 학생들의 군침을 흘리게 만들었습니다. 제가 그 창작상을 받은 것입니다. 그 영향도 전혀 없지는 않았을 겁니다.

저는 김초혜의 애인이 되었고, 그 소문은 캠퍼스 안에 금방 퍼졌습니다. 멍해진 것은 김초혜의 주위를 서성이던 몇몇 시인이었지요.

저는 졸업과 함께 사나이 자격을 다하기 위해 군대에 갔습니다. 훈련소를 거쳐 일등병으로 근무하던 어느 날이었습니다.

"자꾸 선을 보게 하는데 이젠 상대가 싫다고 둘러댈 말도 없다."

면회 온 애인 김초혜의 말이었습니다. 당연한 일이었습니다. 남자 나이 스물다섯은 군대 일등병일 뿐이지만 여자 나이 스물다섯은 혼기 놓친 노처녀 신세였습니다(그 시절 여자 결혼 적령기는 스물두셋이었고, 춘향이가 이도령과 그 야한 사랑을 한 것은 이팔청춘 열여섯 살이었습니다. 요즘의 서른 살 갓 넘은 처녀들은 그런 시대를 보며 야만의 시대라고 하는 모양인데, 정작 망령 든 것은 어느 쪽인지 모르겠습니다. 자연의 질서를 거스르는 것처럼 헛똑똑이들도 없으니까요).

더 이상 억지 선을 보게 하며 애인을 곤궁하게 할 수는 없었습니다. 그리고 위기에 처한 제 사랑을 구할 방법은 단 하나밖에 없었습니다.

"결혼해. 우리 결혼하자구!"

저는 용감무쌍하게 선언했습니다.

아, 저는 남자의 만용이었다 치더라도, 김초혜는 어쩌자고 결혼을 결심했을까요. 조정래, 유산 한 푼 받을 것도 없는 가난뱅이 집안의 차남, 언제 작가라도 될 것인지 아무런 기약이 없는 사내, 수입이라고는 전무한 대한민국 육군 일등병일 뿐인 사내를 남편으로 맞이하고자 하다니. 지금 생각해도 아슬아슬 조마조마한 일일 뿐이고, 어쨌거나 김초혜는 시만 잘 쓰는 게 아니라 사람 보는 눈도 탁월했다고 해야 할 것입니다. 20여 년 후에 조정래가 어떻게 될지 꿰뚫어본 것 같으니 말입니다. 그렇더라도 김초혜의 결혼 결정은 용기를 넘어 만용이었습니다. 그걸 신파조로 말하자면 '사랑의 힘'이라고 할밖에 없지요.

제가 지금까지 42년 동안 김초혜 한 여자를 해바라기하며 살아온 것은 그때 저를 선택해준 것에 대해 보은을 다하려는 마음가짐입니다. 그때 김초혜가 보잘것없는 저를 외면해버렸더라면 저는 깊게 상처받은 영혼을 떠안고 오늘과는 영 다른 방향에서 방황하고 있었을 것입니다.

김초혜 남편, 문청 조정래

그때만 해도 세배 다니는 풍습이 성해서 저와 아내는 새해에는 꼭 서정주 선생 댁에 갔습니다. 그분은 저의 대학교수였고, 아내를 등단시켜주신 스승이었고, 우리 결혼식 주례를 맡아주셨기 때문입니다.

그분 댁에는 문인 세배꾼들이 20여 명씩 몰려 있고는 했습니다. 그

분은 특유의 느릿한 전라도 어감으로 우리 부부를 그들에게 소개했습니다.

"어허, 인사들 허시게. 여기는 장래가 아조 촉망되는 여류시인 김초혜 씨, 그리고 옆은 남편, 문청 조정래 군."

서정주 선생은 술이 거나하게 취했지만 빈틈이 없었습니다. 김초혜는 시인이니까 '씨'이고, 조정래는 문학청년이니 '군'인 것이었습니다. 아아, 저는 아내 덕에 기성 문인 20여 명과 동석해 술잔을 드는 출세를 하고 있었습니다. 그러나 서정주 선생의 그 냉혹한 차별은 얼마나 큰 수모입니까.

저는 그런 수모를 자그마치 5년 동안이나 당해야 했습니다. 그리고 아내보다 5년 늦게 작가가 되었습니다. 그때 제 나이 스물여덟이었는데, 아내가 등단을 빨리 해서 그렇지 작가로서 스물여덟 살 등단은 늦은 게 아니라 마침맞은 나이였습니다. 제 동료 작가 거의가 그 나이에 문단에 나왔으니까요.

저는 등단하던 해에 학교에 취직이 되어 겹경사를 맞게 되었습니다. 비로소 남편다운 남편 노릇을 하게 되는 것 같아 그렇게 기쁘고 행복할 수가 없었습니다. 고2 여학생들을 맡았는데, 엄청나게 열심히 가르쳤고, 무지하게 엄한 선생이었습니다. 교과서의 시를 다 외우게 했는데, 못 외우면 사정없이 손바닥을 때렸습니다. 그리고 시를 가르치다 보면 제가 굉장히 실력 있게 여겨지기도 했습니다. 그런 자아도취 속에서 1년을 보내고 학생들이 인기투표를 했는데 제가 1등을 '먹었습니다.' 그렇게 열심히 가르쳤고, 그만큼 소설도 열심히 쓰려고 했습니다.

그러나 소설 쓰기는 의욕만큼 잘되지 않았습니다. 왜냐하면 국어 선생은 정규수업만 하루 4시간, 오후에 보충수업 2시간까지 해야 하니 퇴근하면 몸은 파김치가 되어 글쓸 엄두를 낼 수가 없었습니다.

내 문학과 인생의 영원한 동반자

그렇게 생활하며 어떤 작품 하나를 60여 장쯤 써놓고 6개월을 넘게 보내고 있었습니다. 그러다가는 1년이 넘어도 완성시킬 수 없을 것 같아 어느 토요일 오후에 마음을 다잡고 앉았습니다.

생각을 총정리하고, 저녁을 먹고 나서 곧 글쓰기를 시작했습니다. 글을 다 쓰고 나서 고개를 드니 창이 훤했습니다. '이게 어찌 된 일이야?' 저는 잠시 어리둥절해졌다가 이내 날이 밝았다는 것을 깨달았습니다. 저는 밤을 꼬박 새워 글을 썼던 것입니다. 그건 저 자신도 믿을 수 없는 일이었습니다. 제가 하룻밤을 새워 쓴 글은 2백자 원고지 120여 장이었으니까요.

"세상에…… 내가 두어 번 잠을 깼었는데 당신은 그걸 느끼지 못했어요. 방 안에 담배연기가 어찌나 가득 차 있던지 난 불이 난 게 아닌가 생각했었다구요."

제가 쓴 원고량에 아내도 놀라며 하는 말이었습니다.

저는 그 후유증으로 사흘 동안 인사불성으로 앓았습니다. 그 작품이 중편 「청산댁」이었습니다. 그건 제가 생애 최초로 하룻밤에 가장 많이 쓴 분량이었고, 마지막 일이 되었습니다. 하룻밤에 그렇게 많이 쓸 수 있었던 것은 지난 6개월 동안 생각하고 또 생각해서 소설이 머릿속에 다 정리되어 있었기 때문이지요. 시인이 오랜 시간 시상을 곱씹고 또 곱씹고, 다듬고 또 가다듬고 하다가 어느 한순간에 종이 위에 토해놓듯 하는 것처럼 말입니다.

그때부터 제 아내 김초혜는 제가 쓴 소설의 최초 독자였고, 최고의 열독자였고, 지적자였고, 수정자였고, 감독자였고, 충고자였고, 격려자였고, 결재자였고, 지지자였고, 축하자였습니다.

아내는 제 소설을 한 줄도 빼놓지 않고 열심히 읽습니다. 그리고 좀 이상하거나 마땅찮거나 석연찮거나 흡족치 않은 부분을 꼼꼼히 백지에 메모를 해놓습니다. 그런데 그 양이 많으면 저는 벌컥 화를 냅니다. 쓰느라고 지친 데다가, 글을 쓸 때는 신경이 곤두서고 날카로워져 거의 정상이 아니기 때문입니다. 그러면 아내는 그 순간 자취를 감추어버립니다. 감정 다칠 필요 없는 삶의 지혜지요.

얼마가 지나 저는 아내가 지적해놓은 것을 읽어봅니다. 그리고, 순한 양처럼(그렇습니다. 저는 양띠거든요) 그것을 다 고쳐나갑니다. 그러기를 평생 했습니다.

그런데 여러분, 이런 분한 일도 있습니까. 저도 아내 시의 최초의 독자고, 최고의 열독자입니다. 그럼에도 불구하고 아내는 제 지적을 단 한 번도, 절대로 받아들인 적이 없습니다.

"시는 소설보다 더 윗질인 고급 문학이니까."

아내의 한마디입니다.

그렇습니다. 저는 시 쓰다 포기한 실패자니까 아무 할 말이 없습니다.

우리는 결혼하기 전에 '우리는 서로 장르가 다르니까 결혼할 수 있는 것이다'는 사실을 확인했습니다. 장르가 같으면 부부를 서로 비교하며 입길에 올리는 것이 세상의 악의니까요.

우리가 부부 문인으로 늘 함께 다니게 되자 세상은 기다렸다는 듯 저를 '공처가'라 부르기 시작했습니다. 예상한 일이라 저는 한 술 더 떠서 아내를 보면 무서워 깜짝깜짝 놀라는 '경처가'라고 응수했지요.

그러고도 우리 부부가 '한 길을 걷는 모범 부부' 정도로 인정되기까지는 20년 세월이 더 걸렸습니다.

그리고 우리는 또 한 가지 '서로의 세계를 존중하되 간섭하지 않는다'는 약속을 했습니다. 우리 부부는 그 약속을 한 번도 어긴 적이 없습니다.

아내는 제 소설을 지키기 위해서 그 많은 역할만 한 것이 아닙니다. 긴 소설을 연달아 쓰는 20년 동안의 건강을 지키기 위해 하루도 빠지지 않고 장보기를 해서 상을 차렸습니다. 그러니 내 어찌 '절반은 아내가 쓴 것이나 마찬가지'라는 말을 안 할 수 있겠습니까. 아내에게 아부한 것이 아니었습니다. 진심 어린 감사였지요.

얼마 전 인터뷰에서 '당신에게 김초혜는 무엇이냐'는 질문이 건너왔습니다.

"김초혜는 나에게 날로 새롭게 피어나는 꽃이다."

그래서 '닭살부부'라는 별명을 새로 얻었습니다.

2003년 김제에 『아리랑』 문학관이 세워지자 아내는 그동안 고이 간직해왔던 링컨 초상화를 내놓았습니다. 그건 제가 그린 자화상과 함께 『아리랑』 문학관 제2전시실에 나란히 걸려 있습니다. 이런 우리 부부의 삶이 '어떤 전설'이 될지도 모르지요.

"김초혜는 나에게 날로 새롭게 피어나는 꽃이다."
1994년, 조정래·김초혜 부부의 단란한 모습.

◉ 대학에 진학하면서 국문과를 선택하는 것은 문학으로 일생을 살겠다는 결심일 것입니다. 그 계기는 무엇이고, 누구의 권유였나요. 스스로의 결정이었나요?

임병식 · 고려대 한국사학과

● 누구나 대학 진학을 앞두고 과를 선택할 때는 고심하기 마련입니다. 저도 누구 못지않게 방황하고 고심했습니다. 지금까지 글을 읽어 오신 분들로서는 이 말이 무슨 뜬금없는 소리냐며 의아해하실 분들이 적지 않을 것입니다. 당연히, 또는 자연스럽게 국문과로 가서 문학을 하리라 예견되어 있었으니까요.

예, 그 예견이 참 현명하십니다. 고3이 되어 문과 이과로 반 편성을 할 때 제 마음은 전적으로 국문과에 가 있었습니다. 그런데 제 앞을 가로막은 장애는 다름 아닌 아버지였습니다. 아버지가 반대를 하신 것이 아닙니다. 아버지는 언제나처럼 아무 말씀이 없으셨는데 제 스스로 아버지를 장애로 느끼고 있었습니다. 첫째, 당신의 길을 따라오는 것을 달가워하지 않을 것 같았고, 둘째, '네까짓 게 무슨 재주로' 하며 저의 능력을 인정하지 않을 것 같았습니다.

그래서 저는 이과를 선택했습니다. 농대나 생물학과 둘 중 하나를 고를 계획이었습니다. 왜냐하면 그 당시 뜻 있는 사회운동으로 농촌

계몽운동이 젊은이들의 가슴을 흔들고 있었고, 이상하게도 생물학과는 중학교 때부터 관심이 끌리는 과목이었습니다. 모조지 전지에 수채화 물감으로 그린 인체 해부도는 생물 선생을 감탄시켰고, 그 덕에 저는 내장 기관들의 위치를 훤히 알아 한평생 집사람의 '돌팔이 의사' 노릇을 해오고 있습니다.

그러나 달이 갈수록 이과는 저에게 맞지 않았습니다. 밥맛을 잃도록 고심에 고심을 거듭하다가 이과를 포기하게 되었습니다(무쇠도 녹일 수 있다는 식욕에, 먹고 돌아앉으면 배고프다는 그 시절에 밥맛을 잃을 정도라면 그 고심이 얼마나 컸는지 상상할 수 있어야 합니다).

"선택 과목 수업 때 문과로 가라."

담임선생이 말했습니다.

이제 아버지께 말씀드릴 차례였습니다. 저는 형의 힘을 빌렸습니다. 영문과에 다니는 형은 별 내색 없이 고개를 끄덕였습니다.

큰아들의 말을 듣고 아버지는 지그시 눈을 감은 채 아무 말이 없었습니다.

"머시여, 니도 쫄쫄이 가난허게 살겄다 그것이여? 안 되야, 상대로 가 상대. 상대 가서 돈 많이 벌어야 써."

막고 나선 것은 어머니였습니다. 어머니는 집에서 살림만 하는 구식 분이었고, 세상사 물정에는 어두웠습니다. 그런데 어찌 상대를 나오면 잘산다는 것은 아셨던 것인지 모를 일입니다. 어머니의 반대는 시조문학 하나를 붙들고 자신을 평생 고생시켜온 남편에 대한 원망인 동시에 자식까지 고생길로 들어서게 할 수 없다는 애틋한 모성애의 발로였던 것입니다.

"나가봐라."

마침내 아버지의 입이 열렸습니다. 그건 허락의 다른 말이었습니다.

국문과 아닌 굶을과

예술의 길을 선택한 꽤나 많은 사람들은 그 계기를 다른 예술가들이나 그 작품에 감명 받았기 때문이라고 하고 있습니다. 내재된 재능의 외부 자극설입니다. 자연스러운 현상 중의 하나라 할 수 있습니다.

그러나 저는 그런 자극을 받은 적이 없습니다. 제가 다닌 혜화동의 보성고등학교에는 고등학교 같지 않게 음악 교실도 따로 있었고, 교내 이발소도 있었고, 특히 돌로 잘 지은 도서관이 의젓하게 서 있었습니다. 거기에는 놀랍게도 세계문학전집 한 질이 비치되어 있었습니다. 저는 짬짬이 그 책을 빌려 읽었습니다. 헤밍웨이의 『누구를 위하여 종은 울리나』, 셰익스피어의 『4대 비극』, 톨스토이의 『전쟁과 평화』, 빅토르 위고의 『레 미제라블』, 에드거 앨런 포의 『검정고양이』 등입니다.

그런데 그 소문난 명작들을 읽고도 저는 별다른 감동을 받지 않았습니다. 좋은 작품이라는 생각은 했지만 가슴 떨림을 느끼거나 무작정 반하거나 하지는 않았습니다. 저는 그런 느낌을 받고 싶은데 다 읽고 나면 '뭐 그저 그렇네' 하는 생각이 들었고, 마음 한구석에서는 '나도 좀더 나이 먹으면 이 정도는 쓸 수 있겠지' 하는 생각이, 새싹이 큰 흙덩이를 밀치고 올라오듯 꼿꼿하게 일어서고는 하는 것이었습니다. 저는 그때부터 턱없이 기가 승하고 방자했던 것이지요. 그러나 저는 그런 제가 은근히 좋기도 했습니다.

저는 글쓰는 일이 이 세상에서 가장 좋았습니다. 그 일이 가장 하고 싶은 일이었습니다. 그리고, 그 일을 누구보다도 잘할 자신이 있었습니다.

저는 그 두 가지 사실을 뚜렷하고 분명하게 의식하고 있었습니다. 그랬으므로 상대로 가라는 어머니의 절박한 호소는 제 귀에 전혀 들어오지 않았습니다. 저는 제가 가장 하고 싶은 일을 제 스스로 선택한 가장 행복한 사람이었습니다. 그리하여 국문과가 아닌 '굶을과'를 향하여 수험생의 발길을 떼어놓기 시작했습니다. 문학을 하면 평생 굶주리며 산다고 해서 '굶을과'라 부르던 시절이었습니다. 저는 가난을 지긋지긋해했지만 '굶을과'를 향한 발길은 거침이 없었습니다. 왜냐하면 그 대비책을 다 마련해두고 있었기 때문입니다. 그건 대학을 졸업하면서 중등교사 자격증을 따는 것이었습니다. 교직 생활을 하면서 글을 쓰는 것, 그 방법은 아버지가 시범을 보여주고 있었던 것입니다. 단, 아버지와 같지 않아야 할 것은 애를 하나만 낳는 것입니다. 그러면 심한 경제적 궁핍 없이 평생 글을 써나갈 수 있는 튼튼한 여건을 마련하게 되는 것입니다.

그런 방법은 제 아버지만의 특유함이 아니었습니다. 문학으로는 아예 살아갈 수 없으니까 모든 문인들은 생계를 위한 또 다른 직업을 가지고 있었습니다. 그것을 '이중직업'이라 불렀습니다.

교사자격증을 따다

수강신청을 할 때마다 가장 신경 쓴 것이 전공과목이 아니고 교직과목이었습니다. 교직과목은 교사자격증을 따기 위해 필수적인 교육 일반에 대한 과목이었습니다. '교육개론'부터 시작하는 그 과목은 한 학기당 2학점씩, 4년 동안 계속이었고, 한 번만 C학점이 나와도 교사 자격증을 딸 수 없었습니다. 그리고 모든 과목의 4년 평균 성적이 B학점(80점) 이상이 되지 않으면 문교부에서는 교사자격증을 내주지 않았습니다. 학생을 가르쳐야 하니까 그렇게 엄해야 하는 건 당연한 일입니다.

저는 한문강독이나 고대문 같은 강의는 곧잘 빼먹어도 교직과목만큼은 빠짐없이 들었습니다. 교사자격증을 따지 못하면 문학을 하지 못하게 되는 것이었으니까요.

이게 무슨 일입니까. 돈벌이가 전혀 안 되는 일을 하기 위해서 돈벌이가 되는 다른 직업을 가지려고 애쓰는 이 이상한 짓이. 이것이 이 땅에서 문학을 한다는 사람들이 처한 삶의 기본조건이었고, 문학을 하려는 사람들은 그 가시밭길을 향해 주저 없이 걸음을 떼어놓았습니다. 그게 인생의 의미이고, 선택의 숭고함입니다.

저는 결국 교사자격증을 획득하고야 말았습니다. 소설가는 못 되었어도, 만만세였습니다.

◉ 선생님의 작품을 읽다 보면 유난히 시가 많이 등장합니다. 계속 현대사에 관한 소설을 써오셨는데, 실은 시에 대한 열망이 있으신 건 아닌지 궁금합니다.

차해나 • 동국대 국어국문학과

● '등장'이라는 단어가 어딘지 어색하고 어쩐지 불편하지 않습니까. 시와 등장이라는 말이 잘 어울리지 않은 탓입니다. 등장이란 누군가 (배우 등) 무대에 나오거나, 무슨 일에 어떤 인물이 나타나는 것을 뜻하는 낱말입니다. 그 언어 개념이 시와 걸맞지 않기 때문에 무언가 자리를 잘못 잡은 것 같은 어색함과 불편함이 느껴지는 것입니다. 그러니까 여기서는 그냥 평이하게 '시가 많이 나옵니다' 하면 흡족한 글쓰기가 됩니다. 앞에서 왜 그렇게 언어 개념과 말의 쓰임새에 대해서 강조했는지 되짚어주시기 바랍니다.

제가 여러분이 잘못 쓰고 있는 단어들에 대해서 계속 언급하는 것은 까다롭게 굴기 위해서가 아닙니다. 귀찮아서 못 본 척 그냥 넘겨버릴 수도 있지만, 우린 지금 문학(글)에 대해 얘기하고 있습니다. 이런 기회에 기본을 충실히 하는 공부를 겸한다면 더 좋은 일 아닌가요? 저는 학원비 받지 않는 학원 강사를 자청하는 것입니다.

배움과 가르침의 마당에서 변함없이 하는 말이 있습니다. '처음부터 다 아는 사람은 없다.' '배우는 그때가 가장 빠른 때다.' 그렇습니다. 그 어떤 공부보다도 언어 개념을 파악해가는 공부는 끝이 없고 지난합니다. 여러분, 제가 지금도 손바닥만 한 수첩에다 단어 정리를 해나가고 있다는 사실을 아십니까? 톨스토이 이후의 러시아 문호로 꼽히는 솔제니친도 수염이 허옇게 된 말년에도 단어 정리와 분류를 멈추지 않았습니다. 작가는 언제나 새롭게 써야 하는 숙명을 짊어지고, 노력하면 '날마다 조금씩 나아지는 것 같아서' 그렇게 하는 것입니다. 그것이 문학의 길이고, 작가의 길입니다.

스스로 포기한 시의 길

'10대 때 시인 아닌 사람 없다'고 했듯이 국문과를 지망하는 모든 사람은 시인이 될 황홀하고 찬란한 꿈을 품고 국문과를 지망합니다. 안 그런 사람도 있다고 말하지 마십시오. 그런 사람은 정신이 좀 이상하거나 국문과가 무엇을 하는 과인지도 모르고 지망한 사람일 것입니다.

저도 물론 시인이 될 꿈을 고이 간직하고 동국대학교 국문과에 들어갔지요. 그리고 열심히 시를 썼습니다. 그런데 점점 문제가 생기는 걸 느끼기 시작했습니다. 남들은 일주일에 한 편씩 쓰기도 벅차하는데 저는 서너 편씩을 쓰는 것이었습니다. 그건 능력이 탁월해서(?) 그렇다고 하면 그만입니다. 그런데 문제는 시가 자꾸 길어지는 것이었습니다. 그건 참 곤란한 불구성이 아닐 수 없었습니다.

시가 뭡니까? 한마디로 말하면, 큰 뜻, 깊은 의미, 긴 사연, 많은 아픔을 짧게 '응축'시켜내는 것이 시 아닙니까. 짧기 때문에 폭발력이 크고, 짧기 때문에 사무침이 크고, 짧기 때문에 호소력이 커 두고두고

읊조리며 음미하고 또 음미하는 것이 시의 가치이고 생명력 아닌가요. 그런데 자꾸 길어지다니. 뱀의 DNA를 타고난 것도 아니고, 그건 심각한 문제가 아닐 수 없었습니다.

그럼에도 불구하고 저는 문학의 밤 낭독자로 뽑혔습니다. 1학년에 단 한 명 할당된 자리였습니다. 지금 문학의 밤이라는 것은 다 없어졌습니다만, 그 시절에는 대학 축제 중에서 가장 큰 축제가 문학의 밤이었습니다. 특히 '동국대학 문학의 밤'은 모든 대학의 국문과 학생을 총집결시키다시피 하는 위력을 발휘했습니다. 그도 그럴 것이 재학생 중에 시인이 대여섯 명씩이나 있는 대학은 동국대학뿐이었으니까요. 그 파워에 끌려온 각 대학 국문과 학생이, 천 명 넘게 수용하는 중강당을 가득 채우고는 했습니다. 그런 무대에 올라 시를 낭독한다는 것은, 그것도 1학년의 몸으로는 큰 영광이 아닐 수 없었습니다. 그뿐만 아니라 거기에 뽑히는 것은 재학 중에 시인이 될 수 있다는 보증서를 받는 것이나 다름이 없었습니다.

저는 형의 양복까지 빌려 입고 시낭송을 했습니다. 그러나 마음속에 감춘 우울은 가시지 않았습니다.

저는 겨울방학과 함께 무전여행을 떠났습니다. 많은 경험을 쌓기 위한 문학도의 행보였지요.

구례 화엄사에 이르렀을 때 눈이 많이 내렸습니다. 지금도 그렇지만 그때도 동국대생은 전국 어느 절에서나 그냥 먹이고 재워주었습니다. 더구나 화엄사 주지 스님은 제 아버지를 잘 알아서 더욱 따뜻하게 대해주었습니다.

스님 전체가 쓰는 큰 방 아랫목에 엎드려 저는 눈발 속의 각황전만 하염없이 바라보고 있었습니다. 그러나 제 눈에는 각황전이 없었습니다. 깊은 고뇌에 빠졌기 때문입니다. 저는 사흘 동안 눈발의 어지러운 난무만 바라보았습니다. 그리고 마침내 결정을 내렸습니다.

'시는 안 된다. 소설로 바꾸자!'

시의 길에 스스로 내린 사형 선고였습니다. 참혹했지만, 하루라도 빨리 내려야 할 결정이었습니다.

시에 대한 열망과 존경

시에 대한 열망이 있는 건 아니냐고 물었습니다. 예, 참 눈치가 빠르십니다. 그림에 대한 미련을 그리도 버리지 못하는데 시에 대한 그리움이야 그 얼마나 절절하겠습니까. 그래서 제가 한 일이 무엇인지 아십니까? 시인 못 된 한을 풀려고 시인을 아내로 얻었고, 평생을 여왕처럼 떠받들고 사는 것 아닙니까(웃지 마십시오. 남은 심각하게 하는 얘긴데).

"소설……? 잘 쓰면 괜찮다."

제가 소설로 방향을 바꾼 것을 뒤늦게 안 아버지가 하신 한마디였습니다.

『태백산맥』에는 시가 많이 동원되고 있습니다. 그뿐 아니라 희곡 형식도 나옵니다. 눈여겨보십시오. 소설적 효과를 극대화하기 위해서 모든 문학 형식을 다 이용하는 것입니다. 이런 게 작품을 통해서 배우는 창작실기입니다.

그런데 『태백산맥』에 나오는 시에는 꼭 지은이를 밝혀놓았습니다. 아니, 지은이 없는 시도 있더라구요? 그럼 그게 누구 것이지요?

죄송합니다. 그 몇 편은 제가 쓴 것입니다. 물론 김초혜 시인의 가차없고 엄한 지도편달을 받아야 했지요. 짐작하시겠지만, 제가 쓴 것을 마구 북북 그어버려 김초혜 시인이 내밀었을 때는 그 길이가 3분의 1로 줄어들어 있었습니다. 참 비통한 일이 아닐 수 없었습니다.

춘원 이광수는 시·시조까지 다 썼습니다. 스스로 천재라 자처했으니까요. 그런데 어느 평론가 왈, '그의 시들은 그가 시적 재능이 얼마나 없는지를 잘 보여준다.' 맞습니다. 시와 소설은 정반대 성질의 문학입니다. 그런데 요즘에도 몇몇 소설가가 말년에 시집을 내고 있습니다. 그들도 제2의 이광수일 뿐입니다. 저는 시와 시인을 존중하고 부러워하지만 소설이 안 된다고 시를 쓰는 애교를 부리지는 않을 것입니다.

◉ 우연히 『조정래, 그의 문학 속으로』를 보다가 깜짝 놀랐습니다. 거기 17쪽에 역기를 들어 올린 '몸짱' 한 사람이 있습니다. 그 사람이 소설가 조정래라니! 앳된 얼굴이지만 분명 선생님이 맞습니다. 그 이미지가 소설가와는 잘 안 맞지만 『태백산맥』과는 어울리는 것도 같고, 알쏭달쏭합니다. 어찌 된 일입니까?

변태섭 • 세명대 저널리즘스쿨 대학원

◉ 무언가 조화가 안 이루어지는 것 같은 엇갈리는 느낌을 썩 잘 표현했습니다. 그 사진은 고3 때의 조정래가 틀림없습니다. 그때는 IT산업 쪽에서 보자면 형편없는 원시시대라 요즘처럼 감쪽같은 사진 합성은 아예 상상할 수 없었으니까요.

제가 그렇게 힘센 근육질의 사나이가 된 것은 그럴 만한 까닭이 있었습니다. 형이 대학 1학년, 제가 고등학교 1학년이 되면서 서울 생활이 시작되었습니다. 오로지 자식들 교육을 시켜야 한다는 일념 하나로 아버지는 1년 전에 광주에서 서울로 교직을 옮겨와 있었구요.

"당수를 해라."

학기가 시작되자마자 아버지가 형과 제게 말했습니다. 거두절미한 이 뜬금없는 말은 무엇인가요. 그러나 형과 저는 그 말을 하는 아버지의 심중을 금방 알아차렸습니다. 이 험한 세상을 살아가려면 남자는 자기 몸을 지킬 수 있는 호신술 한 가지는 지녀야 한다는 뜻이었습니다. 아버지는 당신의 인생 역정을 통해 그 사실을 절실히 깨닫고 계신 눈치였고, 이제 두 아들을 서울이라는 험한 삶의 정글에 풀어놓는 것이었으니까요. 전후의 상처가 다 가시지 않은 그 시절의 서울은 거칠기 짝이 없었습니다. 대낮에도 남대문 지하도를 안심하고 다니기 어려웠고, '깡패'라는 말이 새로 생겨날 정도로 주먹패가 사방에 득시글거렸습니다.

형과 저는 아무런 이의 없이 곧바로 당수를 시작했습니다. 태권도의 옛 이름이 당수입니다. 아버지는 공부하라는 말은 한 적이 없지만 두 가지 말은 쉼 없이 하셨습니다. 공부야 굳이 말 안 해도 할 만큼 다 해나가는 거니까요.

"운동해라."

"천천히 꼭꼭 씹어 먹어라."

그래서 형과 저는 초등학교 때부터 매일 아침 '국민보건체조'를 억지로 해야 했고, 밥을 꼭꼭 씹는 습관을 익힐 수밖에 없었습니다(아버지의 그 훈도는 아주 현명한 인생 지침이었고, 우리 형제자매 여덟 명의 평생 건강을 지킨 탁월한 처방이 되었습니다. 그로부터 40여 년 후 저는 손자를 밥상머리에 데리고 앉아 '천천히 꼭꼭 씹어 먹어라'를 되풀이하고 있었습니다. 바른 가르침은 그렇게 유전되는 것이었습니다. 제가 묻습니다. "재면아, 할아버지가 제일 중요하게 생각하는 말이 뭐지?" "천천히 꼭꼭 씹어 먹어라." 세 살 때부터 손자는 거침없이 또렷하게 대답하고는 했습니다. 그러니 눈에 넣어도 안 아프게 예쁠 수밖에요. 맨손체조의 기적적 효과에 대해서는 뒤에서 더 보태겠습니다).

저는 1년 만에 당수를 그만두었습니다. 왼쪽 다리가 좀 이상해서 마음먹은 대로 쭉쭉 높이 올라가지 않았기 때문입니다. 당수는 정신 집중까지 시키는 좋은 운동이었지만 어쩔 수 없었습니다. 그러나 형은 공부만큼 당수도 꾸준히 잘해서, 태권도 최고수까지 되었습니다. 학생에게 존경받는 영문학 교수로 그건 썩 괜찮은 매력이었습니다.

아버지 피해 학교 밖으로

당수를 포기한 저는 등산과 철봉으로 방향을 바꿨습니다. 저는 몸이 날래 초등학교 때부터 달리기와 멀리뛰기 반대표 선수였습니다. 그런데 고등학교 체력검사에서 2천 미터 달리기 1등을 하자 곧바로 등산시합에 뽑혀 나가게 되었습니다. 경복고등학교 뒤에서부터 백운대까지 네 명이 한 조가 되어 달리는 경기였습니다. 아쉽게도 우리 팀의 한 명이 다리에 쥐가 나는 바람에 등수에 들지는 못했지만, 그때의 '완주장'이 『아리랑』문학관에 전시되어 있습니다. 그렇게 시작된 등산은 글쓰는 저의 건강을 지켜준 평생 운동이 되었습니다.

저는 못내 글을 쓰고 싶었지만 문예반에 들어갈 수가 없었습니다. 중학생을 가르치던 아버지가 중·고등학교를 합한 문예반의 지도교사였던 것입니다. 그건 해결할 길 없는 불행이었습니다. 그런데 뜻밖에 길이 열렸습니다. 서울 시내 5대 사립 고등학교 학생들이 모이는 문학 서클을 알게 되었습니다. 저는 친구와 함께 거기에 가입하려고 나섰습니다.

그러나 거기서는 그냥 받아주는 것이 아니었습니다. 글을 써서 심사를 거쳐야 했습니다. 저는 시적 분위기가 넘치는 수필을 써가지고 갔습니다.

"이거 정말 네가 쓴 거야?"

지도교사가 저를 빤히 쳐다보았습니다. 대답을 했지만 믿지 못하겠다는 듯 서너 개의 제목을 내놓고 즉석에서 쓰라는 것이었습니다. 별로 기분 나쁠 것 없는 일이라서 저는 구석 자리로 갔고, 다른 아이들은 합평회를 시작했습니다.

저는 또 수필을 써내고 싶지 않았습니다. 그래서 콩트를 쓰기로 했습니다. 콩트는 그 시절에 새롭게 접하게 된 매력적인 문학 형식이었던 것입니다.

"허, 이놈 보게……"

지도교사의 이 말에 학생들의 눈길이 일제히 제게로 쏠렸습니다.

그러나 저는 몇 개월이 지나 그 서클을 그만두었습니다. 번거롭게 가고 오고 해야 하는 것에 비해 배울 것이 별로 없었던 것입니다.

그런데 해가 바뀌고 학교에서 이상한 조처를 취했습니다. 특활반을 활성화할 테니 활동하고 싶은 새 부서를 만들라는 것이었습니다. 어느 학교나 고3은 대학 입시 준비로 한 발 물러나 앉은 상태니까 학생 활동의 주도권은 우리 2학년으로 넘어와 있었습니다. 외부에서 역도를 해오던 친구의 유혹에 업혀 저는 역도반을 만들고 나섰습니다. 그건 역도 선수가 되자는 것이 아니라 힘을 기르는 동시에 남성다운 몸매를 갖추자는 것이었습니다. 역도반은 뜻밖에도 대인기였습니다. 아니, 뜻밖이 아니라 예나 지금이나 '몸짱'이 되고 싶은 건 남성 동포의 본능 중 하나였던 것입니다.

하루 한 시간의 역도 운동 1년에 제 몸은 제가 보고도 놀랄 만큼 변했습니다. 가슴둘레가 1미터가 넘고, 턱걸이를 60번을 넘게 할 수 있는 괴력의 사나이가 되었으니까요. 그 모습이 바로 귀하가 보신 사진입니다. 그 체력단련 덕을 20여 년이 지나 톡톡히 보게 되었습니다. 많은 분이 대하소설 세 편을 연달아 쓸 수 있었던 원동력이 무엇이냐고 묻습니다. 그게 정신력만으로 되겠습니까. 건강한 육체에 건강한 정신, 건강한 정신에 건강한 육체 아닙니까. 그때의 체력단련이 근본적인 힘이었음은 의심할 여지가 없습니다.

　그런데 뜻밖의 소득이 또 생겼습니다. 저와 아내의 엔돌핀의 샘이고 웃음의 샘인 손자 재면이가 그 많은 사진 중에서 가장 좋아하는 할아버지의 모습이 그것입니다. 일요일마다 저의 집에 와서는 "할아버지, 그 사진 보여주세요" 하고는 한참씩 그 책을 옆구리에 끼고 다닙니다. 손자도 완력의 위력에 자극받는 남자임을 확인합니다. 늙어버린 할아버지가 새 국면에서 군림할 수 있다는 것이 얼마나 큰 통쾌함인지 아시나요?

보성고등학교 역도부원으로 활동할 당시의 작가 모습.
1년 간의 운동으로 가슴둘레 1미터가 넘는 '몸짱'으로 거듭났다.

◉ 어느 산문에서 승려가 될 뻔했다고 하셨습니다. 무슨 일이었는지요. 승려가 되셨
더라면……, 상상만으로도 아찔합니다. 『태백산맥』『아리랑』『한강』이 없었을 테
니까요. 몹시 궁금합니다.

이해나 • 서울대 독어교육과

◉ 그때 차라리 승려가 되어 구름 따라 이 산골로, 바람에 실려 저 산골
로 흘러 다녔더라면 얼마나 좋았을까요. 에이, 그런 말씀 마시라고
요? 지금까지 읽어본 그런 기질, 그런 체질, 그런 의식 가지고는 승려
생활도 조용히 하기는 어려웠을 거라고요? 그런 경솔, 무례한 말씀 삼
가세요. 한국 승려 중 면벽참선 최고 기록이 몇 년인지 아세요? 15년
입니다. 그런데 저는 20년 동안이나 방에 갇혀 술 한 잔 안 마시고 글
을 썼어요. 그뿐인가요. 평생 주색잡기라곤 한 일이 없습니다. 주색잡
기라는 게 뭔지 굳이 설명 안 해도 아시겠지요. 현미경 확대경 비춰서
샅샅이 들여다보면 저보다 깨끗한 승려가 몇이나 되겠어요. 뭐, 별 이
야기가 아니고 승려가 되었더라도 충실하게 잘했을 것이다 그런 얘기
죠. 거짓말하는 건 질색이고, 허풍 치는 건 싫어하고, 생각이 틀려먹
은 건 외면하고, 비도덕적인 건 조소하는 성질이니까요.
  저는 사실 글을 써오는 40년 동안 가끔 생각하고는 했습니다. 승려
나 신부의 수도 생활이라는 것이 뭐 별것이겠는가…… 글감옥에 갇

혀 절연 상태로 10년, 20년 세월을 보내는 것, 그것은 또 다른 수도가 아닐 것인가. 나는 무엇을 얻으려고, 무엇을 이루려고, 무엇을 바라며 그 고통과 외로움을 참아내며 이 길을 가고 있는가…… 이런 생각을 하염없이 한 것이 한두 번이 아닙니다. 그러나 글로 엮어져 가는 저의 삶은 오로지 저만이 지을 수 있는 집이었고, 저만이 세울 수 있는 세계였습니다. 그보다 더 큰 의미는 없었기에 수도하듯 그 길을 걸어온 것입니다.

부처님 앞으로 가라

마음 다잡고 자정을 넘기면서까지 대학 입시 준비에 용맹전진하고 있는데 5·16 쿠데타가 터졌습니다. 보성고등학교 학생은 고등학생으로서 첫 번째 피해자였습니다. 보성고 학생들은 전국에서 유일하게 머리를 일반인처럼 길렀습니다. 그게 보성고의 상징이었고 자랑이었고 부러움의 대상이 되기도 했는데, 군부의 명령에 따라 전교생이 하루아침에 군대식으로 머리를 빡빡 깎아야 했습니다. 그 거역할 수 없는 총구 앞의 일사불란함이라니. 저에게 군사독재는 그렇게 험악한 얼굴로 덮쳐왔습니다.

그리고 전국 고등학생에게 밀어닥친 파도가 '대입 전국 일제고사'였습니다. 각 대학 자율이 전면 폐지되고 국가가 일괄 관리에 나선 것입니다. 그게 바로 사고력을 마비시키는 객관식 시험문제가 최초로 등장한 계기입니다. 아무런 유예도 없이 즉각 실시하였으니 고3은 모두 어리둥절해서 두리번거렸습니다. 그러나 그들에게 어떤 해답을 주는 사람은 아무도 없었습니다. 선생은 오히려 학생보다 더 당황하는 기색이었습니다. 그도 그럴 것이 선생도 '객관식 시험문제'가 무엇인지 몰랐고, 그러면서도 대입 지도를 해야 했기 때문입니다.

국가가 대입 일제고사를 치러 합격자를 각 대학의 서열에 따라 배치하겠다는 것은 그들 말마따나 '가히 혁명적 조치'가 아닐 수 없었습니다.

날마다 학교가 뒤숭숭한 가운데 저에게는 세 번째 충격이 가해져왔습니다.

"너 부처님 앞으로 가거라."

어느 날 아버지가 느닷없이 내놓은 말이었습니다.

"예에에……?"

저는 소스라쳐 아버지를 쳐다보았습니다. 그 말뜻을 못 알아들었기 때문이 아닙니다. 불교 분위기가 가득한 우리 집안에서 그 말이 '승려가 돼라'는 뜻인 것 정도는 초등학생인 막내도 알아들을 수 있는 것이었습니다. 제 가슴에서는 '아니 아버지, 어찌 이럴 수가 있습니까!' 하는 원망이 복받쳐 오르고 있었던 것입니다.

"그 험한 난리 속에서도 너희 여섯 형제가 털끝 하나 다치지 않고 무사할 수 있었던 것은 다 부처님의 가피 덕분이었다. 장남은 좀 그러니 차남인 네가 가는 게 좋겠다."

이렇게 말하며 아버지가 종이 한 장을 내밀었습니다.

저는 기절할 뻔했습니다. 그건 제 이름이 적힌 승적(僧籍)이었습니다.

그때 제 머리에 번쩍 떠오르는 것이 있었습니다. 서너 달 전에 아버지가 호를 지어준 일이었습니다. 남자는 장성하면 호를 갖는 법이라며 형에게는 황산(皇山), 저에게는 인천(鄰天)이란 호를 지어주었던 것입니다.

아버지의 고향 고흥 왕주에 있는 선산에는 상석을 놓거나 비석을 세우지 못한다고 했습니다. 큰 선비가 나올 명당으로 백학이 날개를 치며 비상하는 형상인데, 무거운 석물들을 놓게 되면 학이 날개를 눌려 날아오르지 못하기 때문이라 했습니다. 그 선산을 감싸고 있는 조그만 산이 생김에 어울리지 않게 이름은 어마어마해 '황제 황' 자 황산이었습니다. 고향 사람들은 그 날개 펼친 백학이 아버지라고들 했습니다. 그런데 아버지는 그 산 이름을 형에게 호로 내린 것입니다.

한데 제 호는 그 뜻이 모호하게 '하늘을 벗해 살라'는 것이었습니다. 저는 그저 시큰둥하게 지나치고 말았습니다.

그런데 여러분, 그 호가 바로 승적에 법명으로 적혀 있는 게 아니겠습니까. 그러니까 아버지는 벌써 몇 달 전부터 저를 출가시킬 작정을 하고 호를 그렇게 지어주었다는 사실이 확실해진 것이었습니다. 그러니까 그 호의 분명한 뜻은 '출가해서 부모 형제 다 잊고 하늘을 벗해 사는 큰 승려가 되거라' 하는 것이었습니다.

아버지의 배신은 거기서 끝나지 않았습니다. 제가 국문과를 가겠다고 했을 때 "나가봐라" 했던 것은 침묵의 승낙이 아니라 중을 만들 음모를 감춘 노회함이었던 것입니다.

그 승적에는 '조계사 승적 168호'라고 번호까지 적혀 있었습니다. 그 번호를 아직까지 기억하느냐고요? 이미 말했잖습니까. 저는 충격적으로 받아들인 사건은 절대로 잊지 않고, 그 기억이 방금 뽑아낸 컬러사진처럼 생생하고 선명하다고요.

그 '번호'가 붙은 승적도 웃지 못할 시대의 산물이었습니다. 5·16은 정치깡패를 잡아들여 사회 정화를 단행한 것만이 아니라 종교계까지 다스리고 나섰습니다. 그래서 불교계에서는 절마다 군대식 점호를 하듯 일련번호를 붙이는 인원 파악에 나섰던 겁니다.

아버지는 저를 출가시키기 위해 안국동 조계사를 찾아갔고, 조계사에서는 왕년의 법사 둘째 아들의 출가를 얼마나 반겼겠습니까. 그래서 끄트머리 번호 '168'번을 찍어주고, 법명까지 기재하는 행복한 야합을 도모한 것이었습니다.

그 전모를 파악한 저는 일대 반격을 감행해야만 했습니다. 그거야말로 죽느냐 사느냐와 다를 바 없는 절체절명의 위기였기 때문입니다.

"저는, 저는 글을……, 문학을 해야 합니다."

저는 있는 힘껏 저항했습니다.

"그야 출가해서도 못할 게 없다. 만해 선생을 봐라. 그분께서는 종교도 문학도 둘 다 크게 이루셨다. 마음만 있으면 어디서든 다 이룰 수 있다."

그 정도의 반발은 다 예견하고 있었다는 듯 아버지는 이렇듯 가볍게 받아넘기고 말았습니다.

저는 아차 싶었습니다. 당황했습니다. 난감했습니다. 머릿속이 캄캄해졌습니다. 숨이 막혔습니다. 문학을 못하고 중이 되어야 하다니! 절망이 백운대 인수봉 바위만큼 컸습니다. 그때 머리에 번뜩 떠오르는 생각이 있었습니다.

"만해 선생께서는 백 년에 한 번 태어날까 말까 한 분이십니다."

저는 제 말이 너무 멋지다고 생각했습니다.

"……"

아버지는 더는 말이 없었습니다. 그건 침묵이 아니었습니다. 말문이 막혀버린 것이었습니다.

마침내 승부는 그렇게 끝났습니다.

제가 만약 승려가 되었다면 무슨 일들이 생겼을까요?

김초혜가 짝을 찾지 못해 평생 혼자 살게 되었을 거라고요? 에이, 헛짚었습니다. 조계사로 출가한 저는 어디로 갔겠습니까. 조계사 장학금으로 동국대 불교학과로 직행했지요. 그럼 바로 김초혜를 만나게 됩니다. 그리고 곧 내밀한 연애가 시작됩니다. 왜냐하면 일찍이 부처님께서 설파하신바 부부의 인연은 전생 천년, 현생 천년, 후생 천년의 고리로 엮어지기 때문에 김초혜와 저는 떼려야 뗄 수 없는 관계로 이미 맺어져 있었기 때문입니다. 그러나 결혼을 할 수 없는 현실이니까 두 사람은 감추어진 사랑을 10년이고 20년이고 애타게 이어갑니다. 아, 그 애절하고 아름다운 사랑이여……

그다음, 『태백산맥』『아리랑』『한강』이 없었을 거라고요? 아닙니다. 저는 글을 쓰고 싶은 목마름을 참지 못하고 끝내 파계하고 말았을 것입니다. 그동안 여러 번 생각해봤는데 그 답은 틀림이 없었습니다.

그런데 그때 아버지께 밝히지 않고 혼자 감추어둔 생각이 있었습니다.

'남자로 태어나서 연애 한 번 해보지 못하고 승려가 되다니……'

아아, 이 순진무구함이여.

그때는 장삼이 여자 서넛은 숨길 수 있도록 넓다는 것을 미처 몰랐던 것입니다.

복 받을진저, 그 순진무구함.

부처님 말씀대로 5만 년 후에 인간의 몸을 받아 다시 태어난다면 그때는 승려가 될 생각도 없지 않습니다. 그거 썩 괜찮은 인생길이거든요. 하지만 부처님, 인간으로서 우주에 가장 가깝다고 평가받는 영국의 호킹 박사가 말합니다. "인류의 남은 미래는 3천여 년 정도다."

○ 선생님께서는 어느 글에서 '모두가 가난해서 책이 거의 팔리지 않는 현실에서 교직이 마음 놓고 문학을 할 수 있는 가장 안정된 직업이라서' 교사 생활을 시작했다고 하셨습니다. 그런데 그 기간이 길지 않았습니다. 왜 그런 것인지요?

장일호 • 명지대 정치외교학과

●   그건 참 아픈 기억이었고, 작가 생활의 위기였으며, 생활인의 고통이었고, 역사 격랑에 휩쓸린 웃지 못할 희극이었습니다(결론을 앞으로 끌어내는 이런 것도 글쓰기의 한 방법이니 눈여겨보십시오. 그다음 서술들은 이런 결론들을 향해 정연하게 줄을 서게 됩니다).

   제가 교사자격증을 따기에 얼마나 정성을 기울였는지는 앞에서 다 말했습니다. 비록 2급 정교사 자격증(사범대 졸업생들만 1급)이었지만 생활전선에 나서는 저에게는 적진을 향해 진격하는 보병이 기관총을 가진 것이나 진배없습니다(여성 동포께서는 소총에 비해 기관총의 위력이 얼마나 큰지 모르시겠지요. 아니, 남성 동포께서도 군대를 슬쩍하신 요령 좋고 능력 있는 분도 꽤나 계시지요, 왜. 딴지일보 종신총수 김어준 씨 식으로 이 대목에서는 이 한마디를 꼭 꼬집어야 멍게에 초간장 찍는 맛 아니겠습니까. 김어준 씨 직함에서 아주 맘에 드는 건 '종신'이라고 한 것입니다. 저는 처음에 그걸 보고 참을 수 없는 폭소를 터뜨렸습니다. 그 권력 장악 욕구가 충천해서 좋고, 내숭 떨거나 위선 부리지 않고 그 욕구를 당당하게 드러내는 것이 좋았습니다. 저는 비겁해서 못 그러니까요. 기관총의 위력은 소총의 백 배라고 생각하면 됩니다. 이쯤에서는 제가 기관총을 다루어본 경력의 소유자라는 것쯤은 눈치 채셨겠지요).

저는 국어 선생으로서 충실하며 여학교에서 2년을 보냈습니다. 그리고 다른 학교로 전근을 갔습니다. 다니던 학교가 나빠서가 아니라 새 학교의 근무 조건이 월등히 좋았기 때문입니다.

일주일에 24시간 하는 수업이 16시간으로 줄고, 16절지 16페이지짜리 학교신문을 한 달에 한 번 만드는 것이었습니다. 거기다가 월급은 50퍼센트를 더 받을 수 있었습니다.

수업 시간이 줄어드는 것은 그만큼 글쓸 수 있는 시간이 늘어난다는 것이었습니다. 그런데 한 가지 찜찜한 것이 있었습니다. 그 학교가 잦은 전속 때문에 공부 환경이 불안정한 직업군인의 자녀를 안정적으로 가르치기 위해 세운 특수한 성격을 지닌 학교라는 점이었습니다. 아니 좀더 정확히 말하자면, 그 취지는 십분 좋은데, 그 뒷배경이 바로 정부라는 점이 뭔가 신경이 쓰였습니다. 그때 3선 개헌으로 대통령과 정부를 바라보는 민심이 꽤나 뒤틀려 있었던 것입니다. 그러나 세 번까지는 괜찮다는 분위기도 상당한 편이어서 저는 거기에 편승해 변명을 마련하며 남녀공학인 새 학교로 옮겼습니다.

"너 제대 계급이 뭐야!"

그런데 재단의 복잡한 사정 때문에 6개월 만에 교장이 바뀌었습니다. 전임 교장이 바로 저를 특채해준 분이었습니다.

새 교장이 왔습니다. 그는 체구부터가 고릴라 형으로, 지성적이었던 전 교장과는 너무나 대조적이었습니다. 그런데 그는 날마다 자신의 진면목을 드러내기 시작했습니다. 교문 수위실을 위병소라고 했습니다. 운동장을 연병장이라 했습니다. 그것까지는 그래도 평생 습관이라고 보아 넘겨줄 수도 있었습니다.

"너 제대 계급이 뭐야!"

직원 조회 때 마땅찮은 교사를 향해 교장인 그가 외치는 소립니다.

"저어……, 병장이었습니다."

"너 그럴 줄 알았다. 마빡에 딱 써 있더라니까."

그는 육군대학 총장을 역임하신 투 스타 예비역 장군이셨습니다.

선생들은 하나같이 풀 죽고 한숨 가득한 얼굴들이 되었습니다. 죽지 못해 산다는 말은 바로 그들을 두고 하는 말이었습니다.

딴 학교로 옮겨갈 길은 없고, 저는 새 숨길을 찾듯 엉뚱한 일을 벌였습니다. 여름방학 동안 부부 작품집을 만드는 데 열중했습니다. '공처가'를 자칭 '경처가'라고 하고 나섰듯이 저는 용기도 좋게 그런 무모한 일을 저지르고 나섰습니다. 다 젊었을 때 하는 일이겠지요.

그런데 그 작품집이 저를 치는 칼이 될 줄이야. 『어떤 전설』이란 제목을 붙이고 새하얀 표지의 부부 작품집은 9월에 나왔습니다. 학생들은 앞 다투어 책을 읽었고, 선생님들은 책을 특이하게 디자인한 축하패도 만들어주었습니다. 그리고 그릴이라고는 유일하게 하나 있었던 '호수그릴'에서 문인들이 모여 출판기념회도 했습니다. 그때만 해도 책 나오는 게 쉽지 않은 일이라 출판기념회는 즐거운 문단 행사의 하나였습니다. 경제 성장에 따라 차츰 책 내기가 쉬워지면서 '촌스러운 것'이 되어갔지만. 행복은 거기까지였습니다.

유신 희생 제1호

교장은 일제 시대의 병정처럼 수통을 엇갈리게 어깨에 차고 2학년

수학여행에 앞장을 섰습니다. 문예반 남학생들이 노골적으로 불만을 터뜨렸고, 여학생들도 "주책이야, 주책!" 해가며 수군거렸습니다. 저는 그냥 못들은 척했습니다.

"조정래, 그놈 삐딱한 놈이야."

경주의 김유신 장군의 무덤 앞에서 학생들끼리 제 소설에 대해 하는 얘기를 듣고 교장이 이렇게 말했다고 합니다. 저는 놀라지도 서운해하지도 않았습니다. 미국을 비판한 「누명」, 연좌제를 비판한 「어떤 전설」, 월남전을 비판한 「청산댁」 같은 작품이 그의 심기를 불편하게 했을 것을 짐작하고 있었기 때문입니다.

그런데 '10월 유신'이 터졌습니다. 그 다음 날부터 교장은 마치 정신이상이 된 것처럼 흥분하고 신바람을 냈습니다. 한마디로, 이 역사적 영단을 적극 지지해야 한다는 것이었습니다. 그리고 그는 전 교사를 교육시키기 위해 직원 조회를 두 시간씩이나 했습니다. 학생 공부는 전혀 안중에 없었습니다. 그러기를 열흘 넘게 했습니다. 선생들의 얼굴은 더 지옥이 되었습니다.

그런데 교장은 저를 정면으로 겨누고 나서기 시작했습니다. 시시콜콜 시비고 트집이었습니다. 학교신문의 오자 하나, 문예반 교실의 복도 속창문이 조금 덜 닫힌 것까지 그는 생트집을 잡고 나섰습니다.

저는 분을 참느라고 위경련이 몇 번씩 일어났습니다. 그러나 그의 의도가 명확한데 더 참아서 될 일이 아니었습니다. 저는 사표를 냈습니다.

저는 결국 유신 희생 제1호 교사가 된 셈이었습니다. 그 뒤로 다시는 교직을 갖지 않았습니다.

● 실제로 작가의 펜은 막대한 힘을 가지고 있습니다. 조정래 작가가 소설을 집필할 때 펜의 힘으로 독자들에게 시사하고 싶은 바는 무엇인가요?

이세라 · 성신여대 미디어커뮤니케이션학과

　　대학생인 귀하가 '작가의 펜은 막대한 힘을 가지고 있다'고 하니까 작가로서 문득 긴장을 느낍니다. 그 말은 어떤 작품을 읽고 펜의 힘을 실감하고 체득했기 때문에 하는 말이고, 그건 곧 작가에게 제대로 된 작품을 쓰라고 요구하는 것이기도 하기 때문입니다.

　　귀하가 이 글을 처음부터 계속 따라 읽었다면 대목대목을 거치며 귀하가 질문한 답을 거의 얻었으리라고 생각합니다. 제가 한 여러 가지 응답 속에 귀하가 묻는 바도 들어 있으니까요. 그것을 고르고 찾아내는 것은 귀하가 바쳐야 할 노고이고, 능력입니다. 그런데 이런 질문을 구성한 것으로 보아 귀하는 그 일을 어렵지 않게 해결하리라 여겨집니다.

　　그런데 여기서 한 가지만 밝히고자 합니다. 제 소설을 읽은 독자의 반응은 다양합니다. 독자의 의식과 인식과 입장과 처지가 제각기 다르기 때문에 그건 당연한 결과일 것입니다.

　　그런데 그 다양한 독후감 중에서 그 수가 가장 많음과 동시에 저를 보람차게 했던 것이 있습니다.

"세상을 보는 눈이 달라졌습니다."

이 짧은 한마디는 저를 보람차게 하는 것을 넘어 감격시켰습니다. 왜냐하면 그건 바로 제가 전하고자 했던 바의 핵심이기 때문입니다. 그 핵심은 다름 아닌 '진실'이었습니다. 왜곡된 역사, 굴절된 역사, 암장된 역사 속에서 찾아내고자 했던 것. 그 진실을 통해 마침내 독자는 세상을 바르게 보는 새 눈을 가졌음을 기쁨으로 토로하고 있었던 것입니다. 작가에게 이보다 더 큰 보람, 이보다 더 큰 감격은 없을 것입니다(이 대목은 뒤에서 본격적으로 『태백산맥』에 대해 이야기할 때 더 보태도록 하겠습니다).

작가에게 진실은 곧 목숨과 같다고 앞에서 강조했습니다. "진실을 위해서는 용기와 결단이 필요하다." 칸트의 말입니다. "진실한 삶이란 생사를 건 싸움 끝에 가능하다." 헤겔의 말입니다.

그런데 스물네 살짜리 여성 작가가 '이 세상에 진실은 없다'고 등단 일성을 토하고 있었습니다. 저는 그 앳된 여성의 사진을 한동안 물끄러미 바라보았습니다. 당돌한 것인지, 경솔한 것인지, 무지한 것인지, 철없는 것인지 알 수가 없었습니다. 그저 포스트모더니즘에 일시 오염된 현상이라고 생각하고 싶었습니다. 그렇지 않고서는 그 젊은이는 한 방울의 포말로 곧 사라져버릴 운명이었기 때문입니다.

넋이 없는 인간이 제대로 사람 노릇을 할 수 있겠습니까. 문학은 그 넋을 감동시키는 작업입니다.

◉ 「누명」이나 「유형의 땅」 같은 전반기 작품은 사회의식에 초점을 맞추는 경향이 강했던 것으로 알고 있는데요, 선생님의 작품 경향이 사회의식적인 것에서 역사적인 것으로 옮겨진 계기는 무엇인가요?

추효지 · 성신여대 영어영문학과

●　　추효지 학생이 07학번이라는 것을 보면서 저는 빙긋이 웃습니다. 이 학생은 『태백산맥』이 완간되었을 때 태어났을까 말까 그랬을 것입니다. 그러니 제 느낌이 손녀딸 바라보는 기분이지요.

그 세월의 간격 때문에 그런 것인지, 어느 평론가나 교수님의 빗나간 평가의 글을 읽은 것인지, 추효지 학생의 잘못된 인식이 저를 웃음 짓게 합니다. 그러나 그건 전혀 문제가 되지 않습니다. 이런 기회에 바로잡으라고 이런 자리가 마련된 것이기도 하니까요. 오히려 추효지 학생의 나이에서 보면 전설이 될 만큼 까마득하게 먼 세월 저편의 저의 초기작들에까지 관심을 기울인 것이 대견하고 갸륵합니다. 대학생이 꼭 40년 전의 저의 등단 처녀작 「누명」을 알고 있다는 것은 기쁨을 넘어 감동입니다. 세월을 건너뛰는 이 작품의 생명력을 믿으며 작가는 글쓰기라는 고통의 바다, 외로운 사막을 오늘도 헤쳐가는 것입니다.

사회의식과 역사의식은 한 몸

저에게 사회의식과 역사의식은 단계적·발전적으로 생성된 것이 아닙니다. 그것은 대학생 때 문학에 대한 고민을 하며 '어떻게'보다는 '무엇을' 제 문학의 방향으로 정했을 때 이미 한 몸으로 태어난 것이었습니다. 왜냐하면 문학의 소재로 다루어야 할 사회 문제는 곧 역사적인 것일 수밖에 없고, 역사 문제는 역시 사회적인 것일 수밖에 없기 때문입니다. 그 두 가지는 불가분의 관계를 가진 일란성 쌍생아와 같습니다.

그 확실한 근거는 작품들에 명백히 드러나고 있습니다. 《현대문학》의 추천 제도는 신춘문예와는 달리 2회 추천을 받아야만 작가로 인정했습니다. 까다롭고 엄했지만 문학청년을 작가로 단련시키는 데 기여가 큰 괜찮은 등단 방법이었습니다. 그 첫 번째 추천 작품이 「누명」이고, 두 번째 추천 작품이 「선생님 기행」입니다. 저는 옛날부터 「누명」은 역사의식에서 비롯한 작품이고, 「선생님 기행」은 사회의식에서 비롯한 작품이라고 밝혀왔습니다.

미군부대에서 근무하는 주인공이 도둑 누명을 쓰고 한국군으로 돌아가는 「누명」은 '우리에게 미국·미군은 무엇인가'를 묻고 있으며, 우리 교육계에 얽힌 비리를 밝혀낸 것이 「선생님 기행」입니다. 이렇듯 저의 초기 작품은 출발부터 사회의식과 역사의식을 갖춘 작품들이 병행되고 있었습니다.

여공의 비참한 노동 상황을 다룬 「동맥」이 사회의식적인 것이라면, 월남전을 비판한 「청산댁」은 역사의식적인 것이고, 사립국민학교의 추첨 비리를 통해 기득권층의 이기주의를 다룬 「인형극」이 사회의식적인 것이라면, 한 여인의 불행한 일생을 통해 우리 한반도의 역사 수난을 상징한 「황토」는 역사의식적인 것이었고, 구두닦이 소년의 배고 픔과 슬픔을 그려낸 「빙판」이 사회의식적인 것이라면, 이데올로기로 일생을 망친 한 남자의 생애를 다룬 「유형의 땅」은 역사의식적인 것이 었습니다. 그리고 중편 「비탈진 음지」와 장편 『불놀이』는 사회의식과 역사의식을 함께 다룬 작품이라고 할 것입니다.

그러나 사회 문화 현상의 변화를 그린 「마술의 손」, 인간의 졸부 근성을 다룬 「허깨비 춤」, 고급 아파트촌의 행태와 소시민을 대비시킨 「이방지대」, 극한 상황에 몰린 인간의 실존을 묘사한 「비둘기」, 사랑의 순수와 부부애를 그려낸 「사랑의 벼랑」같이 그 어디에도 속하지 않는 작품도 있습니다. 이렇게 분류해놓고 보면 한 작가의 작품 세계를 어떤 한정된 의식의 범위로 규정한다는 것이 좀 억지스럽고 부당한 것이 아닌가 하는 생각을 버릴 수가 없습니다. 모든 예술은 다양해야 하듯이 한 작가의 작품 세계도 다양해야만 작가도 독자도 다채로운 작품을 창작하고 향유하는 자유를 누리는 것 아닐까 생각합니다. 셰익스피어를 보십시오. 비극, 희극, 희비극을 두루두루 써냄으로써 자신의 역량을 남김없이 표출해내는 성과를 올렸고, 독자(관객)는 다양한 작품의 재미를 맘껏 누리는 행복을 갖게 된 것입니다.

그런데, 독자가 『태백산맥』『아리랑』『한강』에 이르러 제 의식이 역사 쪽으로 변화했다고 생각한다면 그것도 그다지 무리는 아니라는 생각이 들기도 합니다. 왜냐하면 그 세 작품이 민족사를 전면적으로 다루고 있는데다, 그 분량 또한 보통 장편의 열 배씩이기 때문입니다. 그러나 그 세 작품은 역사의식만이 아니라 사회의식도 함께 포괄하고 있다는 것을 놓치지 말아야 합니다.

제 소설에 있어서 역사의식과 사회의식은 탁구공과 라켓, 팔과 다리 같은 한 목숨의 관계이지 각기 분리되어 있는 의식이 아닙니다. 자 칫 잘못하면 그것을 분리시켜 볼 위험이 있습니다. 왜냐하면 세 소설을 자꾸 '역사소설'이라고 규정하기 때문입니다. 거의 모든 작가가 그렇듯 소설을 소재 중심으로 구분 짓고 분류하는 것을 저도 마땅찮게 생각합니다. 그 획일적 분류는 독자에게 선입관을 주입해 소설의 의미를 축소하거나 소설의 가치를 훼손할 위험이 있기 때문입니다. 그럼 뭐라고 해야 하나요? 그냥 '소설'이라고 하면 됩니다. 이런 말이 입만 아픈, 아니 글씨를 쓰는 거니까 아픈 어깨가 더 아파지는 부질없음이라는 걸 잘 압니다. 세상이란 옳은 말이 어지간히도 안 먹히는 답답한 구조이기도 하거든요.

질문에 대한 질문

"선생님은 왜 역사소설만 쓰십니까?"

이 질문은 강연을 하다 보면 '왜 하필『태백산맥』같은 작품을 쓰셨습니까?' 하는 질문만큼 많이 나오는 것입니다.

이 질문을 받으면 저는 일단 기분이 나빠집니다.

'이 땅의 지식인으로서 그것도 몰라? 그 처절한 우리 현대사 비극을 빤히 보면서도 꼭 설명이 필요해?'

반사적으로 이런 생각이 일어나기 때문입니다.

그러나 저는 곧 제 잘못을 깨닫습니다. 지식인이라면 으레 그 정도는 알고 있어야 한다고 생각했던 것입니다. 그러나 그건 너무 일방적인 생각입니다. 전공이 다양한 지식인은 자기 분야의 지식을 충실히 다 갖추기에도 바쁩니다. 그런데 그들에게 작가 수준의 역사·사회의식까지 갖추라는 것은 너무 지나친 무리입니다. 또 그들의 빈자리가 있기에 작가의 역할이라는 것도 필요하게 되는 것이구요.

독자가 소설을 읽고 작가에게 질문을 하고자 하는 사회. 그 사회는 참 건강하고 행복한 사회가 아닐 수 없습니다. 여러분, 많이 읽고 많이 질문하십시오. 그래야 당신의 의식도 성숙하고 사회의 문화 수준도 숙성하게 됩니다. 단, 질문을 할 때마다 꼭 해야 하는 질문인지 스스로에게 다시 질문하시기 바랍니다. 그 확인이 자아 성장의 촉진제입니다.

● 선생님은 '신문에 연애소설을 쓰지 않는다'는 원칙이 있다고 했습니다. 그건 왜 그런 것인가요. 특별한 이유가 있을 것 같습니다.

이정수 · 경상대

● "작가가 돈에 작품을 파는 것은 창녀가 몸을 파는 것보다 더 더러운 짓이다."

이것은 톨스토이가 한 말입니다.

제가 신문에 연애소설을 쓰지 않기로 원칙을 정했던 것도 톨스토이와 같은 생각을 가졌기 때문이라 할 수 있습니다.

제가 톨스토이의 그 말을 처음 접한 것은 대학 시절이었습니다. 저는 그 말을 대하자마자 몇 번이고 새겨 읽었습니다. 그건 작가의 삶을 올곧게 살아가는 데 마음 깊이 아로새겨야 할 금언이었기 때문입니다. 저는 고등학교 3학년 때 '단 한 번의 인생을 우물쭈물 적당히 살 수도 있고, 최선을 다해 치열하게 살 수도 있다. 어떻게 살 것인가' 하는 자문자답을 정리했었습니다. 그랬으니 톨스토이의 말을 금방 마음속에 두게 된 것이겠지요.

1970년대 통기타와 청바지로 대중문화가 시작되었습니다. '청년문화'라 이름 붙여진 그 바람은 경제 성장과 직결되어 있었습니다. 그 바람의 한 줄기가 젊은 작가들의 연애소설 신문 연재 유행이었습니다. 경제 사정이 나아짐에 따라 광고가 늘어나게 되자 신문은 더 많은 독자를 확보해야만 했습니다. 그래서 신문사마다 독자의 구미를 돋울 연애소설을 다투어 연재하기 시작한 것입니다. 거기에 동원된 것이 '70년대 작가'라 이름 붙여진 30대 초반의 젊은 작가들이었습니다.

신문 연재는 그 미끼가 컸습니다. 매일 신문에 이름이 크게 나는 '출세', 생활비가 넉넉히 해결되는 많은 원고료, 단행본이 출간되면 베스트셀러가 되어 나오는 거액의 인세. 그 달콤한 유혹에 젊은 작가는 휩쓸렸고, 한동안 신문 연재를 해야만 능력 있는 작가처럼 보이기도 했습니다.

어설픈 자랑 같아 보이지만 저는 서울의 두 신문, 대구의 한 신문 연재 제의를 거절했습니다. 그 거절에 아내도 동참했습니다. 그때 아내는 말했습니다. 저와 결혼할 때 거친 음식을 먹어도 험한 옷을 입어도 부끄럽지 않을 자신이 있었다고. 그런 아내가 사랑스럽다 못해 존경스러웠습니다. 그리고 아내는 가끔 말합니다. "나의 최대의 사치는 검소다." 아내는 그렇게 우리의 인생을 지켜냈습니다. 그러니 '날로 새롭게 피어나는 꽃'이지요.

"조형, 왜 그래? 한 번 해보는 것도 괜찮잖아."

양 아무개 기자가 이해할 수 없다는 듯 말했습니다. 70 고개에 다다랐을 그는 오늘의 저를 어떻게 바라보고 있을지요.

저의 이런 태도를 그때도 그랬지만, 지금도 마땅찮아 할 작가가 많을 것입니다. 그러나 어쩔 수가 없습니다. 생각은 다 다르고, 자기의 인생은 자기 나름으로 선택하고 결정하는 것이니까요.

● 미국의 흑인 작가 알렉스 헤일리의 『뿌리』를 읽고 큰 충격을 받으셨고, 작가의 존재 이유를 다시금 깨달았다고 하셨습니다. 그 구체적인 내용이 무엇인지 궁금합니다.

이승은 • 영남대

　『뿌리』가 우리나라에서 번역 출판된 것은 1977년이었습니다. 그 책은 나오자마자 곧 베스트셀러가 되었습니다. 그건 미국의 치부를 드러내 전 세계의 관심을 집중시킨 작품이었기 때문입니다.

　『뿌리』는 미국의 2대 치부의 하나인 아프리카 흑인 노예의 참혹한 역사 전체를 다룬 것이었습니다. 미국의 또 하나의 치부는 인디언 학살인 것은 다 아시겠지요. 미국은 1억 명의 인디언을 학살하며(20여 년 전에 미국의 석사학위 논문에서 구체적으로 밝혀짐) 그 대륙을 차지했고, 아프리카 흑인 5천여 만 명을 끌어다가 노예로 부리며 오늘의 부를 쌓아올린 것은 세상이 다 아는 사실입니다. 이 떳떳할 수 없는 죄악의 역사에 정면으로 도전해서 흑인 노예의 처절한 역사 수난을 형상화하는 동시에 인류사의 진실을 밝히고자 한 작가가 알렉스 헤일리였고, 그 작품이 『뿌리』였습니다.

　나는 또 우리 집안의 이야기가 승리자인 백인에 의해 씌어진 달갑잖은 역사의 잔재를 없애는 데 도움이 될 수 있다고 생각한다.

알렉스 헤일리는 작품 『뿌리』가 갖는 의의를 이렇게 말했습니다. 이 대목을 다시 눈여겨보십시다. '백인에 의해 씌어진 달갑잖은 역사.'

그 기록에 흑인 노예를 억압하고, 학대하고, 유린하고, 착취한 사실이 진실하게 씌었을까요? 그들은 자신의 잘못을 철저하게 은폐했기 때문에 누가 나선 것입니까. 작가 알렉스 헤일리는 펜 하나를 들고 그 거짓의 기록 앞에 정면으로 마주 섰습니다. 그 필연을 피할 수 없는 것이 작가의 운명이고 숙명입니다.

역사책이란 그런 것입니다. 우리는 으레 역사책은 진실한 것이라고 믿습니다. 그렇게 교육받았고, 그렇게 주입되었기 때문입니다. 그러나 보십시오. 역사는 얼마든지 거짓으로, 가짜로, 위선적으로 씌어질 수 있습니다. 거기에 맞서고 도전해서 진실을 찾아내고자 하는 존재가 누굽니까. 작가입니다. 그래서 작가를 뭐라고 한다고 했지요?

'인류의 스승이며, 그 시대의 산소다.'

백 번, 천 번 거듭해도 지나치지 않는 일깨움입니다.

이성적 분노와 논리적 증오

저는 『뿌리』를 읽어가면서 옛날에 그랬던 것처럼 또 흑인 노예로 변했습니다. 읽어갈수록 전율은 점점 심해졌고, 참혹한 슬픔은 자꾸 커져 갔습니다. 흑인 노예가 당한 억울함과 분함과 원통함, 그리고 탄압과 학대와 폭행은 상상을 초월하도록 극심했습니다. 정이 있고 양심이 있는 사람이라면 가슴이 터질 것 같은 통증을 느끼지 않을 수 없고, 속울음으로 솟는 눈물을 삼키지 않을 수 없는 일이었습니다.

그런 슬픔과 통증 속에 책 읽기를 다 마쳤을 때 제 가슴에는 두 개의 큰 기둥이 서 있었습니다. 분노의 기둥과 증오의 기둥이었습니다. 물론 그 범죄를 저지른 백인을 향한 분노고 증오였습니다. 그들은 그 범죄를 형식적이나마 사죄한 일이 한 번도 없습니다. 그리고 그 범죄로 차지한 부와 풍요를 언제 흑인과 한 번 나눈 적 없이 자기들끼리만 독차지해왔습니다. 그뿐 아니라 그들은 흑인의 인권을 찾고자 했던 말콤 엑스와 마틴 루터 킹 목사를 암살해버렸습니다.

　여러분, 우리는 흔히 분노와 증오를 '감정적인 것'이라고 단정합니다. 그런 속단이야말로 비이성적이고 감정적인 것입니다. 저는 제 가슴에 서 있는 두 개의 기둥의 무게에 눌리며 알렉스 헤일리를 생각하고 또 생각했습니다. '내 분노와 증오가 이렇게 큰데 그의 분노와 증오는 얼마나 컸을까. 그는 그 분노와 증오를 어떻게 다스리며 그렇게 참혹한 역사를 그렇게 냉정하게 그려낼 수 있었으며, 그렇게 큰 감동을 줄 수 있는 것인가.'

　며칠을 생각하다가 저는 마침내 답을 얻었습니다. 그는 그 분노와 증오를 이성화하고 논리화한 것이었습니다. 그렇지 않고 감정 상태에 두었더라면 그런 글을 써낼 수 없었을 것이란 깨달음을 얻었던 것입니다.

　'이성적 분노와 논리적 증오!'

　제 머릿속에서 정리된 논리였습니다. 그것은 작가가 지녀야 하는 가슴이고, 의식이었습니다. '이성적 분노와 논리적 증오'가 없고서는 역사를 바르게 볼 수도, 진실을 캐낼 수도, 인간을 옹호할 수도 없다는 인식을 하게 된 것입니다. 그래서 작가는 이성적 분노와 논리적 증오를 언제나 가슴에 품고 있어야만 바르고 감동적인 글을 쓸 수 있다는 결론을 내렸습니다.

작가의 존재 의미, 사명

알렉스 헤일리는 『뿌리』로 흑인 노예의 수난과 비인간적인 백인의 범죄만을 보여준 게 아니었습니다. 흑인에 대한 선입견, 고정관념, 편견 같은 것을 완전히 뒤집어놓았습니다. 흑인에 대한 전 세계적인 인식은 미개함, 게으름, 아둔함, 폭력적이라는 것이었습니다. 직접 겪어 보지도 않은 사람들이, 특히 흑인과는 긴 역사 속에서 한 번도 삶이 얽히는 인연을 맺은 바 없는 아시아인까지 그렇게 생각하는 것입니다. 그 원인은 어디에 있을까요. 그건 바로 백인이 일방적으로 선전하고 주입한 결과인 것입니다.

미군과 함께 이 땅에 들어온 대표적인 두 가지 물건이 커피와 서부 영화입니다. 요즘에 할리우드의 황당무계한 공상과학 영화가 전국 극장을 뒤덮고 있듯이 1950년대부터 1970년대까지 서부영화는 이 땅에 범람했습니다. 그 영화들을 보면서 이 땅의 남녀노소는 총을 귀신처럼 잘 쏘는 '우리 편 백인'에게 박수갈채를 보내며 인디언을 나쁜 놈들, 쳐 없애야 할 것들로 굳게 믿었습니다. 그게 미국 영화가 감춘 무서운 마력이고 최면술이었습니다.

우리는 아무런 판단력이나 분별력 없이 인디언을 멸시하고 적대시했듯이 흑인도 마냥 무시하면서 동시에 우월감을 가졌던 것입니다. 의식의 식민지란 바로 이런 것입니다.

알렉스 헤일리는 『뿌리』를 씀으로써 내적으로는 노예로 살다 간 한에 사무친 선조의 통한을 풀었고, 외적으로는 이기주의를 앞세운 비인간적인 범죄가 얼마나 끔찍한 것인지를 전 세계인에게 새롭게 각성

시키는 동시에 흑인이 얼마나 수준 높은 전통문화를 가진 정다운 사람들인가를 재인식시켰습니다. 그것은 작가의 존재 의미와 사명을 성공적으로 실천한 모범이었습니다.

우리 민족의 처절하고 통렬한 역사적 삶을 소설로 쓰는 것이 작가로서 풀어야 할 최소한의 소임이라고 생각해오고 있던 저에게 알렉스 헤일리는 하나의 거울이었습니다. 이성적 분노와 논리적 증오를 품고 민족사 앞에 서기로 저는 마음을 다잡았던 것입니다.

● '직접 체험을 소설로 쓰지 말아야 한다'는 선생님의 원칙은 1980년 광주민주항쟁 이후로 깨졌고 세 편의 대작들로 거듭났습니다. 그 변화의 경계에 대해 자세한 말씀 부탁드립니다.

최진영 · 고려대 사회학과

● 아, 광주민주항쟁이 어느덧 29년이 되었습니다. 세월 참 무심하고 덧없이 흘러갑니다. 아닙니다. 그때 아내와 함께 광주에 데리고 갔던 외아들 도현이가 서른여덟 나이로 두 아들의 아비가 되었으니 그 세월을 꼭 무상타고만 할 수도 없을 듯합니다.

광주가 피바다, 불바다가 되었다는 다급한 풍문을 날마다 들으며 저도 속수무책 애만 태우며 발만 구르고 있었지요. 신군부의 무자비한 총구 앞에서 우리 모두는 허깨비요 허수아비였습니다.

그러다가 광주의 통행금지를 푼다는 보도가 나왔습니다. 외부인이 광주에 들어갈 수 있다는 것이었습니다.

"여보, 내일 광주에 가보자. 도현이도 데리고."

아내는 말없이 고개를 끄덕였습니다.

다음 날 아침 일찍 우리 부부는 초등학교 1학년인 아들을 데리고 기차를 탔습니다. 광주행 기차에는 빈자리가 많았습니다.

저는 낮은 소리로, 왜 광주에 가는 것인지, 왜 그것을 보아두어야 하는지 아들에게 설명했습니다. 아들은 무거운 표정으로 이야기를 들었습니다. 아들의 나이는 공교롭게도 제가 여순사건과 한국전쟁을 겪었던 그때의 나이에 걸쳐 있었습니다.

광주역을 나섰을 때 일시에 끼쳐오던 냉기. 저는 문득 아내를 쳐다보았습니다. 아내의 얼굴도 굳어져 있었습니다.

얼어붙은 도시. 커다란 얼음 덩어리를 보았을 때 느껴지는 그 여실한 냉기가 광주를 뒤덮고 있었습니다. 그런 느낌은 난생처음이었습니다. 무슨 거대한 힘이 한 도시의 공간을 그렇게 얼어붙게 할 수 있는 것인지 도무지 알 수가 없었습니다. 광주는 저에게 낯선 도시가 아닙니다. 제가 3년 동안 중학교를 다녔던 저의 고향이었습니다. 그 낯익었던 도시가 그렇게도 낯설게 보이다니요.

그러나 곧 그 까닭을 알게 되었습니다. 그건 바로 길을 오가는 사람들의 표정 그것이었습니다. 길을 오가는 모든 사람의 얼굴이 어찌 그럴 수 있습니까. 모두 울듯이 굳어져버린 얼굴 얼굴들은 범접할 수 없는 싸늘한 냉기로 덮여 있었습니다. 큰 도시의 많은 사람이 모두 그런 얼굴인 것도 난생처음 겪는 일이었습니다.

택시를 타도 기사의 얼굴에 짙은 먹구름이 덮여 있었습니다. 항시 활기차던 광주의 중심 상가 충장로도 꽁꽁 얼어붙어 있었습니다. 상가들은 문을 열었으되 손님이 없었고, 상점 주인도 손님을 기다리는 게 아니라 소리 없는 통곡을 충장로로 토해내고 있었습니다. 도시는 그렇게 숨을 멈춘 듯했습니다. 그 어디에도 말을 걸 데가 없었습니다. 불탄 MBC 방송국, 총탄 자국 낭자한 도청을 보며 황영성 화백을 찾아갔습니다. 말을 걸 상대는 그분밖에 없었습니다. 그분은 제 광주서중학교 선배였고, 제가 편집을 맡았던 잡지의 표지 그림을 자주 그려준 인연으로 가까웠던 것입니다.

여순사건보다 더하다

그분은 울면서 말했습니다. 눈물을 참으려고 애를 썼지만 아무 소용 없이 줄줄 흘러내렸습니다. 서러움과 슬픔은 빠르게 감응됩니다. 그분의 아내도 울고, 저도 울고, 아내도 울고, 아들도 울었습니다. 광주가 당한 원통함은 눈물이 아니고서는 말할 수가 없었고, 눈물이 아니고서는 들을 수가 없었습니다. 그 통렬함을 참아내느라고 광주 시민은 그렇게 무표정하게 얼어붙을 수밖에 없었고, 그 기가 퍼져 광주의 하늘도 온통 회색빛 냉기로 뒤덮여 있었던 것입니다.

"낮에는 지키니까 내일 아침 일찍, 새벽에 한 번 가보세요."

황 화백이 일러주었습니다.

금남로 여관에서 잠을 설친 저는 새벽 4시에 아들을 깨웠습니다.

금남로 2가 뒷길 YWCA에 도착한 것이 5시였습니다. 새벽 어둠이 희붐해지고 있는 길에는 인적이 없었습니다. YWCA 앞에서 저는 걸음을 옮기지 못하고 굳어졌습니다. 2층 건물은 온통 총탄 자국으로 뒤덮여 있었습니다. 저는 빵빵 뚫린 그 구멍을 세기 시작했습니다. 100……, 200……, 300……, 저의 눈길은 차츰차츰 위로 올라가고 있었고, 고개는 뒤로 젖혀지고 있었습니다. ……350……

"여보, 이제 그만 들어가요."

아내가 저를 일깨웠습니다.

총알이 꿰뚫은 구멍은 아직도 무수히 건물에 박혀 있었습니다. 그러나 더 셀 수가 없었습니다. 지키는 사람이 나타나면 내부를 볼 수 없기 때문입니다.

"여순사건 때보다 더하다."

저도 모르게 한 말이었습니다. 아내는 아무 대꾸가 없었습니다. 대꾸가 필요한 말이 아니었습니다.

제 눈앞에는 여순사건 때 총탄 자국이 낭자했던 순천 금융조합의 빨간 벽돌 건물이 떠올랐습니다. 사람들이 끔찍스러워했던 그 건물의 상처도 이 YWCA에 비하면 아무것도 아니었습니다. 얼마나 많은 군인이 총을 난사해댔으면 저렇게 될 수 있는 것인지, 너무 참혹하고 가위눌려 숨이 막힐 지경이었습니다.

YWCA 안으로 조심조심 들어갔습니다. 1층은 넓은 홀이었고, 그 한쪽에 2층으로 올라가는 넓은 계단이 있었습니다. 한 번 꺾어 올라가는 실외 계단이 아니라 직선으로 바로 올라가는 실내 계단이었습니다.

황 화백이 말해준 대로 2층으로 올라간 저는 너무 소스라치게 놀라 정신이 아찔해질 지경이었습니다. 네댓 개의 사무실 문마다 총알 구멍이 무수히 뚫려 있었습니다. 2층으로 올라온 군인은 안에 있는 사람들을 향해 총을 난사해댄 것이었습니다. 월남전에서 그 성능이 뛰어나기로 이름을 떨친 M16 총알은 합판 문을 거침없이 뚫고 들어가 방 안에 몰려 있던 사람들의 몸으로 파고든 것이었습니다.

그뿐이 아니었습니다. 오른쪽으로 뻗은 복도의 벽에는 총알들이 빗맞은 긴 자국들이 줄지어 나 있었습니다. 그 총탄 자국을 따라 걷던 저는 또 소스라쳤습니다. 끝에 있는 총탄 자국에 피와 함께 머리카락 서너 개가 붙어 있었습니다.

한 사람이 도망을 갑니다. 그를 향해 군인들이 총을 갈겨댑니다. 그 사람은 금방 복도 끝에 막혔고, 빗발치는 총탄에 머리를 맞아 몸부림을 치자 머리카락이 빠져 벽에 달라붙은 정황이 제 눈앞에 환하게 떠오르고 있었습니다.

저는 계속 울리는 비명 소리를 들으며 계단을 내려오기 시작했습니다. 그러나 몇 발짝 옮기지 못하고 걸음을 멈추었습니다. 계단에는 방금 물걸레질을 한 것처럼 선명한 자국이 저 아래까지 쭉 나 있었습니다.

그건 난사해댄 총을 맞은 시체들을 질질 끌어내린 흔적인 게 분명했습니다. 저는 아들에게도 그 물기 스민 듯한 자국을 밟지 못하게 하면서 조심조심 내려왔습니다. 아까는 빨리 올라가려는 생각으로 미처 보지 못했던 것입니다.

"왜요, 닦아냈지요. 비누로 안 돼서 강력 세제까지 썼지만 안 지워진다는 거예요. 도끼다시가 돌보다 훨씬 더 단단하다고 하던데. 피라는 게 뭔지……"

다시 만난 황 화백의 말이었습니다. 그 순간 제 뇌리에 퍼뜩 떠오른 것이 있었습니다. 선죽교의 전설이었습니다. 비만 오면 핏자국이 선명히 드러난다고 했습니다. 정몽주의 한 맺힌 넋이 되살아나기 때문에.

그러나 그건 말쟁이들이 지어낸 전설이 아니었던 것입니다. 피는 돌보다 강도가 훨씬 강한 도끼다시(인조석 물갈기)에도 침투해 강력 세척제로도 지울 수 없었던 것입니다. 그렇다면 피는 도끼다시보다 무른 바위에는 얼마나 잘 스며들겠습니까. 그런데 여러분, 모든 돌을 물속에 넣어보십시오. 물속에 들어가자마자 마치 무슨 마술이라도 부리는 것처럼 돌들은 그 색깔이 선명해지고 진해집니다. 그러나 돌을 밖으로 꺼내 햇볕에 물기가 마르면 처음의 모습으로 되돌아갑니다. 선죽교의 핏자국도 햇볕에 물기가 마르면 자취를 감추었다가 비에 젖게되면 그 모습을 선명하게 드러내는 것이었습니다.

그런데 돌보다 단단한 도끼다시에 침투해 강한 세제로도 지워지지 않는 피란 대체 무엇일까요. 그건 단순한 액체가 아닌 것입니다. 그건 한 생명체를 살리는 특수한 진액인 동시에 영혼까지 담겨 있는 그 무엇입니다. 그래서 우리는 피를 보면 위축됨과 동시에 흥분하고, 그 감정의 파도에 실리며 피는 혁명의 깃발이 되고는 했습니다. 도끼다시 위에서 지워지지 않는 광주의 피, 그 선명한 흔적은 억울한 죽음을 역사의 승리로 되돌려 받겠다는 사자들의 결의로 느껴졌습니다.

상상력의 글쓰기, 장수하는 작가

깊게 상처받은 광주와 광주 시민을 위해 제가 할 수 있는 일은 아무것도 없었습니다. 국민이 낸 세금으로 마련한 총으로 수백 명의 국민을 학살한 신군부는 그 죄상을 덮기 위해 더욱 살벌하고 험악하게 국민에게 총을 겨누고 있었던 것입니다. 그 폭력 앞에서 작가라는 존재는 무력하고 초라하기 짝이 없었습니다. 무력의 공포 앞에 각개 격파된 우리 모두는 살아남은 자의 죄의식 위에 비겁의 침묵까지 쌓아올리고 있었습니다.

저는 가까운 사람들과 광주를 이야기하고 또 이야기하며 한 가지 생각을 고쳐먹고 있었습니다. 그동안 '직접 체험을 소설로 쓰지 말아야 한다'는 창작 원칙을 이제 바꿔야 되겠다는 것이었습니다.

저는 그 즈음에 분단 문제를 좀 새롭게, 색다르게 다루어야겠다는 생각에 골몰해 있었습니다. 그동안에도 분단에 대해 중·단편으로 써왔지만 그건 왠지 덜 된 것 같은, 무언가 다 차지 않은 것 같은, 석연찮음과 께름칙함을 떼칠 수가 없었던 것입니다. 그 '미완성적 허기'가 새 작품 쓰기를 자꾸 조르고 있었고, 저는 새 작품으로 완성의 만족감을 느끼고, 제가 무능하게 여겨지기도 하는 그 찜찜하고 개운찮음에서 깨끗이 해방되고 싶었던 것입니다. 그런 완성을 향한 욕구는 저만이 아니라 모든 예술가가 갖는 행복이고 비애일 것입니다.

제가 '직접 체험을 소설로 쓰지 말아야 한다'고 스스로에게 경고했던 것은 뭐, 특별한 뜻은 아닙니다. 첫째, 상상력의 고갈을 막자는 것이었고, 둘째, 작품 세계의 폭과 깊이를 확장하자는 것이었습니다.

'작가는 결국 자기가 가장 잘 아는 것을 쓸 수밖에 없다.' 창작론에서 이미 잘 알려져 있는 말입니다. 그 말의 타당성을 입증이라도 하듯 모든 작가는 의식·무의식중에 자기가 아는 것을 쓰게 됩니다. 그런데 문제는 첫 작품부터 자기의 특수 체험을 쓰며 등단한 작가가 처하는 운명이었습니다. 그런 작가들은 대부분 몇 작품 쓰지 못하고 단명하는 것이었습니다. 한 사람이 남들의 이목을 끌 수 있는 특수 체험을 무한히 할 도리는 없습니다. 그러므로 거기에 의존하다 보면 소재 고갈과 상상력의 고갈이 금방 와 작가로서의 단명은 피할 수 없는 일이 됩니다. 그런 작가는 뜻밖에도 많고, 등단작이 곧 은퇴작이 되어버리는 사례도 적지 않습니다.

작가에게 있어서 상상력이란 기본적인 능력이면서 절대적인 능력일 것입니다. 그것은 흔히 말하는 머리 좋은 것(IQ가 높아 기억력이 좋은 것)으로는 되는 일이 아닙니다. 머리 좋은 사람들이 암기를 우선으로 하는 일반 공부는 잘할 수 있어도 예술을 할 수 없는 것은 상상력 부족 때문입니다. 상상력은 다른 말로 하면 창의력입니다. 사물을 남다르게 보고, 남다르게 생각하고, 남다르게 엮어내는 능력인 상상력은 작가의 장수를 보장하는 동시에 작품 세계도 다양하게 해줍니다. 저는 그래서 그때까지 10년 가까이 소설을 써오면서 그 무대의 이름까지도 고향 지명을 쓰지 않고 피해왔던 것입니다.

모든 것을 다 바치기

광주의 비극은 단순히 권력을 탐하는 정치군인에 의해 저질러진 돌발 사건이 아니었습니다. 그 뿌리가 분단이라는 것은 기본적 사고력을 가진 지식인이면 어렵지 않게 인식해낼 수 있는 일입니다. 그 인식에 의해 부산 미문화원이 불탔고, 광주 미문화원이 불타게 된 것이었습니다.

그동안 남과 북의 정권은 분단을 정치적으로 악용해 자기들의 독재를 합리화시키고 국민을 쉽게 억압할 수 있었던 것입니다.

"김일성 괴뢰 집단이 또 쳐내려온다!"

"미제 도당과 그 앞잡이 괴뢰 집단이 또 북침해온다!"

남·북 지배집단이 국민을 향해 줄기차게 써먹은 공갈 협박이었습니다. 한국전쟁의 공포 체험을 잊지 못하고 있는 국민은 그 앞에서 꼼짝을 못했습니다. 거기다가 남쪽에서는 국가보안법이, 북쪽에서는 형법이 비판자를 찾아 올가미를 던지려 하고 있었습니다. 그 토대 위에서 양쪽의 독재는 장수를 누릴 수 있었습니다.

그런데 남쪽의 군사독재가 스스로 무너지고 민주주의 세상이 온 줄 알았는데 신군부가 나타났고, 그 위기에 맞서 광주에서 민주화 운동을 펼쳤는데 신군부는 헬리콥터까지 동원하는 대대적인 살육전을 전개했고, 작전권도 없는 군대가 그렇게 할 수 있었던 데는 미국의 지원은 아니더라도 묵인은 있었다는 판단을 내리게 되었고, 그 분노에 의해 미문화원들은 불에 탔던 것입니다.

그 인식과 저의 인식은 일치하고 있었습니다. 이 땅에 분단이 있는 한 남과 북에는 진정한 민주주의란 있을 수 없고, 인간다운 세상이란 요원할 수밖에 없는 것이 현실이었습니다. 그 문제가 근본적으로 해결되는 길은 단 하나, 민족 통일을 이루는 것이었습니다. 우리가 반쪽의 삶, 불구의 삶에서 벗어나 인간답게 살 수 있는 길을 열어나가는 데 문학도 기여해야 하는 건 너무 당연한 일이었습니다. 그 길이 바로 새롭게 써야 할 분단소설의 길이기도 했습니다. 저는 그 작품을 위해 저의 모든 것을 다 바치기로 마음먹었던 것입니다.

● 『태백산맥』을 쓰기 시작한 시점은 전두환 군사독재 시절입니다. 그 엄혹했던 시절에 왜 그런 작품을 쓰기로 작정했는지 궁금합니다. 민주화된 지금 시점에서 읽어도 아슬아슬하고 불안하게 느껴지는 장면들이 너무나 많은데요.

● 예, 이것이 독자가 가장 많이 하는 질문입니다. 소설이 너무 길고, 분단된 우리 현실에서 긍정이든 부정이든 문제성이 많을 수 있는 작품이라 저는 단행본이 한 부(部)씩 발간될 때마다 전례를 깨고 '작가의 말'을 붙였습니다. 그것을 다 읽으면 독자가 '왜 『태백산맥』 같은 작품을 썼는가'에 대해 이해하게 되리라 생각했습니다. 그러나 결과는 그렇지 않았습니다. 완간이 되고 20년이 넘었는데도 그 질문은 계속되고 있습니다. 그건 저의 설명이 부족했다기보다는 우리가 처한 분단 상황과 그에 얽힌 정치 사회적 상관관계, 그 속에서의 우리의 삶이 그만큼 복잡하고 이해하기 쉽지 않기 때문이리라 생각합니다. 이번 기회에 여러분의 의문과 궁금증들이 다 풀릴 수 있기를 바랍니다. 저를 긍정하든 부정하든, 좋아하든 좋아하지 않든 그것은 전적으로 여러분의 자유입니다. 단, 여러분께서는 제 설명을 들으시기 전에 그런 호오의 감정을 일단 내려놓고 마음을 비우시라는 겁니다. 어떤 선입관이나 편견을 갖게 되면 아무리 옳은 이야기, 정당한 말이라 하더

라도 올곧게 받아들이기가 쉽지 않기 때문입니다.

저는 자기네 당파의 이익을 도모하는 정치인도 아니고, 이윤 추구를 최대 가치로 삼는 사업가도 아닙니다. 오로지 진실한 글을 씀으로써 인간의 인간다운 삶을 위하여 인간에게 기여코자 하는 한 사람의 글쟁이일 뿐입니다.

그런 입장에서 볼 때 우리의 현실은 불행하기 그지없고 슬프기 짝이 없는 것입니다. 왜냐하면 민족이 분단되어 있기 때문입니다.

여러분, 우리에게 분단은 무엇입니까? 그것은 한마디로 반신불수의 삶입니다. 이 세상에는 온갖 불행들이 많지만 몸 절반을 쓸 수 없는 불구의 삶처럼 큰 불행은 없을 것입니다.

해방과 더불어 이 땅이 분단되지 않고 오늘에 이르렀다면 우리는 지금 어떻게 되어 있을까요? 한반도 전체가 초토화되는 그 끔찍한 한국전쟁도 없었을 것이고, 60년이 넘는 남북 대결의 군사적·경제적 소모도 없었을 것이고, 남북 양쪽의 독재권력 없이 인간적인 민주주의가 만개했을 것이고, 그 토대 위에서 승승장구로 발전한 경제력은 국민소득 5만 달러를 향유하며 우리가 간절히 바라는 세계 1등 국가가 진작 이루어졌을 것입니다.

그런데 남과 북으로 갈라진 우리 민족의 현실은 어떠합니까. 세계 유일의 분단국이란 수치 속에서 소모적 대결을 계속하며 미래는 어찌될지 아무도 모르게 불안정할 뿐입니다. 이 불행에서 벗어날 수 있는 유일한 길은 통일뿐입니다.

우리 민족의 가장 큰 불행은 분단이고, 우리 민족의 가장 큰 역사적 과제는 통일입니다. 따라서 남과 북 정권에 똑같이 지워진 가장 큰 짐은 통일 성취입니다. 남과 북 정권이 제아무리 서로 잘났다고 겨루어봤자 통일이 되기 전까지는 '분단정권'일 뿐입니다. 양쪽 정권이 힘을 합하여 통일을 이룩해낼 때야 비로소 가장 큰 업적을 이룩해낸 통일 정권으로 민족사에 기록될 것입니다.

이런 분명한 당위성에도 불구하고 그동안 남·북 정권은 어찌했습니까. 우리가 똑똑히 지켜보아왔듯이 통일을 입에 발린 소리로만 되뇌어왔을 뿐 분단을 자기네 정치에 이용하기 위해 소모적 대결을 계속 획책하고 강화해왔습니다. 정치인들에 의한 민족 통일은 요원하다는 슬픈 방증이었습니다.

여러분, 세계 문화사가들이 한 다음 두 가지 말에 귀 기울이십시오.

'두 정치 세력이 대결하면서 오래 끌어온 문제를 서로 힘을 합쳐 해결하기로 합의하면, 그 시점부터 문제가 해결될 때까지는 지금까지 끌어온 세월의 두 배가 걸린다.'

'적대적인 두 세력이 야기한 문제는 그들의 힘으로는 결코 해결되지 않는다. 그 둘 사이에 문화라는 중간 여과 과정이 있어야 한다.'

어떻습니까. 못 알아들을 말이 아니지요? 두 가지 다 우리가 귀담아듣지 않으면 안 될 말입니다.

첫 번째 진단에 따르면 지금부터 남과 북이 진정으로 노력을 해도 우리의 통일은 앞으로 120년이 걸린다는 것입니다. 두 번째 진단에서 말하는 '문화'에는 물론 문학이 포함됩니다.

120년, 너무 오래 걸린다고요? 너무 까마득한 세월이고, 지금 이대로도 아무 불편이 없으니 그냥 살아가자고요? 절대 그럴 수는 없습니다. 결코 그래서는 안 됩니다. 우리 민족이 살아온 역사는 몇 년입니까? 5천 년입니다. 그리고 앞으로 또 5천 년을 뻗어갈 것입니다. 그 1만 년의 세월 속에서 분단 세월 180년(첫 번째 진단이 맞다고 하고)의 길이는 얼마겠습니까? 눈에 보이겠습니까? 아마 바늘 끝으로 점 하나 찍은 것에 불과할 것입니다. 그러니 우리는 초조해하지 말고, 지치지 말고 분단을 넘어 통일을 이룩해낼 때까지 진심으로 마음을 모으고 진정으로 노력을 다 바쳐야 합니다. 그러면 남북의 합심의 진정성과 열성에 따라 뜻밖에 그 세월이 단축될 수도 있습니다. 통일이 안 된 분단 세월을 오래 살수록 그것은 당대의 불행일 뿐만 아니라 장구한 민족사에서 두고두고 비판받는 죄인이 되는 일입니다.

두 번째의 진단을 자각이라도 한 듯이 이 땅의 문인은 분단의 비극과 통일의 염원을 시와 소설로 많이 써냈습니다. 소설의 경우 분단을 다룬 작품이 줄잡아 60퍼센트를 차지하고 있습니다. 그건 두 가지 이유 때문입니다. 첫째, 민족사의 큰 문제에 대해 작가가 기본적으로 느껴야 하는 책무감을 분명히 자각하고 있다는 것이며, 둘째, 산이 높을수록 골짜기가 깊듯 슬픔과 고통이 큰 비극일수록 소설로 쓸 거리가 그만큼 많기 때문입니다.

이 대목에서 한 가지 들려드릴 얘기가 있습니다.

"한국 민족은 불행하다. 그러나 한국 작가는 행복하다."

이건 20여 년 전에 우리나라를 방문한 일본 작가가 한 말입니다.

굳이 설명이 필요한가요? 다 아실 테니까 사족을 붙이지 않겠습니다.

다만 그 말이 담고 있는 제2의 의미만을 밝혀드리고자 합니다.

'일본도 한국 같은 비참한 역사를 살았더라면 일본 작가들도 사소설에 빠지지 않고 그 참상에 대해 치열하게 썼을 것이다.'

어디 일본 작가뿐이겠습니까. 어느 나라 작가든 그런 역사를 피해 갈 수 없습니다. 그것이 작가의 생리고, 숙명입니다.

그런데 우리 문학이 가지고 있는 60퍼센트의 분단소설은 한 가지 큰 한계를 가지고 있었습니다. 저의 분단소설을 포함한 그 소설 전부는 '국가보안법이 허용하는 범위 내에서' 씌어진 것들이었습니다. 다시 말하면 그 소설은 초·중등학생이 한국전쟁을 전후로 한 반공주간에 그리는 반공포스터와 다를 것이 없는 것입니다. 그런 소설 쓰기는 정치적인 분단 획책에 기여하는 것일 뿐 통일에는 아무런 도움이 안 되는 것이었습니다.

북쪽 작가라고 해서 다를 것이 하나도 없습니다. 아니, 남쪽 작가에 비해 북쪽 작가에게는 더구나 아무것도 기대할 것이 없었습니다. 남쪽 작가 중 정부로부터 생계비를 받는 사람은 한 명도 없습니다. 정부가 주려고 하지도 않고, 작가도 밥을 굶어도 결코 정부에 손을 내밀지 않습니다. 그것이 작가의 자존심이고, 최소한의 자유 확보입니다.

그러나 북쪽 작가 전원이 당원입니다. 따라서 정부에서 생활비를 받아 살아갑니다. 그러니 그들은 당과 정부를 찬양할 수 있을 뿐 비판의 자유란 전혀 가질 수 없습니다. 그들의 문학은 애초에 문학일 수 없는 것입니다.

그렇다면 남쪽 작가들만이라도 민족의 숙원이고 비원인 통일에 조금이라도 기여하려면 어떻게 해야 하는가 하는 문제에 부딪치게 됩니다. 그것은 참으로 큰 고민이 아닐 수 없습니다. 그러나 이 세상에 해결되지 않을 고민은 없습니다. 고심 끝에 나타난 유일한 방법이 있습니다. 그게 바로 '분단 극복' 소설을 쓰는 것입니다.

'분단 극복'이란 어려울 것 없는 말입니다. 그건 국가보안법이 규정해놓은 제약을 넘어서는 것을 가리킵니다. 국가보안법을 넘어서? 겁나십니까? 그걸 넘어서면 어떻게 되지요? 엄혹한 분단 세월을 오래 살아온 우리는 그 위험이 어떤 것인지 잘 압니다. 몸에 기름칠하고 불 속으로 뛰어들기요, 돌덩어리 매달고 바다로 뛰어들기가 그것입니다.

통일은 말로 하는 것이 아닙니다. 진정한 행동으로 하는 것입니다. 그러기 위해서는 또 길은 하나뿐입니다. 모든 역사 사실들을 사실대로 드러내놓고, 서로의 잘잘못을 솔직하게 인정할 것은 인정하고, 용서할 것은 용서하며 화합의 길을 닦아나가는 것입니다.

저는 이 사실을 '분단 극복 소설'의 기본 틀로 삼기로 했습니다. 사실을 사실대로 말하는 것, 그 첫 번째는 우리의 반공교육이 사회주의자나 빨치산들을 악마나 흡혈귀라고 했던 것을 '인간'으로 바꾸는 것이었습니다. '그들은 악마나 흡혈귀가 아니라 우리와 똑같은 인간이다.' 이 당연한 사실을 말하는 것이 반공주의에 정면으로 맞서는 것이 되고, 국가보안법을 부정하는 범죄가 되는 것이 우리의 현실입니다.

그리고 두 번째 해야 할 일은 우리의 군대, 경찰 그리고 미군이 전쟁 통에 저지른 잘못들도 솔직히 드러내 따지자는 것이었습니다. 그렇게 해야만 서로의 잘잘못이 제대로 드러나고, 그 진실의 토대 위에서 진정한 용서와 이해가 이루어져 화합의 길로 나아갈 수 있다는 인식이었습니다.

그것만이 새롭게 쓸 수 있는 분단소설이라는 확신이 들자 저는 어서 빨리 글을 쓰고 싶은 욕구에 사로잡혔습니다. 알피니스트가 거기에 산이 있으니까 가듯 작가는 새로 발견한 이야깃거리를 향해 그 어떤 장애든 무릅쓰며 달려가는 존재입니다.

◉ 『태백산맥』을 써나가다가 언제 정치적 위해를 당하게 될지 몰라 부인께 미리 그런 사태에 대비해 마음 단단히 먹도록 다짐을 했다는 말을 들었습니다. 그게 무슨 얘기인지 자세히 알고 싶습니다.

류정화 • 서울대 국어국문학과

● 저는 1983년 6월부터 『태백산맥』을 연재하기 시작했습니다. 그때 정치 상황이 얼마나 살벌했는지는 직접 겪어보지 않고 말로 들어서는 실감하기 어렵습니다. 요즘의 20대 초·중반 젊은이는 태어나지도 않았을 때니 5공의 폭압에 대해서는 먼 전설을 듣는 것 같은 기분일 것입니다.

그 악명 높았던 중앙정보부는 현직 판·검사마저 영장도 없이 한밤중에 잡아갔고, 서울대학교 법대 교수도 잡아다 죽여버렸습니다. 그게 박정희 정권 때 일입니다. 그런데 전두환 정권이 들어서자 그 중앙정보부가 군 수사기관인 보안사에 끌려가는 형국이 되어버렸습니다. 권력을 탈취한 신군부는 중정보다는 보안사를 더 믿었기 때문입니다. 보안사의 공포가 온 세상을 휩쓰는 속에, 이미 신문에 난 사실을 술 취해 얘기했다가 잡혀 들어가 초주검이 되고, 택시를 타고 정부에 대한 불평을 털어놓다가 그대로 실려 가 반죽음이 되고, 날마다 흉흉한 소문이 그칠 날이 없었던 것이 1983년이었습니다.

군부독재가 새로 탄생하면서 반공은 더욱 강화되었습니다. 반공은 독재권력이 기댈 수 있는 가장 튼튼한 성벽이었습니다. 공산권 위기를 조성할수록 국민은 겁먹고, 겁먹은 국민은 그만큼 다스리기 쉽기 때문이었습니다.

그런 상황 속에서 마르크스니 사회주의 이야기를 꺼내면 어찌 되겠습니까. 만약 '내가 옛날에 빨치산 활동을 했다' 하면 어찌 되겠습니까. 더 물을 것이 없는 일이지요.

그런데 저는 사회주의자나 빨치산들이 악마나 흡혈귀가 아니라 우리와 똑같은 인간이라고 말하려 하고 있었습니다. 그 당시 그들에게도 인간으로서 최소한의 정당성이 있었다고 말하려 하고 있었습니다. 전쟁을 일으킨 근본 잘못은 물론 북쪽과 인민군에 있지만 전쟁의 와중에서 우리 국군과 경찰 그리고 미군도 잘못한 것이 있다고 구체적으로 밝히려 하고 있었습니다.

그런 계획을 다 세워놓고 글을 쓰기 시작해 2회분을 잡지에 보내놓고, 3회분을 쓰고 있는데 불안감은 점점 커지는 것이었습니다. 더 미루지 말고 제가 무엇을 쓸 것인지 아내가 확실하게 알고 있어야 하겠다고 생각했습니다. 갑자기 무슨 일을 당하게 하는 것보다는 미리 말해 마음을 단단히 먹게 하는 것이 도리일 것 같았습니다.

마음먹은 대로 써라

저는 아내한테 사실대로 알리기로 마음먹었습니다. 그날 글을 마친 것은 새벽 1시쯤이었습니다. 저는 어렵게 말을 꺼냈습니다.

"여보, 놀라지 말고 내 말 잘 들어. 내가 계획하고 있는 대로 써나가게 되면 분명 위해가 닥칠 거야. 그때 애 데리고 견뎌낼 수 있겠어?"

이 갑작스러운 말에 아내는 얼마나 놀랐겠습니까.

아내는 한동안 침묵을 지키고 있었습니다. 그러나 그 침묵은 그다지 길지 않았습니다.

"작가가 쓰고 싶은 걸 못 쓰면 작가가 아니잖아요. 마음먹은 대로 써요."

아, 아내가 그렇게 믿음직스럽고 커 보일 때가 없었습니다.

아내는 선천적으로 겁이 많은 사람입니다. 개, 고양이는 물론이고 닭까지도 무서워하고, 개미며 파리까지도 무서워합니다. 아닙니다, 파리를 더러워하는 것이 아니라 분명히 무서워합니다. 이런 일이 있었습니다. 1970년대 초반 아내가 여학교 선생을 할 때, 공부를 가르치고 있는데 갑자기 쥐가 한 마리 나타났습니다. 선생은 학생들을 위해 쥐를 잡으려는 것이 아니라 외마디 비명을 지르며 혼비백산 교탁 위로 뛰어오르고 말았습니다. 그러니 날뛰는 쥐를 피해 이리저리 쏠리는 여학생들의 호들갑은 얼마나 소란스러웠겠습니까. 결국 그 선생답지 못한 광경을 교장선생한테 들키고 말았습니다. 그러나 교장은 헛웃음을 치고 말았습니다. 겁에 질린 여선생의 모습이 진정 딱했기 때문입니다.

그런 아내가 그런 대담한 말을 한 것이었습니다. 집사람은 잠시 침묵하는 동안 어머니의 마음, 여자의 마음, 시인의 마음과 싸웠을 것입니다. 아내는 결국 시인의 마음을 택하면서 그렇게 대답할 수 있지 않았을까 싶습니다.

그로부터 26년의 세월이 지났습니다. 그러나 여태껏 한 번도 그때 어떤 마음이었는지 묻지 않았습니다. 그걸 만약 묻는다면 그 얼마나 멋없는 일입니까. 우리 인생살이에서 알고도 모르는 척, 보고도 못 본

척, 듣고도 못 들은 척 넘기는 그 헤아림과 짐작의 여백이 그 얼마나 깊고 포근하고 넉넉한 삶의 미학입니까. 그런 때의 김초혜는 저에게 또 새롭게 피어나는 꽃이되, 연꽃이거나 모란이거나 수국입니다. 왜 하필 이 세 가지 꽃이냐고요? 이 세상의 꽃 중에 곱고 아름답지 않은 꽃이 어디 있을까마는 저는 이 세 가지 꽃을 가장 좋아합니다. 저의 남은 소원은 어디 바다도 보이고 산도 보이는 곳으로 가 연꽃과 모란과 수국이 아담한 집을 에워싸고 흐드러지게 피도록 해놓고 하루에 몇 장씩의 글을 느릿하게 써나가는 것입니다. 날마다 조금씩 길어지는 인생 황혼녘의 제 그림자를 보며 꿈꾸는 이 소원을 너무 호사스럽다고 나무라지는 마십시오. 꿈은 꿈이어서 아름답고 보호받을 의미가 있는 것입니다.

아내가 지킨 약속

저는 수사기관들의 내사를 아슬아슬하게 피하며(뒤에서 자세히 얘기하겠습니다) 소설을 마쳤습니다. 그러나 시한폭탄처럼 제 주위를 맴돌던 위기는 마침내 1994년 4월에 폭발하고 말았습니다. 국가보안법 위반 혐의자로 정식 고발을 당한 것입니다(뒤에서 따로 말하겠습니다).

그러나 아내는 전혀 놀라지 않았습니다. 전혀 동요하지 않았습니다. 침착했습니다. 그렇다고 저한테 위로의 말을 건네지도 않았습니다. 그런 말이 오히려 진심을 해친다는 것을 아내는 헤아리고 있었습니다. 아내는 말보다 강한 말인 침묵 속에서 그 사건에 맞설 준비를 해나가고 있었습니다.

옛말에 이 세상에서 가장 무서운 것은 호랑이도 아니고 귀신도 아니고 바로 사람이라 했습니다. 저는 그 사람이라는 존재에 의해, 제 생각을 마땅찮아 하는 사람들에 의해, 반공을 절대의 힘으로 내세우는 사람들에 의해 감옥으로 떠밀려 들어가고, 책은 서점에서 사라져야 할 위기에 몰려 있었습니다.

그런데 정작 집사람은 사람을 무서워하지 않았습니다. 제가 고발당해서 무혐의 처분을 받게 될 때까지 11년 동안 아내는 정말 침착하고 의연하게 여러 상황을 이겨나가며 저를 지켜주었습니다. "여보, 영욕(榮辱)은 반반이야." 아내는 이 말을 되풀이했습니다. 그 위로는 저에게 그야말로 천군만마였습니다. 그 뜻을 잘 아시겠지요?

● 『태백산맥』을 읽고 왜 그런 소설들을 '대하소설'이라고 하는지 실감했습니다. 마치 배를 타고 긴 강을 흘러 내려가는 것 같았으니까요. 그런데 그 긴 소설, 그 많은 인물이 등장하는데 정작 작가는 구성 노트가 없다고 했습니다. 그게 어떻게 된 일인지요. 도무지 믿을 수가 없습니다.

강현우 · 경희대

● 예, 『태백산맥』에는 '구성 노트'가 따로 없습니다. 또 『아리랑』과 『한강』에도 없습니다. 이 사실을 양성희 씨가 그렇듯 아무도 믿으려 하지 않습니다.

저에게 구성 노트가 없다는 것을 처음 안 사람들은 저를 취재하려고 온 기자들이었습니다. 기자들이 가장 먼저 보고 싶어 했던 것이 구성 노트였습니다. 그 기분을 잘 이해합니다. 대하소설은 어떤 모양으로 구성되어 나갔는지 보고 싶었겠지요.

"그런 것 없소."

저의 대답이었습니다.

"예에에……?"

기자들은 하나같이 놀랐습니다.

"구성은 다 머릿속에 들어 있어요."

"……"

기자들은 더욱 놀랐습니다.

그게 사실이라는 것을 증언한 것은 제 아내였습니다.

놀라움을 풀지 못하는 기자들에게 제가 내 보인 것은 A4용지 석 장이었습니다. 거기에는 주인공들의 이름과 나이만 적혀 있었습니다. 그 종이는 처음에 한 장이었는데 자꾸 주인공들이 늘어나고, 종이 질이 나빠 누렇게 변색되면서 쉽게 찢어질 위험이 있어서 질 좋은 모조지 두 장을 이어 붙여서 주인공들을 새집으로 이사시킨 것이었습니다.

"그게 어찌 가능한 일입니까. 수많은 주인공들에 따라 사건들이 복잡하게 얽히고설키고, 이야기의 줄기가 수없이 갈라지고 또 갈라지는데요."

기자들의 질문은 계속됩니다.

"그거……, 글을 쓰려고 마음먹을 때부터 정신은 한 곳으로 집중되고, 자나 깨나 그 생각에만 몰두하게 되면 그게 별로 어렵지 않게 되어 갑니다."

"그래도 그렇지, 열 권이나 되는데요. 어떤 작가는 한 권짜리 장편소설을 쓰는 데 구성을 하려고 노트 한 권이 다 들었다고 하고, 또 어떤 사람은 서재 한쪽 벽 전체에 모조지를 다 붙였다고도 합니다. 그런데 선생님은 어떻게 머리로만 그게 가능합니까."

"그야 개인의 차이고, 아마 습관의 차이가 큰 것 같습니다. 저는 처음에 중·단편을 쓸 때부터 구성 노트가 따로 없이 머릿속에서 구성이 다 이루어졌습니다. 그것이 습관이 되어 대하소설에도 구성 노트가 필요 없었던 거지요."

"그 많은 주인공, 그 많은 사건들이 혼란이 일어나지 않고 소설이 전개되어 나간다 그겁니까?"

정신 집중과 숙달의 경이

저는 계속 믿지 못하는 기자들에게 마지못해 A4용지 묶음을 내보입니다. 그건 기자들이 원하는 구성 노트가 아니라 한 장(章)이 끝날 때마다 그 장의 줄거리를 요약해놓은 메모지들일 뿐입니다. 그건 다음 이야기를 써나가기 위해 앞에 쓴 이야기들을 살피기 편하게 하기 위한 조처입니다.

상식적인 얘기지만 주제와 소재가 정해지면 구성은 그때부터 자동으로 이루어지기 시작합니다. 그때 아주 빠른 속도로 전체 얼개가 짜이게 됩니다. 그것이 1단계 구성일 것입니다. 그다음 필요한 책들을 구하고, 섭렵하면서 구성은 차츰차츰 구체화되어 나갑니다. 그것이 2단계일 것입니다. 그다음 단계로 현장 취재를 하면서 구성은 더욱 치밀해집니다. 그것이 3단계입니다. 그리고 책들과 현장 취재수첩들을 총정리하면서 이야기는 한층 더 조밀하게 짜이게 됩니다. 그것이 4단계인데, 이때는 주인공들이 대부분 설정되어 있습니다. 그리고 마지막으로 5단계의 총정리가 이루어집니다. 이때는 전체의 사건과 그에 알맞은 인물들의 역할까지 머릿속에 정연하게 정리되어 빨리 글로 씌어지기를 바라고 있습니다. 그 명료함은 밤하늘에 반짝이는 별들 같거나, 훈련 잘된 병사들의 사열 행렬 같습니다. 그러니까 제게는 취재 노트는 많은데, 구성 노트는 따로 필요 없는 것입니다.

저는 현실 속의 사람의 이름을 외우는 데는 둔재고, 사람의 얼굴을 기억하는 데는 백치입니다. 그런데도 소설 구성을 하는 데는 아무리 작은 사건이라도 놓치는 실수를 한 번도 한 일이 없고, 아무리 사소한 역할의 주인공이라 하더라도 빼먹는 실수를 한 적이 없습니다. 그건 관심과 무관심의 차이고, 무신경과 집중의 차이입니다.

인물과 사건에 비해 그 사건들이 전개되는 장면들은 그보다 훨씬 더 많습니다. 글을 쓰는 동안 그 장면 하나하나가 다 머릿속에 생생하게 살아 있는 대신 실제로 만난 살아 있는 사람들의 얼굴이나 이름은 거의 기억하지 못합니다. 며칠 전에 몇 시간씩 인터뷰를 한 기자를 못 알아보고, 명함 받고 함께 식사를 한 사람을 알아보지 못한 실수는 비일비재합니다. 소설 속에 빠져 있다 보니 그들은 멀리 흘러간 구름이고, 언뜻 스쳐 지나간 바람일 뿐인 것입니다. 이런 식으로 살기에 문인들의 비사교성은 너무 당연하고 자연스러운 것인지도 모릅니다.

앞으로도 없을 구성 노트

제가 『태백산맥』 『아리랑』 『한강』을 쓰는 20년 동안 그렇게 저지른 실수가 얼마인지 셀 수가 없습니다. 그래서 『한강』 뒤에 붙인 작가의 말에서 공개 사과를 했던 것이지요.

"오늘이 세 번째입니다. 다음에 또 못 알아보실래요?"

고향 후배인 이 아무개 시인이 어느 자리에서 이렇게 통을 놓았습니다.

저는 정신을 번쩍 차렸고, 그다음에는 제가 먼저 그 시인에게 알은체를 한 일도 있습니다.

그 사람은 그나마 고향 후배라는 인연이라도 있으니까 그렇게라도 말했겠지만, 제가 두 번째 알아보지 못해 불쾌해하며 영영 얼굴을 돌려버린 분들이 어디 한둘이겠습니까.

"당신은 천상 문학 하기 잘했어요. 그래가지고 이 세상 어찌 살아가겠어요."

아내의 말에 저는 그저 고개를 끄덕입니다.

문학이 주는 정신 집중의 효과, 저는 그것에 만족을 넘어서 황홀함까지 느끼며 그 어떤 직업도 부러워하지 않습니다. 저는 지금 열 살인 큰손자 재면이가 장가를 가서 낳아주는 증손자를 안아보고 죽을 인생 종합계획을 완료했습니다. 그 계획에 따라 앞으로 15년쯤 더 글을 써 열 권쯤의 소설집을 낼 작정입니다. 그 소설들도 물론 구성 노트 없이 쓸 것입니다. 구성 노트가 필요하게 될 때면 그때가 작가 수명의 끝이겠지요. 그때는 미련 없이 필을 놓겠습니다.

　구성 노트가 없어서 혹시 '옥에 티' 같은 것을 발견하지 않았느냐는 질문도 있습니다. 제 소설에 우연의 일치가 있었나요? 인물이나 사건의 실종이 있었습니까? 여러분께서 찾아주시면 감사히 바로 고치겠습니다.

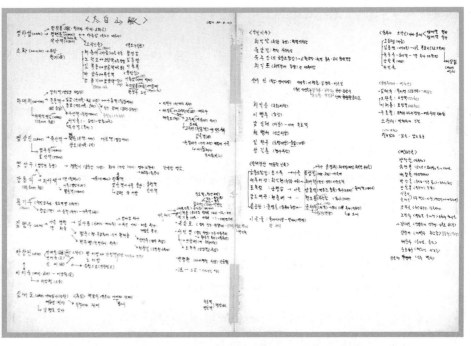

『태백산맥』에 등장하는 인물들의 이름과 나이가 적힌 A4용지.
작가는 '구성 노트'도 없이 이 메모를 토대로 열 권 분량의 대하소설을 완성했다.
왼쪽이 처음 썼던 인물 기록장, 오른쪽이 인물이 늘어 새로 만든 것.

● 『태백산맥』에는 세상을 보는 눈을 완전히 바꾸어놓을 정도로 우리가 모르는 이야기가 많이 나옵니다. 그 취재는 어떻게 이루어지는 것입니까. 전두환 정권 때라 어려움도 많았을 것 같은데요.

남동우 · 중앙대

● 『태백산맥』의 시대적 배경이 되는 1945년 해방부터 1953년 휴전까지 8년 동안을 1980년대 후반 무렵부터 '해방 공간'이라고 부르기 시작했습니다. 왜 1980년대 후반부터 그렇게 부르게 되었을까요? 그럼 그 전에는 아무 명칭이 없었다는 건가요? 그렇습니다. 아니, 왜 그랬나요? 설명 없이도 눈치 채실 수 있을 것 같은데요…… 역사학자들은 많았지만 그 시대를 연구하는 사람들은 거의 없었기 때문입니다.

그 8년의 시대는 우리의 현대사 중에서 가장 치열한 시대, 가장 복잡한 시대, 가장 격동의 시대, 가장 혼란한 시대였습니다. 그러면 더 많은 역사 연구가 이루어져야 정상입니다. 그런데 연구자가 없었다니요.

그 시대 연구에 나섰다가 자칫 잘못하면 국가보안법에 걸려 쇠고랑을 차게 됩니다. 그때의 국가보안법의 위력은 조봉암의 목에 올가미를 걸어 저승객이 되게 했습니다. 그 시대는 연구자들에게 역사의 지뢰밭이었고 역사의 늪지대였습니다.

저는 역사 연구자가 아니기에 작가로서 그 지뢰밭을 통과하고, 늪지대를 건너가려 하고 있었습니다. 30년이 넘는 세월이 지났지만 국가보안법의 서슬은 전혀 변함없이 시퍼랬습니다. 그 서슬 아래서 사회주의 활동을 했거나 빨치산 투쟁을 했던 사람들은 전부 모습을 감추어 '지하의 생명'이 되어 있었습니다. 심해의 물고기처럼 어디론가 꼭꼭 숨어버린 그들을 찾아낸다는 것은 난감하고 막막한 일이었습니다.

역취재의 효과

"혹시 누구 빨치산 활동했던 사람 아는 사람 있어요?"

주위 사람들부터 더듬기 시작했습니다. 며칠 애를 썼지만 아무 성과가 없었습니다. 저를 이상하게 보는 눈길만 저의 온몸 가득 꽂혀 있었습니다.

궁리궁리한 끝에 저는 한 가지 방법을 찾아냈습니다. 소설 무대가 될 지역에서 당시의 토벌대원을 만나는 방법이었습니다. 경찰서의 힘을 빌리면 그들을 쉽게 만날 수 있고, 그들을 취재하다 보면 자연스럽게 빨치산의 실태가 파악될 것이기 때문이었습니다.

제 계획은 적중했습니다. 토벌대장이나 토벌대원은 먼 기억을 쉽게 되살려냈고, 빨치산에 대한 생생한 이모저모가 모아지기 시작했습니다.

"열에 아홉이 불쌍한 농민이었어요. 우리가 토벌을 하면서도 가슴 아팠지요."

"잘못된 지주 소작제가 병이었지요. 토지개혁만 잘되었더라도 그 사람들 입산 안 했어요. 그거야 우리 눈앞에 빤히 보이는 문제 아닙니까."

"농부들이 아무것도 모르면서 휩쓸렸다고 말하는 건 안 되지요. 하나밖에 없는 목숨 걸고 싸우는 게 무슨 장난인가요? 소작인이 학교 공부 못 배웠다고 세상 물정도 모르는 줄 아세요?"

그들이 무심코 하는 이런 말들은 귀가 번쩍 뜨이는 뜻밖의 수확이었습니다. 그 말들은 소설의 중추를 이루게 될 사회 갈등의 핵심이고, 그 원인 파악이면서, 명백한 입산 이유였습니다. 그 몇 마디 말은 사회과학 서적 어디에서도 찾아내기 어려운 진실의 무게를 압축적으로 담고 있었습니다. 앞에서 말한 대로 그 시대의 연구가 전무한 상태였으니까요. 그리고 문학계에서도 분단소설을 평하며, '당시의 농민들은 무지해서 이념이 무엇인지 몰랐고, 그저 감정적으로 휩쓸렸다'는 평론가들의 말이 정설로 통하고 있었습니다.

저는 그런 평을 볼 때마다 그게 아니라고 생각했고, 그게 아닌 것을 설득력 있게 쓰고 싶었지만, 중·단편으로는 가능하지 않았습니다. 그게 아니라는 생각은 제가 초등학교 5, 6학년 때 보고, 듣고, 깨달았던 사실에 근거한 것이었습니다.

그런데 저는 30여 년이 지나 소설 취재를 하면서 어린 시절의 생각이 틀림없다는 것을 확인하고 있었습니다. 그리고 토벌대원을 취재하면서 얻은 또 하나의 큰 수확은 빨치산 출신이 어디 산다고 귀띔 받는 것이었습니다.

숨 쉬는 미라, 인간 화석

조심스럽게 빨치산 출신을 찾아갔습니다. 그러나 토벌대원을 만나는 것과는 정반대였습니다.

"잘못 찾아왔소."

"그 사람 진작 죽었소."

"아무것도 모르오."

"어서 가시오. 누구 또 죽이려고."

그 사람들한테서는 단 한 마디도 들을 수가 없었습니다. 그들은 파삭 늙은 것만이 아니었습니다. 공포에 사로잡혀 사람으로서 기가 다 빠져버렸고, 새로 닥칠 두려움에 떨면서 아무 말도 하려고 하지 않았습니다. 그들은 가까스로 목숨이 붙어 숨 쉬는 미라였고, 인간 화석이었습니다.

저는 어느 정도 예상했던 일이라 실망하지 않았고, 첫술에 배부르길 바라지도 않았습니다. 몇 번이고 만나게 되면 그들도 입을 열게 되리라……, 저는 천리길을 그냥 돌아왔습니다.

겨울이 지나고 한 사람을 찾아갔습니다. 뿌리가 깊은 기침을 자주 했던 그 사람은 겨울과 함께 저세상으로 떠나고 없었습니다.

"그 양반 잘 갔어요. 아들한테 지지리 천대만 받고 살았는데. 되지도 않을 일 괜히 입산을 해가지고 대대로 망했지."

옆집 할머니가 혀를 차며 제게 뜻 모를 손짓을 했습니다.

또 한 사람은 몇 달 만에 다시 찾아갔더니 중병이 들어 어디론가 이사를 가고 없었습니다. 저는 이렇게 허탕을 치며 천리길을 오갔습니다. 그러나 그 발길이 부질없는 것이 아니었습니다. 소설을 깊이깊이 생각하는 구상의 시간이었고, 또 다른 정보와 연결되는 기회이기도 했습니다. 그런 발길을 따라 숨은그림찾기는 한 매듭씩 풀려가고, 수천 조각의 퍼즐은 하나씩 하나씩 맞춰지고 있었습니다.

한번은 지리산 노고단을 부랴부랴 찾아갔습니다. 빨치산 남부군 총사령관 이현상 부대의 문화공작대 여자 빨치산 하나가 이현상을 비롯한 빨치산의 합동 제사를 지내려고 1년에 한 번 지리산에 온다는 것이었습니다. 그런데 여의도 어디에 사는 그 여자의 주소를 노고단 산장

지기가 안다는 거였습니다.

"커피나 한 잔 드시고 가시지요."

산장지기는 향기 짙은 커피 잔을 내밀며 싱그레 웃을 뿐 끝내 입을 열지 않았습니다. 그가 거부하는 것이 아니라 가르쳐줘봤자 그 여자가 만나기를 거부할 것이라는 뜻으로 알고 발걸음을 돌릴 수밖에 없었습니다. 지리산 줄기줄기를 맘껏 구경하며 마음에 담은 것이 또 다른 취재였습니다.

취재는 어렵고 더뎠지만 취재수첩은 자꾸 늘고 있었습니다. 그것은 바로 소설의 태아였습니다.

● 『태백산맥』의 소년 전사 조원제의 모델이 『민족경제론』의 저자 박현채 선생이라
고 합니다. 그게 어떻게 된 사연인지 궁금합니다. 그리고 빨치산과 관련된 작품으
로 이태의 『남부군』과 이병주의 『지리산』 등이 있습니다. 이들 작품과 『태백산맥』
이 혹 무슨 관련이 있는지요. 비슷한 시기에 나와서 생기는 궁금증입니다.

권지은 • 경희대 정치외교학과

● "와따메, 해방 직후 사회 문제의 핵심이 농민 허고 농토라는 것을
어찌 그리 딱 알아부렀드라냐! 참말로 용허당께로."

"거 참 요상허당게. 백아산을 한 번 보고는 워찌 그리 사진 찍데끼
딱 써부렀냐. 재주는 따로 있는갑서 이."

박현채 선생이 겨우 예순하나 그 아까운 나이에 떠나신 지 어느덧
13년이 되었습니다. 그런데도 어느 길목에서나, 계절이 바뀌는 어떤
날이면 문득문득 선생님의 그 어기차면서도 정다운 음성이 들리고는
합니다.

앞의 첫 번째 말은 제가 『태백산맥』에서 '해방 공간'의 사회 갈등과
충돌, 그것이 급기야 내전으로 치달을 수 있는 가장 큰 요인으로 다루
었던 문제였습니다. 국민의 80퍼센트가 농민, 그중의 80퍼센트가 소
작인인 나라에 해방이 왔습니다. 해방은 새 세상을 뜻했고, 국민의 절
대 다수를 차지하는 소작인은 새 세상에 어울리는 생존 조건을 요구
했습니다. 그것은 바로 소작인의 신세를 면하는 것, 농토의 무상몰수

무상분배였습니다. 그 요구가 실현되지 않으면 한반도가 미·소에 의해 분단되지 않았더라도 세상은 뒤집히게 되어 있었습니다. 그것은 곧 내란(내전)입니다. 저 먼 당나라 때부터 일러왔습니다. '백성은 바다고 권세는 그 위에 뜬 일엽편주다.' 그 진리에 입각해, 백성을 굶주리게 하면 동서양의 모든 권세는 성난 바다의 파도에 휩쓸려 흔적도 없이 사라지고는 했습니다.

새 욕구가 분출하는 '해방 공간'에서 자신들도 한번 사람답게 살고 싶은 생존권 요구가 관철되지 않으면 농민은 언제든지 폭발할 수 있는 화약고였습니다. 저는 그 점을 『태백산맥』의 핵심 주제로 해서 소설을 전개해나갔고, 그 점을 가장 빨리 발견하고, 그 중요성을 최초로 인정해준 사람이 박현채 선생이었습니다.

"모든 지식인이 이데올로기에 쏠려 분단의 열쇠를 찾고 있을 때 조정래는 엉뚱하게 그 열쇠를 '농민들'에게서 찾으려고 했다. 그래서 그는 긴 소설을 통해서 우리에게 끈질기게 농민의 문제를 제시하며 읽게 한다. 그의 이야기들은 우리의 마음을 이끌고, 그의 이야기를 따라가다가 우리는 끝내 설득당하고 만다. 감동을 동반한 그 설득에 우리는 이의를 제기할 수 없고, 이의가 없으니까 그의 이야기는 승리한 논리가 된다. 그의 분단 내인론은 그렇게 탄생되었다."

경제학자 정운영 씨가 쓴 글입니다. 그는 '농민 문제의 중요성'을 발견한 두 번째 사람이었습니다.

그 두 분은 나이 차이는 좀 있지만 묘한 공통점이 있습니다. 두 분 다 서울 상대 출신이고, 예순한 살에 세상을 떠난 것입니다. 옛날부터 예순한 살에 환갑잔치를 했던 것은 무언가 범상치 않은 뜻이 있었던 게 아닌가 싶기도 합니다.

그런데 일찍이 그 농민 문제를 설파한 이가 있었습니다.

'이 나라의 가장 큰 모순은 수탈적인 농지 소유관계다.'

이건 누가 한 말일까요. 조선 5백 년사에서 오늘날 가장 존경받는 임금이 세종대왕이라면, 그이는 가장 존경받는 학자며, 베트남 해방의 아버지 호치민의 책상에 그분의 책이 꽂혀 있었습니다. 그분은 『목민심서』의 저자 다산 정약용 선생입니다.

박현채 선생은 광주서중학교 저의 선배입니다. 그 사실을 알게 된 순간 '조형'이었던 호칭은 금세 '니'로 변해버렸습니다. 그리고 그 호칭만큼 서로 마음속 저 깊은 곳까지 보여주기 시작했습니다. 그 마음 밑바닥까지 드러낸 이야기들이 『태백산맥』에 담겨 있습니다. 『태백산맥』 후반부를 이루는 빨치산 이야기들은 선생의 천재적인 기억력에 의한 증언이 큰 도움이 되었습니다. 앞에서 빨치산 출신에 대한 취재의 어려움을 얘기했습니다. 그런 답답한 상황에서 빨치산 평대원도 아니고 문화부 중대장을 지낸 간부를 만났으니 그것은 길을 가다가 다이아몬드 덩어리에 걸려 넘어진 격이었고, 길에서 주은 복권이 1등 당첨된 것이나 다름이 없었습니다.

몇몇 평론가는 '『태백산맥』이 이태의 『남부군』에 빚진 바 크다'고 썼습니다. 그러나 그건 사회적 사건에 대한 직시도 하지 않고, 정확한 사실 확인도 거치지 않은 무책임한 글입니다. 그 글이 말하는 바는 '『태백산맥』의 빨치산 부분은 이태의 『남부군』 덕을 많이 봤다'는 지레짐작입니다. 그러나 사실은 그 반대입니다.

그 사연은 이렇습니다. 제가 『태백산맥』 1부의 중간쯤을 쓰고 있던 1984년 말쯤에 동료 소설가 백시종 씨가 3천여 매 정도의 복사 원고를 보내왔습니다. 지금 쓰는 소설에 좀 도움이 될지도 모르니 한 번 살펴

보라는 편지가 들어 있었습니다. 그러나 그 원고는 이미 다른 소설가 몇 사람도 읽었으니 알고 있으라는 단서도 붙어 있었습니다. 퍽 신중한 태도가 아닐 수 없었습니다.

이상야릇한 원고 거래

저는 그 원고를 보자마자 그야말로 눈이 번쩍 뜨였습니다. 이건 내가 그렇게 목마르게 찾아 헤매던 빨치산 이야기가 아닌가! 아무리 잡으려고 애써도 빨치산의 실체는 뿌우연 안개 저편에 가려 흐릿흐릿 가물가물할 뿐이던 그때 그 원고 뭉치는 그대로 보물 덩어리였습니다. 앞의 몇 장이 떨어져나가 제목도 알 수 없는 원고이기는 했지만, 문장은 별 손색없이 틀이 잡혀 있었고, 내용도 아주 구체적이어서 읽어갈수록 실감이 났습니다. 그런데 앞부분 몇 장이 떨어져나가고 없어서 그 글의 필자가 누구인지 전혀 알 수가 없었습니다. 필자는 원고를 다 읽은 다음에 찾아도 될 일이었습니다.

저는 숨 가쁘게 탐독을 했습니다. 그리고 다시 읽으며 취재수첩에 빽빽하게 기록해나가기 시작했습니다. 제 머릿속에서는 장면, 장면들이 영상화되며 마침내 소설 구성이 생생하게 이루어지고 있었습니다. 시쳇말로 '발동'이 걸린 것입니다. 이런 상태는 작가에게 아주 중요한 의식의 작동으로, 무당으로 치자면 굿판에서 서서히 신 내림이 이루어지는 뭐 그런 상태라 할 수 있을 것입니다.

그런데 『태백산맥』 2부를 거의 마쳐가던 1987년 하반기에 느닷없는 사건이 터졌습니다. 그 원고가 6·10 항쟁에 뒤따른 노태우의 '6·29 항복 선언'의 물결을 타고 『남부군』이라는 제목으로 출판되고 말았던 것입니다. 저는 큰 충격을 받았습니다. 9·28 수복 이후부터 전개되는 빨치산 투쟁이 소설에 나오려면 아직 멀었고, 저는 2부를 쓰고 있느라고 정신이 없어서 그 원고의 필자를 찾는 일은 느긋하게 뒤로 미뤄두고 있었기 때문입니다. 저는 비로소 그 필자가 '이태'라는 것을 알았습니다.

그런데 『남부군』은 저만 난감하게 만든 것이 아니었습니다. 또 한 사람 소설가를 참혹하게 몰락시키는 사건을 빚어냈습니다. 다름 아니라 《동아일보》가 이태 씨의 인터뷰를 통해서 소설가 이병주 씨가 그의 소설 『지리산』에 『남부군』을 그대로 도용했다고 대서특필을 한 것이었습니다. 그에 대해 이병주 씨는 원고를 도용한 게 아니라 정당하게 원고료를 지불하고 산 것이라고 액수까지 밝히는 글을 썼습니다.

결국 이병주 씨의 『지리산』 일곱 권 중 뒤의 두 권은 이태의 『남부군』 그대로라는 것이 확인되었습니다. 그것이 표절인지 도용인지 독자로서는 알쏭달쏭 구분하기 어려운 사건이었는데, 두 사람 사이에 원고를 사고파는 이상야릇한 거래가 이루어진 것은 사실이었습니다.

저는 지난날 열심히 메모해두었던 취재수첩을 미련 없이 찢어버려야 했습니다. 제 앞에는 다시 취재를 시작해야 할 암담함이 닥쳐와 있었습니다.

천군만마가 따로 있으랴

"조정래가 누구여? 나랑 잠 만났으면 쓰겄는디."

이 말을 앞세워 출판사에서 연락이 왔습니다.

"나 박현채라고 허요. 근데, 소설 참 맛나게 잘 썼습디다 이. 아조 재미지게 읽었는디, 앞으로 빨치산 야그가 본격적으로 나와야 쓸 것 같등마, 워째, 나가 그짝얼 쪼깨 아는 것이 있응께로 들어볼 맴이 있소?"

그 투박한 진짜배기 전라도 사투리가 하고 있는 말이 무엇인가! 빨치산 얘기를 해주겠다는 것이 아닌가! 저는 솟구치는 반가움을 그대로 드러내며 대답했습니다.

"예, 예, 그런 분을 찾고 있었던 참입니다."

"잉, 그러문 마침 잘되았소. 내 자서전 대신 써준다고 생각허고 내 이약얼 듣도록 허면 되겄소."

이렇게 홀연히 제 앞에 나타난 경제학자 박현채. 빨치산 간부 출신에, 중학교 선배고, 특출한 기억력을 가진 데다, 먼저 경험담을 얘기하고 싶어 하니 그보다 더 잘 어울리는 찰떡궁합이 어디 있을 것인가. 그 흔한 천군만마(千軍萬馬)라는 말, 박현채 선생이 제 앞에 출현한 것을 표현하는 데 이보다 더 잘 어울리는 말은 없을 것입니다.

저는 수시로 박 선생의 사무실을 찾아갔습니다. 그때마다 선생은 하던 일을 중단하고 반갑게 말상대를 해주고는 했습니다. 그런데 그곳은 빨치산 이야기를 할 만한 안전지대가 아니었습니다. 선생은 그때까지도 한 달에 두 번씩 중부서 형사가 가져오는 동향조사서에 꼭꼭 도장을 눌러야 하는 신세였습니다. 선생은 얘기에 열중하다가 문득 중단하기도 했고, 사무실로 들어서는 저에게 빠른 눈짓을 하기도 했습니다. 형사 나으리께서 왕림하신 때문이었습니다. 그래서 이 다방 저 다방 구석 자리를 찾아다닐 수밖에 없었습니다.

박 선생은 증언만 때와 장소를 가리지 않고 해주신 것이 아니었습니다. 그 멀고 험한 지리산의 현장 취재도 언제 어느 때나 싫은 기색한 번 하지 않고, 모든 일 다 젖혀두고 흔쾌하게 배낭을 지고 나서고는 했습니다.

"잘 써라 잉. 니는 아조 큰일을 허고 있는 것잉께."

길을 나설 때면 선생은 이런 말을 나직하게 하고는 했습니다. 그건 당신이 왜 그런 고생을 마다하지 않는가를 표현하는 말이기도 했습니다. 선생은 제 소설을 통해서 사회주의자나 빨치산들이 '뿔 돋친 도깨비들이다' '흡혈귀나 드라큘라다' '살인마고 악당들이다' 하는 반공주의적 누명을 벗을 수 있기를 기대했던 겁니다.

박 선생은 지리산 준령을 넘고 넘으며 수많은 이야기를 해주었습니다. 아무도 엿듣는 사람이 없고, 옛날의 비극이 점철된 현장에 들어서 있으니 선생의 이야기는 깊은 회한과 함께 실타래 풀리듯 풀려 나오는 것이었습니다.

세석평전의 드넓은 분지에 가을 달빛이 넘치고 있었습니다. 소주잔에 담긴 달빛까지 마시며 선생의 슬프고 안타까운 이야기는 자정을 넘기고 있었습니다.

"여기 세석평전에서 경남도당이 몰살을 당해부렀어야. 밑에서는 포위한 군경이 밀고 올라오고, 우에서는 비행기가 네이팜탄을 퍼부어서 대는디 워쩔 수가 있었겄냐. 시체가 늘핀허니 여그럴 다 덮어부렀제. 여그서 지천으로 피는 철쭉은 그냥 철쭉이 아닌 것이여."

깊은 한숨으로 선생의 목은 메이고, 두 볼에는 굵은 눈물이 소리 없이 흘러내리고 있었습니다.

그날 밤 과음하신 선생은 발을 헛디뎌 한 길 넘는 낭떠러지로 곤두박이고 말았습니다. 그 사고로 선생은 목을 다쳤고, 침을 맞으며 서너 달 치료를 해야 했습니다. 저는 죄송스러움으로 어찌할 바를 몰랐습니다.

그런데, 저는 염치없고 뻔뻔스럽게도 또 지리산을 가자고 했고, 선생은 또 씩 웃으며 "가야제" 하는 것이었습니다.

선생은 산행에서나 식당에서나 음식을 남기는 법이 없었습니다. "묵어, 다 묵어. 배에 들어가면 다 소화되는 법이여." 선생은 옆 사람을 다그치는 것도 잊지 않았습니다. 그런 선생을 보고 사람들은 식탐이 많다고 했을지도 모릅니다. 그러나 그건 식탐이 아니었습니다. 감수성 예민하고 식욕 왕성했던 10대 후반에 빨치산 생활을 하며 사무치게 배고팠던 그 기억이 선생의 평생을 지배했던 것입니다. 그래서 늘 과식을 하고, 과식이 살을 찌게 하고, 살찐 몸이 고혈압을 부르고, 고혈압이 선생을 저세상으로 데려간 뇌줄중의 치명상을 입힌 게 아닌가 하는 안타까움을 지금까지도 떼칠 수가 없습니다.

소년 전사 조원제 탄생

"선생님, 선생님이 겪으신 일을 선생님을 주인공으로 해서 소설에 등장시키면 어떨까요?"

저는 어느 날 조심스럽게 입을 열었습니다.

"그려? 그것도 괜찮허겠제."

잠시 생각하고 나서 선생은 고개를 끄덕였습니다.

"그런데……, 선생님 이름을 그대로 써도 괜찮을까요?"

"내 이름을……?" 선생은 한동안 저를 빤히 쳐다보더니, "나야 영광이제만, 그거 긁어 부스럼 될지도 몰르는디? 글안해도 주목허고 있다는 소문잉께 니 조심혀야 써."

선생은 무겁게 고개를 저었습니다.

"예, 그러면 새 이름을 짓지요."

그래서 저는 며칠 궁리 끝에 '조원제'라는 이름을 지어냈습니다.

그 이름이 탄생한 사연은 이렇습니다. 그때까지 『태백산맥』에는 이미 2백여 명이 넘는 인물들이 등장하고 있었습니다. 그런데 '조씨 성'은 쓰이지 않았습니다. 뭐 특별한 이유가 있었던 것은 아니고, 제 성씨라서 무의식중에 제외해놓았던 모양입니다. 저는 제 애정과 신뢰의 표현으로 '박현채'를 대신하는 성을 '조'로 결정했습니다. 그다음 고민이 이름이었습니다. 끝 자를 우리 함안 조가의 항렬자인 '래' 자로 하자니 선배님을 저와 동급으로 취급하는 것 같아서 한 항렬을 높여 '제' 자로 했습니다. 그리고 나머지 한 자는 '빼어난 빨치산 박현채'를 의미해 '으뜸 원' 자를 쓴 것이었습니다.

"허! 작명허는 재주도 있구마 이."

제 설명을 듣고 박 선생은 환하게 웃었습니다.

거기까지는 순조롭게 좋았는데, 그다음에 아주 고약한 문제가 발생했습니다. 조원제 부분이 나오기만 하면 실존 인물 박현채가 앞을 딱 가로막으며 펜이 앞으로 나아가지 않는 것이었습니다. 늘 부리부리한 선생의 눈이 저를 똑바로 쳐다보고 있는가 하면, '아따, 나가 그리 애써감서 이약해줬는디도 겨우 요렇게밖에는 못 쓰는 것이여!' 하는 선생의 타박이 들려오기도 하는 것이었습니다. 선생의 모습을 떼치려고 애쓰며 파지를 내고 또 냈습니다.

가끔 독자들이 묻습니다. 『태백산맥』 중에서 어느 대목이 가장 쓰기 어려웠냐고. 그건 두말할 것 없이 '박현채 부분'이었습니다. 가장 쉬웠던 부분이 왈패 염상구 부분이었다면 박현채 부분은 그보다 열 배는 더 힘이 들었습니다. 주먹패 염상구는 제멋대로 거칠 것 없이 사는 인간이라 거의 파지를 내지 않고 써나갔습니다. 그리고, 그는 실재하지 않는 가공의 인물이니 신경 쓰고 눈치 볼 데가 전혀 없었습니다.

박현채 부분이 나올 때마다 저는 진땀을 흘리며, 당사자에게 검토

받게 될 글쓰기가 얼마나 어려운 것인가를 새롭게 절감하고 있었습니다. 그리고 어느 순간에는 그런 설정을 했던 것을 문득 후회하기도 했습니다.

"허허, 글재주라는 것이 참 묘헌 것이여. 나가 나오는 대목대목이 모두 가슴이 통게통게 험시로 첨 듣는 이약 같드랑께로."

소설을 끝까지 다 읽은 선생이 한 말이었습니다. 그보다 더 크게 후배를 칭찬하는 말은 없을 것입니다. 저는 비로소 소설을 다 쓴 해방감을 맛볼 수 있었습니다.

"나와는 사상이 다르지만, 당신네들이 추구하는 세상이 온다면 그 사람 수상감이오."

인혁당 사건으로 선생을 수사했던 검사가 선생의 후배를 조사하며 했던 말이었습니다.

선생은 준수한 인물에 강건한 체력의 소유자였습니다. 거기다가 천재적인 머리를 지니고 있었습니다. 또한 남자다운 기가 승했고, 논리적 원칙론을 바탕으로 결단력이 강했습니다. 그러면서도 인정이 많았고, 너그러웠으며, 사람을 폭넓게 이해하는 유연성을 가지고 있었습니다. 그분의 카리스마는 그런 모든 것들이 융합되어 피어나는 꽃이었습니다.

『태백산맥』 소년 전사 조원제의 실재 모델인 박현채 선생은 멀고 먼 지리산 취재여행에도 매번 동행했다. 1988년 겨울 지리산 임걸령에서.

● 작가의 대하소설 3부작 『아리랑』 『태백산맥』 『한강』은 우리 민족의 근현대사를 고스란히 담아낸 역작입니다. 이 작품들의 구상은 언제 이루어졌나요? 또, 그 실현 가능성을 믿으셨나요? 그리고, 21세기 오늘날의 대한민국을 배경으로 또 한 편의 대하소설을 쓴다면 이 시대의 어떤 모습을 가장 담아내고 싶으신가요? 끝으로, 작가가 이들 세 작품을 통해서 공통적으로 전달하고픈 시대를 관통하는 메시지가 있다면 무엇인가요?

이현정 • 한양대 경제금융학과

●   세 편을 쓰고자 하는 구상은 한꺼번에 이루어졌습니다. 왜냐하면 그 시대가 각기 특성을 가지고 있되, 연속성을 띠고 있어서 상호 이해의 관계를 내포하고 있었기 때문입니다. 그래서 『태백산맥』 『아리랑』 『한강』이라는 제목까지 다 정해두었습니다(아니, 『한강』은 막바지까지, 즉 작품 연재를 시작하기 직전까지 고민하게 만들었는데, 결정의 쐐기를 박은 사람이 시인 이문재 씨였습니다. "'한강', 좋습니다. 구태의연하지 않습니다. 오히려 신선하고 늘 푸르릅니다." 평소 말이 무겁고 신중한 이 시인이 전화 저쪽에서 단호하리만큼 자신 있게 말했습니다. 그것이 저에 대한 애정임을 잘 알고 있어서 저는 후배 시인의 감각을 그대로 믿고 따르기로 했습니다. 여러분께서는 그 고민의 이유를 다소 짐작하시겠지요. 예, 세 번째까지 이미 있는 고유명사를 쓰는 것이 과히 내키지 않았고, '한강의 기적'이라는 정권 홍보용 이미지가 작품에 좋지 않은 인상을 주게 될까 봐 걱정스러웠던 것입니다).

    우리 한반도는 호랑이가 포효하는 형상이라고 합니다. 그 호랑이의 등뼈가 곧 태백산맥입니다. 그 등뼈를 38선으로 한 번, 휴전선으로 또

한 번, 잘랐습니다. 그 분단으로 우리 민족은 죽음의 삶을 살 수밖에 없고, 그 허리를 이어야만 민족의 소생이 이루어지는 것입니다. 민족의 '허리 잇기'에 기여하는 작업, 그것이 『태백산맥』을 쓰는 일이었기에 제목을 '태백산맥'으로 하는 것은 필연이었습니다.

식민지 36년 동안 당한 핍박과 유린, 그에 맞선 저항과 투쟁을 그리는 것이 『아리랑』이었습니다. 그 슬프고 고통스러웠던 '식민지 시대의 애국가'가 아리랑이었습니다. 그러니 소설 제목이 '아리랑'이 되는 것은 너무 당연했습니다.

아무도 믿지 않았다

실현 가능성을 믿었느냐고요?

아니요, 아무도 믿지 않았습니다. 오로지 한 사람만 믿었습니다. 제 자신입니다.

"20년 전에 그랬을 때 모두 웃었어요."

"웃기만 해? 모두 정신 나갔다고 했지."

"그게 그 말이지요."

"그러게. 하여튼 지독해."

"그러니까 찔러도 피 한 방울 안 나오고, 앉은자리에 풀 한 포기 안 난다는 말을 듣죠."

"그런 말 갖고 되나? 한마디로 독종 중의 상독종이지."

"정말 무시무시해요. 그 세 가지를 그냥 베끼는 것도 불가능한 일인데……"

후배 문인의 빈소에 둘러앉아 문인들이 주고받은 말이었습니다. 그때 저는 비로소 제 주변 문인이 제가 세 편의 대하소설을 쓰겠다고 했었던 말을 전혀 믿지 않았다는 것을 확인할 수 있었습니다. 다만 저 혼자서만 세 소설을 써나갈 생각에 취해 남들의 웃음거리가 되는 줄도 모르고 이 사람 저 사람에게 그저 새로 쓸 소설에 대해 얘기하기에 여념이 없었던 것입니다.

저는 대하소설 세 편을 써낸다는 것에 대해 그야말로 추호도 불가능하다는 생각을 해본 적이 없습니다. 왜냐하면 저는 어리석을 만큼 제 자신을 믿는 데가 있었고, 경쟁이 아닌 제 스스로 하는 일에 대해서는 절대 실패가 없다는 확신을 저는 단순할 만큼 분명하게 가지고 있었기 때문입니다. 저는 그때까지 그렇게 제자신을 믿어도 좋을 만큼 빈틈없이 살아왔던 것이고, 한 번 세운 계획에 대해서는 늘 '초과달성'을 해왔던 것입니다. '초과달성'이란 박정희 시대에 즐겨 썼던 근대식 방법인데, 제게는 '자기 학대적 노력'을 의미합니다. 저는 그 노력을 하는 데 자신이 있었고, 그 노력의 결과로 초과달성을 이루면 그 성과와 함께 제자신에 대한 만족감으로 황홀한 성취감을 맛보고는 했습니다.

저는 세 편의 대하소설을 쓸 일을 앞에 두고, 그 일을 초과달성해서 맛볼 황홀한 성취감을 그리고 있었지 그 어떤 두려움이나 불안감 같은 것은 없었습니다(이 글을 쓰는 이 순간에 그때의 기분이 되살아나며 또 세 편을 더 쓸 것 같은 긴장감이 파동칩니다. 이런 것을 보고 주책이라고 하는 거겠지요).

세 가지 공통점

더 이상 대하소설은 안 쓸 테니까 세 번째 물음에 대한 대답은 생략하겠습니다(단 제주도 흑돼지 한 마리 잡아 정중히 예의 차려 한 수 가르쳐달라고 청하면 친히 가르쳐줄 의향은 있습니다).

세 작품을 통해서 공통으로 전달하고 싶은 메시지가 있느냐고요? 퍽 중요한 질문을 하셨습니다. 이런 질문에 대한 대답은 (아니, 질문이 나오기 전에 미리) 평론가들이 이미 정리하고 마련했어야 합니다. 그것이 평론가의 여러 임무 중의 하나입니다. 그러나 그 일을 한 평론가는 아무도 없었습니다. 그러므로 제가 답을 할 수밖에 없게 되었습니다.

세 작품은 그 시대가 다르고, 주인공들이 다르고, 제목이 다른 각기 독립된 작품입니다. 그런데도 세 작품을 관통하는 공통점이 있습니다. 물론 그 공통점은 작가의 의도에 의해 만들어진 것이고, 작가는 자신이 노력한 만큼 그것이 독자에게 전달되기를 바라고 있습니다. 그렇다고 소설 속에다 괄호 열고 (독자 여러분에게 전하고 싶은 공통점은 이런 것입니다) 괄호 닫고를 할 수 없는 것이 소설가의 안타까움입니다(세 소설 속에 그런 안타까운 대목이 한두 군데가 아닙니다). 그래서 평론가가 필요한 것이지요.

세 작품을 관통하는 공통점은 세 가지입니다.

역사의 주인이고 원동력인 민중의 발견, 민족의 비극인 분단과 민족의 비원인 통일의 자각, 민족의 현실을 망치고 미래를 어둡게 한 친일파 문제.

이 세 가지를 다 파악했거나 깨달았다면 당신은 만점짜리 독서를 한 것입니다. 그리고 둘만 깨달았다면 30점을 깎아야 합니다. 그런데 하나만 깨달았다면 어찌 되나요? 그러나 설마 하나도 파악하지 못한 건 아니겠지요?

만약 그랬다면 아까운 인생 낭비(몇 시간이 아니라 몇 달이 걸리셨으니)

에 막대한 금전 낭비까지 하신 것이지요. 그러나 제게 보상할 책임이 나 의무가 없으니 죄송할 따름입니다. 보상받는 방법은 딱 한 가지가 있습니다. 수고스럽더라도 다시 한 번 읽으시지요. 결코 손해날 장사 는 아니니까요. 허허허.

● 『태백산맥』의 마지막 장면에서 하대치 등은 살아남아 결의를 다지고 사라집니다. 그것이 제대로 조명 받지 못한 사회주의에 대한 안타까움이었습니까, 아니면 앞으로 그러한 기회가 올 수도 있다는 것을 내포하고 있는 것인지요?

이지혜 · 중앙대 경제학과

●   그 마지막 장면이 제가 고발당해 경찰 조사를 받을 때 가장 곤혹스러웠던 대목이기도 했습니다.

'그게 사회주의의 아침이 온다는 것을 암시하고, 사회주의는 반드시 승리한다는 것을 전파하는 것이 아니냐.'

이것이 저를 추궁하는 경찰의 시각이었습니다.

질문자의 궁금증과 경찰의 시각은 어떻습니까? 저는 이 질문을 받고 새삼스럽게 경찰의 시각이 곡해만이 아니라 꽤나 타당성이 있다는 것을 인정하지 않을 수가 없었습니다.

제가 만약 질문자의 궁금증이나 경찰의 시각을 가졌더라면 결코 그렇게 쓰지 못했을 것입니다. 그것은 바로 제 팔목에 쇠고랑을 채우는 어리석음이기 때문입니다. 저는 『태백산맥』으로 정치적 위해는 당할 수 있되, 제 스스로 쇠고랑을 차는 바보짓은 하지 않을 만큼 대비하고 있었습니다.

"그것은 이념의 아침이 아니라 인간의 아침입니다. 인간은 그 어떤 시대에나 인간답게 살기 위해서 수천 년에 걸쳐서 인간다운 세상을 만들려는 여러 가지 이념을 가져왔습니다. 그래서 인간을 이념의 동물이라고도 합니다. 그 20세기의 두 가지 이념이 자본주의와 사회주의입니다. 그런데 사회주의는 실패했습니다. 실패한 이념은 재생되거나 부활하지 못합니다. 왜냐하면 개도 조건반사를 하는데, 인간은 개보다 훨씬 더 영리하고 교활합니다. 그걸 역사가 입증합니다. 우리 인간은 앞으로도 인간다운 세상을 위하여 끝없이 새 이념을 만들어낼 것입니다. 그 인간의 아침을 표현하고 상징하는 것이 끝 장면입니다."

저는 이런 내용으로 말했지만 경찰의 귀는 열리지 않았습니다. 『태백산맥』에서는 40여 년 전 경찰의 횡포를 썼을 뿐인데 수사관은 지금 자신이 모독당하고 있는 것으로 여기는 그 생각을 바꿀 수 없는 것처럼.

사족: 많은 독자가 『태백산맥』의 참 주인공을 찾지 못해 헷갈려 합니다.

"그것 찾는 것 간단하지 않습니까. 영화에서 주인공 죽는 영화 봤습니까. 마지막까지 살아남는 게 누굽니까. 여섯 명 중에 이름이 있는 두 사람이 누굽니까?"

제 이 말에 독자들은 비로소 "아하!" 합니다.

염상진의 묘에 참배하는 여섯 중 여자는 하나입니다. 왜 그럴까요? 그것이 빨치산 중의 남녀 비율이라는 것을 설명하면 여러분의 수준을 너무 무시하는 모독이 되겠지요?

● 조정래 선생님의 『태백산맥』 『아리랑』 『한강』은 대작 중의 대작일 뿐만 아니라 분량도 매우 방대합니다. 그런데 그 긴 소설이 전혀 지루하지 않게 이어집니다. 소설의 모든 것이 작가의 창작이라면 그 강한 흡입력도 작가에 의해 만들어진 것이 분명합니다. 그 요령이 무엇인지, 어떤 방법을 쓰신 것인지 알고 싶습니다.

김희성 • 성신여대 국어국문학과

● 국문학과 학생다운 궁금증이고 물음입니다. 결론부터 말씀드리자면, 그 요령이나 방법은 넓게 '구성'에 포함될 것이며, 글을 쓰고자 하는 모든 사람들이 주시해야 할 창작실기가 될 것입니다.

대하소설에 대해 정설처럼 되어 있는 한 가지 중론이 있습니다.

'대하소설은 뒤로 갈수록 지루해진다.'

이것은 치명적인 결함입니다.

소설은 읽히려고 쓴 것인데 지루해지고 재미없어지면 어떻게 되겠습니까. 독자는 가차 없이 책을 덮어버립니다.

저는 세 편의 대하소설에 '무엇을 쓸 것인가' 하는 중요성에 못지않게 '어떻게 지루하지 않게 할 것인가' 하는 문제에 대해 고심했습니다. 소설에 제아무리 중대한 얘기를 담았다고 해도 지루하고 재미없어서 독자가 외면해버리면 공염불이 되고 마는 것입니다.

저는 오랜 고심 끝에 다음과 같은 것을 제자신에게 주입하기 시작했습니다.

집필 기간 최대한 단축

첫째, 집필 기간을 최대한 단축하는 것이었습니다. 왜냐하면 집필기간이 5년을 넘고, 10년을 넘으면서 작가는 도리 없이 늙어갑니다. 그세월의 힘은 작가만 늙게 만드는 것이 아니라 소설까지 늙게 해버리는 것입니다. 세월이 길어지면서 작가는 긴장이 풀리고, 늙음과 함께 지쳐갑니다. 그러니 소설이 뒤로 갈수록 지루해질 수밖에요. 그걸 막아내는 방법은 집필 기간을 최대한 단축하는 것밖에 없었습니다.

그럼 집필 기간을 최대한 단축하는 구체적인 방법이 무엇일까요?

첫째, 저는 술을 마시지 않기로 했습니다. 술이 무슨 상관이 있느냐고요? 들어보십시오. 만취하도록 술을 마시려면 하룻밤이 다 가버립니다. 그러나 그것으로 끝나지 않습니다. 만취는 반드시 숙취를 가져오고, 그 숙취는 다음 날 꼬박 하루를 잡아먹습니다. 그러나 숙취 또한 그것으로 끝나지 않습니다. 글을 쓸 컨디션이 되려면 머릿속이 투명하게 맑아야 하고 몸에 가뿐하게 탄력이 붙어야 하는데, 그리 되려면 또 하루가 꼬박 없어져야 합니다. 이렇게 되면 한 번 술을 마시는 데 며칠이 없어졌지요?

예, 사흘의 탕진으로 원고지 몇 장이 날아간지 아십니까. 하루 집필량이 평균 30장, 사흘이면 90장이 날아간 것입니다. 그 복구는 불가능합니다. 하루에 10장씩 더 쓰면 될 거 아니냐고요? 아니지요. 하루 평균 30장이란 12시간에서 14시간 동안 노동해서 얻을 수 있는 최대량이기 때문입니다. 그러니까 열 번 술을 마시면 원고지 몇 장이 날아가지요? 그건 며칠의 탕진이지요? 탕진한 만큼 집필 기간은 길게 늘어나게 되고, 그렇게 되면…… 소설 쓰는 걸 낭만적인 것으로 느껴오셨습니까? 미안합니다. 그 낭만을 깨서.

둘째, 하루의 집필량을 30장으로 정했습니다. 그리고 그것을 꼭 지키기 위해 한 달 집필량 합산표를 만들어 책상 위에 딱 놓습니다. 한 달 집필량 합산표가 뭐냐고요?

별것 아니고, 간단히 만들 수 있습니다. 원고지 한 장을 반으로 접어 자릅니다. 그것을 뒤집어 맨 위에 작품 이름을 씁니다. 그리고 왼쪽에 연·월을 표시합니다. 그다음 10일씩 세 줄로, 한 달을 표시합니다. 그리고 하루가 지날 때마다 그 숫자 아래에 그날의 집필량을 표시합니다. 그런데 1일(첫날)만 빼고 그 다음 날부터는 숫자가 두 줄로 표시됩니다. 윗줄은 당일 집필량이고, 아랫줄은 누계입니다. 그 손바닥만 한 종이 한 장이면 한 달 동안의 집필 현황이 한눈에 들어옵니다. 맨 끝 날의 아랫줄 숫자를 보면 한 달 집필량이 얼마인지 알 수 있는 거지요(그 집필량 합산표는 『아리랑』 문학관과 『태백산맥』 문학관에 전시되어 있습니다).

숨이 막힌다고요? 예, 이 세상의 모든 노동은 치열한 것을 요구할 뿐 감상적 기분을 허용하지 않습니다. 다만 그 노동에서 재미와 즐거움을 느끼느냐, 못 느끼느냐로 행·불행이 갈립니다. 저는 그 숨 막히는 노동의 세월을 '글감옥'이라고 표현했고, 그 노동을 하고 있을 때 가장 행복을 느끼는 것이었습니다. 어찌 그럴 수 있느냐고 묻지 마십시오. 그러니까 '작가'라는 직업으로 평생을 살아온 것 아니겠습니까. 그 숨 막히는 노동을 견딜 자신이 없으면 작가 되기를 원치 마십시오. 아니, 대하소설 안 쓰면 될 거 아니냐고요? 예, 그렇기도 합니다만, 일반 장편소설은 꼭 써야겠지요. 장편소설 쓰는 일도 그런 치열한 노동을 요구하기는 별로 다르지 않습니다. 집필 기간이 좀 짧을 뿐이지.

셋째, 소설이 잘 풀리지 않는다고 해서 다른 방법으로 기분 전환을 하려 하지 않고 더욱 책상으로 다가앉아 끝끝내 마음먹은 대로 써내고 책상에서 물러나기로 한 것입니다.

글을 쓰다 보면 뜻대로 될 때보다는 안 될 때가 훨씬 더 많습니다. 더구나 소설이 길면 길수록 그 일이 잦아지는 것은 더 말할 것이 없습니다. 작가들은 그 고통에 부딪칠 때면 잠시 머리를 쉬기 위해 곧잘 술을 마십니다. 어떤 작가는 그 정도가 너무 심해 어디론가 자취를 감추어버려 신문 연재가 중단되기도 하는 해프닝을 빚기도 합니다.

제가 그런 고통 앞에서 술 마시는 방법을 채택하지 않는 데는 분명한 이유가 있습니다. 첫째, 술이 결코 그 고민을 해결해주지 않기 때문이고, 둘째, 못된 버릇일수록 빨리 습관이 되듯이 그 고민을 자꾸 피하다 보면 자기도 모르게 습관이 되어버리기 때문이고, 셋째, 앞에서 말한 대로 술로 아까운 시간을 탕진할 수 없기 때문이었습니다.

흔히 술 마시기는 글쓰는 사람의 전매특허처럼 인식되고 있습니다. 그러나 그건 참 잘못된 인식이고, 문인의 엇나간 습관입니다.

어느 술자리든 지식이 많고 적고, 지위가 높고 낮고를 막론하고 술자리의 행태는 '남들 흉 보기'로 해롱해롱합니다. 평사원은 과장 흉 보고, 과장은 부장 흉 보고, 부장은 상무나 전무 흉 보고, 그런 식이지요. 문인의 술자리라는 것도 별다르지 않지요. 그 자리에 있는 사람들 빼고는 다른 사람의 작품은 다 '별것 아닌 것'으로 싸잡아 넘깁니다. 그때의 그 기백이란 관우나 장비도 당하기 어렵지요. 그런데 좌중의 한 사람이 화장실에 갑니다. 그러면 그사이에 누군가의 입에서 "저 친구 말이야, 저거 아주……" 하며 흉 보기가 시작됩니다. 흉을 잡히지 않으려면 화장실에도 가면 안 됩니다. 그게 대부분의 술자리 풍속도입니다. 그래서 예로부터 술자리의 쓸 만한 얘기는 아무리 추려보았자 조가비 하나가 못 된다고 한 것 아니겠습니까.

그리고 저는 등단을 하기 전에 '술은 문학적 고민을 풀 수 없고, 술로 풀리는 고민은 문학적 고민일 수 없다'는 결론을 내리고 있었습니다. 그래서 예전부터 고민을 풀려고 술에 의지한 적이 없으며, 술이 과한 후배에게 그 사실을 일깨우며 충고도 꽤나 했습니다.

그래서 저는 『태백산맥』『아리랑』『한강』을 쓰는 20년 동안 술을 한 번도 마시지 않았습니다. 많은 사람이 이 사실을 믿지 않고, 어떤 문인은 괴물 대하듯이 하기도 합니다.

리모컨을 이겨라

둘째, 리모컨과 싸워 이겨야 한다는 것이었습니다. 무슨 말이냐고요? 지금이 어떤 시대인지 아시겠지요. 지금은 텔레비전으로 대표되는 시대이고, 텔레비전 채널은 리모컨에게 지배당하고 있습니다. 사람들은 텔레비전 화면이 조금만 재미없어도 즉각즉각 리모컨 단추를 눌러 채널을 바꾸어버립니다. 그 시간은 '1초'일 뿐입니다. 그 1초의 간격이 현대인의 선택의 신속함인 동시에 '인내의 시간'입니다. 완전히 습관이 되어버린 그 짧은 인내의 시간을 글쓰는 당신은, 글을 쓰고자 하는 당신은 의식해본 적이 있습니까?

글쓰는 것과 그게 무슨 상관이 있느냐고요? 재미의 선택 앞에서 현대인의 의식은 리모컨의 속도에 완전히 습관이 되어 있으며, 그 습관은 그대로 책 읽기에도 적용된다는 사실입니다. 몇 줄이 재미없고, 더하여 한두 페이지가 재미없으면 리모컨을 누르듯 책을 덮어버리게 된다는 사실을 저는 응시하지 않을 수 없었습니다. 다시 말해서 현대인들에게 책을 읽힌다는 것은 리모컨과 싸워 이겨야 하는 것이라고 저는 인식했습니다.

저는 이 싸움에서 이기기 위해 첫째, 텔레비전에 못지않게 이야기를 빠르게 전개시키기로 했습니다. 그 방법으로는 한 장(章)을 원고지 100매에서 120매 이내로 잡는 것입니다. 그리고 장마다 단편소설을 한 편씩 쓰는 식으로 구성을 치밀하게 합니다. 그러면 그 구성의 치밀도에 따라 장면의 이동이 텔레비전을 비웃듯 빠르게 아루어집니다. 그리고 그 속도에 따라 작품의 긴장도 늦추어질 틈이 없으니 독자의 의식의 리모컨이 작동될 수가 없겠지요.

물론 그런 방법이 느긋한 마음으로 여유롭게 써나가는 것에 비해 작가를 훨씬 더 긴장시키고 고달프게 하겠지요. 그러나 독자의 의식의 리모컨이 작동될 수 없도록 그들의 영혼을 사로잡게 된다면 그 어떤 고달픔이나 괴로움도 달게 견딜 준비가 되어 있었습니다. 이 세상에 거저 되는 일이란 단 하나도 없고, 저는 독자를 감동시켜야만 직성이 풀리는 프로 작가니까요.

둘째, 등장인물들의 인상을 백지에 도장을 찍듯이 독자의 의식에 뚜렷뚜렷하게 각인시키기입니다. 이야기가 빠르게 전개되면 특히 초반에는 새 인물이 계속 등장하게 됩니다. 그런데 새 인물이 많을수록 독자는 혼란스러워집니다. 그 귀찮음은 곧 리모컨 작동의 원인이 됩니다. 이 위기를 탈 없이 넘기는 방법이 인물의 인상을 뚜렷뚜렷하게 박는 것입니다. 그것이 소위 '인물의 개성적 창조'가 되겠는데, 그것은 소설 성패의 결정적 요소이기도 합니다.

꼭 살아 있는 것처럼, 꼭 그 누구인 것처럼, 꼭 저기 가고 있는 것처럼, 독자들이 그렇게 느끼도록 인물들을 개성적으로 만들어내는 데는 갖가지 방법들이 있습니다. 그 다양한 방법에 대해서는 여러분이 소설을 통해서 자세히 접할 수 있습니다. 그러나 소설의 이야기에 정신이 팔리다 보면 인물 창조에 대한 세세한 부분을 놓치기 십상입니다. 그래서 자세히, 천천히, 유심히, '안광(眼光)이 지배(紙背)를 철(撤)하도록 읽으라'는 말이 생겨나게 된 것입니다. 일반 독자들이라면 별문제가 없지만, 소설을 쓰고자 하는 분들은 그 다양한 방법이 분별되고, 식별되고, 분석되어 내 것이 될 수 있도록 여러 번 읽어야 할 것입니다. 남이 아무리 분석적으로 분류하고 유형화해서 설명해주어도 그건 그 사람의 인식이지 내 것이 아닙니다. 실물 속에서 그 여러 가지 방법을 찾아내는 노력, 그것이 자기 것을 만드는 가장 좋은 요령이고, 효과가 가장 큰 첩경입니다. 막장에 서서 곡괭이질을 하는 광부만이 석탄을 캘 수 있습니다. 당신이 글을 쓰고자 한다면 당신은 언제나 막장에 서 있는 광부여야 합니다. 40년, 50년 글을 쓰는 작가도 한 문장을 쓸 때마다 한 번 곡괭이질하는 광부의 노동을 바치고 있다는 사실을 잊지 마십시오.

한 문장을 세 번씩 생각하기

셋째, 한 문장, 한 문장을 쓸 때마다 세 번씩 생각하고 쓰는 것입니다. 소설의 그 모든 사건, 그 모든 인물, 그 모든 이야기를 엮어 하나의 세계를 이루어내는 것은 결국 문장입니다. 벽돌 한 장, 한 장이 쌓여 큰 건물을 이루어내는 이치와 같습니다. 금 간 벽돌, 멍이 든 벽돌, 설구워진 벽돌이 중간 중간에 끼어들면 어떻게 되겠습니까. 마찬가지로 소설의 문장 하나하나도 그 어떤 흠이나 모자람 없이 완벽하게 연결되어야 합니다. 옷감을 짜는 데 한 오라기의 실이라도 잘못 섞이게 되면 그 꽃무늬는 망치게 되는 것과 꼭 같습니다.

그 완벽을 기하기 위해 저는 기본적으로 한 문장을 세 번씩 생각한 다음에 원고지에 적습니다. 처음 떠오르는 문장은 진행되는 이야기를 풀고 엮는 의례적인 것일 뿐입니다. 그 문장을 그대로 적으면 무개성하고 상투적인 문장의 나열에 지나지 않습니다. 그 문장을 자기만의 것으로 만들기 위해 다시 한 번 생각합니다. 그리고 자기의 개성과 문학성을 살리기 위해 또 한 번 생각합니다. 그 세 번째 곱씹기에서 만족하면 비로소 원고지에 옮겨 적습니다. 그 세 번씩의 되작거리기와 곱삭히기는 대장장이가 강한 쇠를 얻기 위해 몇 차례씩 담금질을 하는 것과 같습니다. 그렇게 하다 보면 문장 하나하나가 또릿또릿한 모습을 갖출 뿐 아니라, 앞문장이 뒷문장을 밀고, 뒷문장이 앞문장을 당기는 긴장과 탄력이 생기게 됩니다. 그 세 번씩의 곱씹기는 아주 짧은 시간에, 아주 빠르게, 자동기계가 움직이듯이 이루어집니다. 많이 써보면 그 자동적인 작동이 점점 빨라지고 원활해지는 것을 느낄 수 있습니다. 그게 무한 능력을 지녔다고 하는 인간의 뇌의 작용이겠지요. 그 신비스러움을 느낄 때, 그것이 고통 속에서 맛보는 즐거움일 것이고, 스스로 놀랄 만큼 좋은 문장이 나타났을 때 터지는 기쁨, 그것이 그 무엇과도 바꿀 수 없는 성취감이라는 것이겠지요.

그러나 모든 문장이 다 그 세 번씩의 되작거림으로 완성되는 것은 아닙니다. 어떤 대목에서는 열 번, 스무 번을 생각해도 마음에 드는 문장이 안 될 때가 있습니다. 파지를 몇 장씩 내도 문장이 마음먹은 대로 엮이지 않습니다. 그런 고비고비는 그 누구의 힘도 빌릴 수 없고 오로지 나 자신의 노력으로만 넘어가야 합니다. 땀을 삐질삐질 흘리며, 몸을 비비 틀며 몸부림치면 그 고비는 결국 백기를 들게 됩니다. 밖이 영하 12도, 담배를 너무 많이 피워 연기를 빼느라고 창문을 줄곧 열어두었으니 방 안도 영하 12도, 그 추위를 막느라고 내의를 겹으로 입고 털 조끼까지 입었습니다. 그런데 양쪽 겨드랑이에서는 땀이 뚝뚝 떨어져 내립니다. 이건 과장이 아니라 사실 그대로의 체험입니다. 그런 때가 바로 문장이 뜻대로 풀려나가지 않아 몸부림칠 때입니다. 문장 하나 가 마음먹은 대로 되지 않아 한나절이 흘러가버린 것을 뒤늦게 깨닫 는 것이 한두 번이 아닙니다. 그런 때 솟는 자기 회의와 자기 환멸은 참 견디기 어렵습니다. 그 회의와 환멸을 딛고 일어서는 것, 그것이 외 롭고 쓰라린 작가의 길입니다. 험난한 설산을 오르는 알피니스트가 헛발을 디디는 일이 어디 한두 번이겠습니까. 그러나 그는 끝끝내 정 상에 오릅니다. 아무리 어려운 고비라도 물러서지 않고 맞씨름을 하 고 덤비면 끝내는 자기가 원하는 문장을 만들어내게 됩니다. 그런 때 느끼는 성취감이야말로 작가 생활의 기쁨이고 새로운 활력이 됩니다.

저는 원고지에 글을 써나가는 데도 이상한 버릇이 있습니다. 문장이 맘에 안 들면 몇 번씩 파지를 내는 건 물론입니다. 그런데 문장이 잘못 된 게 아니라 글자 획수가 잘못되어도 원고지를 찢어버리고 새로 씁니 다. 글씨를 고쳐서 원고지가 지저분해지면 제 머릿속이 흐려지는 것 같 고, 제 의식이 혼탁해지는 것 같기 때문입니다. 그러니까 제가 쓴 처음 의 원고는 글씨 하나 고친 데 없이 깨끗합니다. 그리고 잡지사나 신문사 에 원고를 넘길 때는 이따금 고친 데가 나타납니다. 그건 퇴고를 거쳤다 는 흔적입니다. 그게 저의 결벽증이라는 것을 알지만, 고칠 생각은 없 습니다. 그래야만 제 영혼이 맑게 빛나고 있음을 느끼게 되니까요.

그래서 제 원고는 대한민국에서 가장 깨끗한 원고로 소문이 나기도 했습니다. 그뿐만 아니라 저는 연재 원고를 몇 달 분씩 미리 쌓아둡니 다. 하루 작업량을 정해놓고 어김없이 지켜나가다 보니 자연히 원고가 쌓이게 됩니다. 그래서 20년 동안 원고 독촉을 받아본 일이 한 번도 없었습니다. 저를 담당한 기자들은 놀고 먹은 셈이라고 해도 될까요? 그러니 저는, 원고를 제때 못 써서 이런저런 에피소드를 만들어낸 작가들에 비해 아무런 에피소드가 없으니 얼마나 무미건조한 작가입니까. 그런 저를 '매력 빵점'이라고 말하기도 하는 모양인데, 매력 있는 작가가 되기 위해 원고를 탈 낼 생각은 전혀 없으니 역시 '매력 빵점'인 것은 분명한 것 같습니다.

어쨌거나 세 소설 다 지루하다는 말을 듣지 않았으니 참으로 천만다행이고, 제 노력이 헛되지 않게 결실을 맺었으니 그보다 더 큰 보람은 없습니다.

하루 16시간의 노동을 바쳐야 한다

텔레비전 시대를 넘어 인터넷 시대가 기승을 부리고 있습니다. 2007년 통계청의 조사는 말합니다.

'주5일제 근무 이후 국민은 이틀간의 주말 시간을 어떻게 보내고 있는가? 텔레비전·인터넷·핸드폰 사용 시간 3~4시간. 책 읽는 시간(신문을 포함해서) 7~8분.'

책의 입지가 얼마나 협소한지 실감이 납니다. 이런 상황에서 책으로 눈을 돌리게 할 수 있는 힘이란 무엇일까요. 글쎄요, 그런 힘이 있기나 한 것일까요?

다른 책은 모르겠으나 '소설'에는 분명 그 힘이 있습니다. 그 힘이 바로 '감동'이라는 것입니다.

감동, 감동, 감동을 굳이 설명할 필요는 없을 것입니다. 20대 이상의 삶을 산 사람은 누구나 그 어떤 매체를 통해서든 감동을 느껴본 경험을 가지고 있을 것이기 때문입니다.

감동은 모든 예술작품의 생명성이며, 예술성의 척도이며, 예술의 존재 이유입니다. 뭇 대중이 예술작품을 필요로 하는 것은 그 감동받기를 원하기 때문이며, 그 감동을 오래 간직하고자 하기 때문입니다. 그러므로 감동의 크기와 예술성은 정비례하는 것이라고 할 수 있습니다.

소설이 예술인 한 모든 소설은 그 짐을 지지 않을 수 없습니다. 사실 모든 작가는 자기 작품이 시대를 초월하는 감동으로 오래오래 읽히기를 간절히 바라며 새롭게 펜을 들고는 합니다. 다만 그 욕구를 겉으로 드러내지 않을 뿐이지요. 명예욕이 여러 본능 중의 하나인 한 작가들의 그 욕구 또한 본능적으로 작용하는 것입니다.

그러나 우리의 시대는 자본주의 시대입니다. 이윤을 극대화하고자 하는 목적에 기여해야 하는 자본주의의 노동은 치열하다 못해 가혹하기까지 합니다. 말이 좋아 하루 8시간 노동이지 그 가혹성 때문에 모든 사람은 지쳤고, 다른 일에 무관심해졌습니다. 그런 그들의 영혼을 흔들어 깨우고, 마음이 울려 이끌리게 하고, 그 감정이 사무쳐 오래오래 남는 것, 그것이 감동일 것입니다.

그러나 문자를 통해 그 일을 해내기란 얼마나 어렵습니까. 그래서 저는 작정했습니다. 그들을 감동시키려면 그들의 두 배, 하루 16시간의 노동을 바쳐야 한다! 그래서 저는 20년 동안 글감옥에 갇혀 '먹고, 자고, 쓰고'(아내가 신문기자들의 질문에 대답한 말)가 연속되는 생활 속에서 정말 16시간의 노동을 다 하려고 최선을 다했습니다. 저는 저와의 약속을 지켜 제자신을 이기고 싶었던 것입니다.

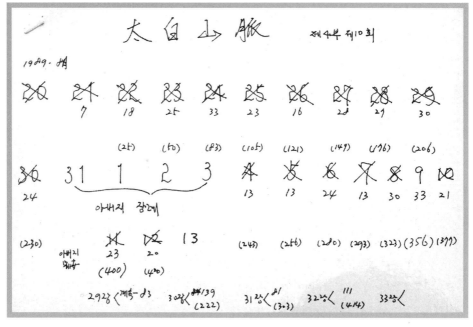

『태백산맥』 한 달치 집필량 합산표. 괄호 안의 숫자가 누계다.
이 표에 따라 작가는 매일 원고지 30장을 써나가는 강행군 끝에 작품을 완성했다.
소설을 쓰다가 아버지 임종을 못하였고, 장례를 치르느라 4일을 중단했고,
그 다음 날부터 다시 쓰기 시작했다.

◉ 『태백산맥』 때문에 국가보안법 위반 혐의로 고발되었다가 11년 만에 무혐의 처분을 받으셨습니다. 그 전모가 어떻게 된 것인지 궁금한 것은 저 혼자만이 아닐 것입니다. 그리고 예술가들의 표현의 자유를 국가가 제한하는 현실에 대한 의견이 궁금합니다.

김현지 • 시드니공과대학 저널리즘

◉ 예, '왜 하필 『태백산맥』 같은 작품을 썼느냐' 하는 물음을 능가할 정도로 많은 사람들이 궁금증을 가지고 있는 것이 이 문제입니다.

1983년에 잡지 연재를 시작해 『태백산맥』 1부가 세 권의 단행본으로 나온 것이 1986년 10월 10일이었습니다. 그런데 책이 나오자마자 그 반응은 엄청났습니다. 저는 흔히 쓰는 '뜨거운 반응'이라는 것이 바로 이런 것인가보다 실감하게 되었고, 출판사도 예상을 뛰어넘는 반응에 흥겨워하며 책 찍어내기에 여념이 없었습니다. 그런 들뜬 분위기 속에서 면목 없어 고개를 못 드는 사람이 하나 있었습니다. 출판사 영업부장이었지요. 그 사람은 그런 소설이 읽힐 리가 없으니 책을 내지 말자고 출판을 반대했으니까요.

저는 제가 새롭게 쓰고자 했던 분단의 문제가 그렇게 큰 반응을 일으키는 것을 목도하면서 제 판단이 옳았음을 확인하는 한편 분단의 진실을 알고자 하는 우리 사회의 욕구에 적이 놀라고 있었습니다. 그 욕구는 민주화 투쟁을 전개하는 운동권의 물결과 연결된 것이기도 했습니다.

『태백산맥』은 1년 간격으로 한 부(部)씩 단행본으로 나왔습니다. 2부가 나오고, 3부가 나오면서 그 반응은 점점 더 큰 파도로 일었습니다.

"뭘 하느냐 빨리빨리 써라."

"연재하지 말고 바로 책으로 내라."

이런 전화를 하루에도 몇 차례씩 받아야 했습니다. 저는 너무 기뻐 정말 꿈인지 생시인지 구분하기가 어려울 지경이었습니다. 생각해보십시오. 소설책을 내놓으면 2천 부 팔리기가 어려운 세상에서 그런 전화를 받는다는 건 꿈속에서도 있기 어려운 일이었던 것입니다. 저는 작가로서 생애 최초로 행복감에 젖고, 사는 보람을 만끽하고 있었습니다.

"저는 등산 애호가라서 제목만 보고 등산 소설인 줄 알고 샀습니다. 그런데 읽다 보니 전혀 그게 아니었어요. 그렇지만 어찌나 재미있던지 일곱 권을 내리 다 읽어버렸어요. 그다음은 언제 나옵니까. 빨리빨리 좀 쓰세요."

어떤 남자의 이런 전화를 받고 저는 혼자서 한참 웃기도 했습니다.

밤마다 걸려오는 협박 전화

그러나 그렇게 좋은 일만 있는 것은 아니었습니다. 3부가 나온 1988년 하반기부터 살벌한 공갈 협박 전화가 걸려오기 시작했습니다.

"이새끼야, 니네 집이 곧 폭파된다."

"개새끼, 널 꼭 죽이고 말 거야."

"너 같은 새끼 하나 죽이는 건 식은 죽 먹기야."

"싹 죽여 없애기 전에 더 까불지 마."

새벽 두세 시에 걸려오는 전화였습니다. 저는 밤마다 그 시간까지 소설을 쓰고 있었습니다. 전화 저쪽의 목소리는 여럿이었습니다. 그들이 조직적으로 움직이고 있다는 것을 알 수 있었습니다. 제가 오래전에 우려했던 위해가 마침내 시작된 것이었습니다.

그게 공갈이고 협박인 줄 다 알 수 있었습니다. 그렇지만 두려움과 공포는 떼칠 수가 없었습니다. 그렇다고 두려움과 공포에 떠는 모습을 보일 수는 없는 일이었습니다. 가뜩이나 겁 많은 아내 앞에서 그건 남자로서, 남편으로서 결코 해서는 안 되는 일이었던 것입니다.

"여보, 괜찮아. 하나도 겁먹을 거 없어. 미친놈들이 괜히 나대는 거야. 아무 걱정하지 마."

저는 아내를 감싸 안았습니다.

아내는 겁내는 기색 없이 침착했습니다. 그러나 속으로는 두려움과 공포로 얼마나 떨고 있을지 환히 알고 있었습니다.

저는 잠자리에 누우며 잠을 자기로 마음먹었습니다. 그것이 아내를 안심시키는 가장 좋은 방법이기 때문입니다. 저는 눈을 감으며, 집이 폭파되어 죽어도 어쩔 수 없다고 생각하기도 했습니다. 그건 용기가 아니라 절망적 체념이었습니다. 그런데, 정말 잠이 드는 것입니다. 하루 종일 그리고 자정을 넘겨 글을 쓴 피곤과 절망적 체념이 합해져 나타난 효과였던 것입니다.

"당신 참 대단해요."

어느 날 아내가 한 말입니다. 저는 아내에게 남자로서, 남편으로서 드디어 믿음을 준 것이었습니다.

그 공갈 협박 전화는 하루 이틀로 끝나는 것이 아니었습니다. 며칠 뜸하다가 다시 걸려오고, 이젠 끝났는가 싶으면 또 걸려오고, 그 줄기찬 전화는 1997년 무렵까지 10여 년이나 계속되었습니다.

"여보, 전화번호를 바꾸면 어떻겠어요."

견디다 못한 아내의 말이었습니다.

"아니야, 그 사람들 곧 알아내고 말아. 그리고 우리가 무서워하고, 쫓기고 있다는 인상을 줘선 안 돼. 그 자들은 더욱 심하게 나올 테니까."

기 싸움에서 밀리지 않기 위해 저는 그들의 공갈 협박에 맞서 맞고함을 질러대기 시작했습니다. 아내가 질색을 하는 저의 유일한 결점이고 단점이 '소리 질러대는 것'입니다. 저는 화가 나면 마구 소리를 질러대는 버릇이 있는데, 그 몹쓸 고질병이 마침내 쓸모 있게 된 것이었습니다. 저는 아내의 소리 없는 지원의 박수를 받으며 협박자들을 향해 목이 터져라 맘껏 소리를 질러대기 시작했습니다. 저의 좋지 못한 목소리에 『태백산맥』에 나오는 그 많은 욕이 치렁치렁하게 실려 협박자들에게로 날아갔습니다. 저의 역공 기세에 그들이 좀 주춤해하는 것 같은 기색이기도 했습니다. 그런데 그 소리 지르기는 뜻밖의 소득을 가져다주기도 했습니다. 한바탕 소리를 질러대고 나면 심신이 개운해지는 느낌이었던 것입니다. 다름 아닌 글쓰느라고 쌓인 스트레스와 피로가 좀 해소되는 효과가 나타났던 것입니다. 그들이 알면 얼마나 약 오르는 일이었겠습니까만.

수사기관들의 내사가 시작되다

마지막 4부를 쓰는 1989년으로 넘어가면서 사태는 더 나빠졌습니다. 모든 수사기관이 내사에 들어갔다는 소문이 들려오기 시작했습니다.

"조형, 쓰는 것 좀 조심하소. 이 세상에는 조형 좋아하는 사람만 있는 게 아니니까."

어떤 모임에 가느라고 택시에 동승한 김 아무개 평론가가 한 말이었습니다. 무심히 흘리듯 하는 그 말은 돌덩어리가 부딪쳐오는 충격으로 제 머리를 쳤습니다. 그 말은 수사기관의 내사를 구체적으로 알려주는 것이기 때문이었습니다. 그 평론가는 그런 정보를 확실하게 알 수 있는 사람이었습니다.

저는 건성으로 대답했습니다. 지금 빨치산 투쟁이 극점으로 치달아가는 부분을 쓰고 있는데 '조심'하면 뭘 조심할 수 있겠습니까. 조심한다고 빨치산을 다 귀순시킬 수도 없는 노릇이고, 소설은 작가가 쓰는 것이되 작가의 기분 내키는 대로 할 수 없는 것이라는 사실을 그때 또다시 느껴야 했습니다. 달리는 열차는 갑자기 방향을 바꿀 수 없는 법입니다. 저는 수사기관이 쳐놓은 그물을 향해 그냥 달려갈 수밖에 없었습니다. 아내에게도 말할 수 없는 두려움과 외로움 속에서 매달 3백 매가 넘는 소설을 써내야 했습니다.

그때 이미 제가 소설을 쓰고 사무실에 나가면 종로경찰서 정보과 형사가 어김없이 찾아오고는 했습니다(저는 이경재 신부님이 운영하던 안양 성나자로 마을에 가 매달 15일 정도씩 소설을 써가지고 나오고는 했습니다). 눈에 핏기가 성성했던 그 형사는 순간순간 저를 노려보는 듯했습니다. 그 달에는 무슨 내용을 썼는지 미리 알고 싶어 했던 그는 자리를 뜨면서 꼭 한마디씩 했습니다.

"적당적당 합시다, 적당적당."

이 말의 뜻은 무엇일까요? 우리말의 묘미는 이렇습니다. 간단한 듯한 이 말은 얼마나 많은 의미를 품고 있습니까. 얼핏 들으면 그냥 흘러가는 말인데, 그 말을 뒤집으면 엄청난 위협이고 협박이 됩니다. 적당적당 하지 않으면? 감추어진 그 말은 여러분도 잘 아시겠지요.

"이 사람아, 조심 좀 해야 되겠어. 경찰 검찰만 나선 게 아니라 국회 우리 문공분과위원회에서까지 조정래를 잡아들이자는 결의를 하자고 긴급동의가 들어오는 판이야. 그런 사태가 언제까지나 묵살될 수 있는 게 아니라니까."

중학교 선배인 이 아무개 국회의원이 일부러 불러서 한 말이었습니다. 저는 역시 할 말이 없었습니다. 소설을 중단하지 않는 한 써오던 대로 써나갈 수밖에 다른 길은 없었습니다. 소설을 시작하면서 아내한테 미리 말해두었던 정치적 위해가 점점 분명하게 그 모습을 드러내면서 저를 옥죄어오고 있었습니다.

"선생님, 제 동창들이 보안사에 대령으로 있습니다. 그런데 아래 장교들이 선생님을 체포해 수사해야 한다는 것을 막고 있다고 합니다. 제발 좀 선생님께서 조심했으면 좋겠다고 걱정이었습니다. 선생님, 보안사 아시잖아요. 그 앞에서 안기부도 꼼짝을 못하잖아요."

중경고등학교에서 제가 가르쳤던 제자가 찾아와 한 말이었습니다.

그 시절 보안사의 기세는 하늘을 뚫고 있었습니다. 전두환 정권은 군 수사기관인 보안사를 옛 중앙정보부인 안기부 앞에다 내세우고 있었기 때문입니다. 운동권 대학생을 마구잡이로 잡아다가 잔혹하게 다루는 곳이 보안사라고 널리 알려졌습니다. 그런 보안사까지 저를 향해 칼을 겨눈다니 숨이 막힐 지경이었습니다.

저는 제자에게도 아무 할 말이 없었습니다. 그저 웃으며 실없는 소리를 한마디 흘렸습니다.

"걔네들이 벌써 대령이 되었나……"

"예, 걔네들이 지금도 선생님 수업을 잊지 못하고 있습니다. 특히 김소월의 진달래꽃 해석이 최고였다구요."

저는 쓰게 웃었습니다. 소월의 진달래꽃과 보안사의 대령이 너무 어울리지 않았고, 그 제자들의 덕을 보고 있나 하는 생각에 왜 그리 스산하던지요.

대검찰청의 내사 종결

그 불안 속에서 처음 구상대로 4부를 끝내고 1989년 10월에 단행본이 나오는 것으로 『태백산맥』은 완성되었습니다. 저는 불안했지만 벌을 받지 않을 자신이 있었습니다. 『태백산맥』에 쓴 많은 사실들은 반공주의자들이 감정적으로 싫어할 뿐이지 저는 확실한 근거를 가지고 있었기 때문입니다.

저는 바로 『아리랑』 취재에 뛰어들었습니다. 집필 기간을 최대한 단축하자는 종합계획도 있었지만, 그 불안에서 벗어날 수 있는 방편이기도 했기 때문입니다. 저는 서너 달에 걸쳐서 전북 김제, 군산 일대의 취재를 끝내고, 해외 무대의 첫 번째 취재지로 중국 만주를 택했습니다. 그건 소설 진행 방향과 일치하는 계획이었습니다.

그러나 중국 취재는 가로막혔습니다. 1990년은 미수교 상태라서 중국에서 입국을 거부한 것이 아니었습니다. 대한민국 안기부에서 못 가게 하는 것이었습니다. 국가보안법 위반 혐의를 두고 내사 중인 위험인물이라는 것이었지요.

물론 안기부는 모습을 드러내지 않았고, 앞으로 나서서 트집을 잡은 건 노태우 정권 들어서 새로 생긴 문화부였습니다. 서류를 다 갖추었는데도 안 되는 쪽으로만 몰아가는 생트집에 참다 못한 저는 마침내 제 주특기인 소리 지르기와 함께 문화부 국장의 책상을 걷어차는 일을 벌이고 말았습니다. 어차피 못 가게 될 바에는 성질이라도 한바탕 부리지 않고는 견딜 수가 없었던 것입니다.

『아리랑』 쓰기를 포기해야 하나 어쩌나 하는 암담한 마음으로 2, 3일을 보내고 있는데 문화부에서 전화가 왔습니다. 그 전화 내용은 뜻밖에도 장관이 만나자는 것이었습니다. 문화부 초대 장관은 다름 아닌 평론가 이어령 선생이었습니다.

저는 다음 날 바로 장관실로 갔습니다. 가면서도 무슨 영문인지 알 수가 없었습니다.

"왜, 중국에 가려고?"

장관실의 원탁 응접 소파에 마주앉으며 이어령 선생은 평소와 다름없이 편안한 어투로 말했습니다.

"예, 새 작품을 써야지요."

저는 이어령 선생을 마주보며 대답했습니다.

"……그래. 가야지."

제 말의 끝과 이 선생의 '그래' 사이의 시간은 불과 2, 3초에 지나지 않았습니다. 그 짧은 시간 이 선생의 눈에는 입말과 전혀 다른 말이 담겨 있었습니다.

'아무 탈 없이 다녀올 거지?'

'아무 말썽 없이 다녀올 거지?'

'아무 사고 내지 않을 거지?'

이 선생의 눈말은 이런 것이었습니다. 그 짧디짧은 시간에 이 선생은 이렇듯 다양한 눈말을 했던 것입니다. 소리 없는 눈말이 그렇게도 깊고 뜨겁고 무겁다는 것을 저는 난생처음 느끼고 있었습니다. 세계 언어학자들이 '음성언어(소리 말)로는 전달하고 싶은 의사의 8퍼센트밖에 표현할 수 없다'고 한 말을 실감할 수 있었습니다. 의사 전달은 말 이외에도 눈짓·눈빛·표정·손짓·몸짓·태도 같은 것들이 종합되어 이루어진다는 뜻입니다.

"조 선생님 빨리 수속해드려요."

이어령 선생은 인터폰으로 지시했습니다. 그건 다름 아닌 '장관 보증'이었던 것입니다.

그리고 며칠이 지나 안기부에서 연락이 왔습니다. 한 시간 교육을 받으러 나오라는 것이었습니다. 장소는 안기부가 아니라 불타버린 대왕코너(지금의 롯데백화점) 커피숍이었습니다.

"저희가 선생님께 무슨 교육을 시킬 게 있겠습니까. 다 믿는 처지니까 한두 가지 주의 말씀만 드리려는 거지요. 그게 다름이 아니라 우리가 아직 중국과 정식으로 수교가 안 된 상태라 선생님이 일단 중국 땅으로 들어가신 이후부터는 저희가 전혀 보호해드릴 수가 없습니다. 그런 상태에서 선생님이 술이 만취해 어느 날 갑자기 납치되어 압록강이고 두만강을 건너고, 북에서 '작가 조정래 귀순했다'고 발표해버리면 이거 우리나라 꼴이 뭐가 되겠습니까. 그러니까 연변이고 어디고 만주 지방을 다니실 때는 반드시 세 사람 이상이 선생님을 호위하도록 해야 합니다. 이 점 절대 잊어서는 안 됩니다."

40대 중반의 남자가 예의를 갖춰 말했습니다. 그가 말하는 '다 믿는 처지니까'는 바로 '장관의 보증'을 의미하고 있었습니다.

"아니, 저를 어떻게 알아봅니까?"

저는 정말 믿을 수 없어서 이렇게 말했습니다.

"선생님이 홍콩에서 중국행 비행기에 오르는 순간 그 정도는 다 알게 되어 있습니다."

저는 그때서야 중국과 북한의 관계를 떠올리며 말뜻을 알아들었습니다.

모든 수사기관이 내사를 진행하는 상황에서 딴사람이 문화부장관이었더라면 어찌 되었을까요. 그리도 흔쾌하게 보증을 서주었을 리가 없습니다. 그랬더라면 오늘의 『아리랑』은 있기 어려웠을 것입니다. 그런데 이어령 선생은 그 일만 도와준 것이 아니었습니다. 또 다른 도움은 바로 뒤에서 얘기하겠습니다.

저는 만주 취재를 무사히 마치고 돌아와 7개월 동안 열심히 준비해 12월부터 《한국일보》에 『아리랑』을 연재하기 시작했습니다. 협박 전화와 내사의 불안감은 여전했지만 그것이 새 소설 쓰기를 방해하지는 못했습니다. 저는 새 작품에 완전히 신들려서 아내의 얼굴도 알아보지 못할 지경에 빠져 있었으니까요. 이건 과장이 아닙니다. 소설을 처음 시작하게 될 때는 신경 써야 할 것들이 너무 많아서 집중과 몰두가 심해지다 보니 현실감각은 거의 마비상태에 빠지게 됩니다. 그건 말로 설명이 다 안 되니까 여러분도 직접 겪어보는 수밖에 없습니다. 인생사, 세상사가 말로 설명이 안 되는 것이 어디 한두 가지입니까.

그렇게 『아리랑』에 취해 1991년이 지나고 1992년이 되었습니다. 드디어 대검찰청에서 내사를 끝내고 수사 결과를 발표했습니다.

'소설 『태백산맥』에는 분명 문제가 있다. 그러나 이미 350만 부 이상 팔린 책을 법으로 문제 삼는 것은 과히 적절하지 않기 때문에 문제 삼지 않기로 한다.'

그런데 단서가 하나 붙어 있었습니다.

'일반인이 교양으로 읽으면 괜찮지만 대학생이나 노동자가 읽으면 이적 표현물 탐독죄로 의법 조처한다.'

이 말은 무슨 뜻인가요. 아주 쉬운 것 같기도 하고, 뭔가 복잡한 것 같기도 하고, 영 알쏭달쏭하지 않을 수 없습니다. 그 말뜻을 다시 풀면 이렇습니다.

'안방에서 어머니가 읽으면 교양물이고, 건넌방에서 대학생 아들이 읽으면 이적 표현물이다.'

대검의 이런 조처를 신문은 일제히 가십거리로 삼았습니다. 피할 수 없는 논리 모순이었지요. 그러나 그렇게라도 일을 마무리 짓고 싶어 했던 검찰의 옹색한 입장이 이해가 안 가는 것도 아니었습니다.

그런데 여기서 한 가지 주시해야 할 사실이 있습니다. '이미 350만 부 이상 팔린 책'이라고 한 점입니다. 그것은 책 부수를 말하는 것이 아니라 '독자의 수'를 가리키는 것입니다. 검찰은 그 많은 독자를 의식하지 않을 수 없었다는 의미입니다. 다시 말하면, 수많은 독자는 저를 에워싸는 울타리가 되어주었고, 그 '독자의 힘'은 검찰의 힘을 막아내고 저를 위기에서 보호해주었던 것입니다. 검찰도 어찌할 수 없었던 독자의 힘을 최초로 느끼며 작가로서 사는 보람과 함께 그 고마움에 한없이 눈물겨웠습니다.

그런데 검찰의 그 결정에 큰 영향을 끼친 사람이 있었습니다. 바로 문화부장관 이어령 선생이었습니다.

검찰은 내사를 진행하면서 해당부서인 문화부장관에게 의견서 제출을 요청한 것입니다. 그러자 장관은 평론가 김상일 선생에게 『태백산맥』은 이적 표현의 위험이 있는 작품이 아니라 작가의 자유로운 상상력에 의해 쓰어진 『신판 홍길동전』이다'고 쓰라고 방향을 정해준 것입니다. 김상일 선생은 그렇게 썼고, 그것이 하나의 근거가 되어 대검찰청에서는 사건화를 유보했던 것입니다.

시간 순서로 보면 그 일은 이어령 선생이 저의 중국행에 도움을 주기 이전에 벌써 이루어진 일이었습니다. 그런데도 이 선생은 당사자인 제게 당신이 먼저 준 도움에 대해 일언반구도 하지 않았던 것입니다.

그리고 그 의견서 제출 사실도 10여 년이 지나서 김상일 선생을 통해 알게 되었습니다. 제가 1994년에 반공단체들로부터 고발을 당하고, 경찰 수사를 거쳐 1998년에 검찰 수사가 시작되자 김상일 선생한테서 전화가 왔습니다. 김 선생은 자신이 의견서용 평론을 쓰게 된 자초지종을 설명하면서, 그 평론이 수사에 필요하면 보내주겠다는 것이었습니다.

저는 그때 이어령 선생의 모습에서 어른으로서 해야 하는 일이 무엇인지, 참된 어른의 풍모는 어떠해야 하는 것인지 깊이 그리고 진정으로 깨달았습니다. 이어령 선생은 참으로 큰 어른이셨습니다.

그분은 저만 그렇게 도와준 것이 아닙니다. 저 유명한 남정현 선생의 「분지」 필화사건 때도 선생은 고약한 정치 상황은 아랑곳하지 않고 문인 보호를 위해서 법정에 섰습니다.

「분지(糞地)」는 순 우리말로 하면 '똥 땅'입니다. 미군 주둔을 신랄하게 풍자한 그 소설은 한국의 풍토에서 마땅히 나와야 할 작품입니다. 그래서 독자는 그 작품을 통쾌한 기분으로 읽고, 지나갔습니다.

그런데 탈을 북쪽에서 만들었습니다. 그들도 통쾌한 기분으로 돌려 읽고 말 것이지 그걸 그들의 잡지에다 재수록을 한 것입니다. 그것을 뒤늦게 발견한 중앙정보부는 눈이 뒤집히고 말았습니다. 그래서 부랴부랴 작가를 잡아들여 고문하고, 재판에 걸고 야단이 난 것입니다.

한 작가의 작품을 자기네 정권 유지에 냉큼 이용한 북쪽도 그렇고, 북쪽이 그랬다고 그냥 지나친 작품을 뒤늦게 문제 삼아 야단법석을 피우는 남쪽도 그렇고, 이게 분단을 서로의 정권 유지에 잘 이용해 먹

은 남북한 두 분단 정권의 적나라한 모습이었습니다. 그 살벌한 정치
상황 속에서 이어령 선생은 작가 보호에 나섰던 것입니다. 그건 지식
인의 사회적 책무의 실천이고, 문학평론가로서 수행해야 할 기본 임
무의 실천이었습니다.

반공단체들의 고발

1994년으로 접어들면서 저는 『아리랑』 쓰기에 더욱 골몰해 있었습
니다. 이야기가 중반을 넘어 후반으로 접어들었기 때문입니다.

그런데 느닷없는 사건이 터졌습니다. 8개의 반공단체가 저를 국가
보안법을 위반한 빨갱이로 고발한 것입니다. 그거야말로 날벼락이었
습니다. 그 많은 수사기관의 내사 종결로 다 끝난 문제인 줄 알았는데
갑자기 고발자가 나타났으니 사건은 새로 시작될 수밖에 없었습니다.
그 즉각적인 반응은 공갈 협박 전화로 나타났습니다. 그동안 기가 좀
수그러들었던 협박 전화는 새 기운을 얻어 다시 기승을 부리기 시작
했습니다.

아, 아, 『아리랑』 쓰기에 지칠 대로 지쳤던 저는 저도 모르게 신음을
토했습니다. 그 일을 당해내야 할 것이 까마득하고 암담하기만 했습
니다.

'그래, 다 팔자고 운명이다……'

저는 이를 맞물며 저를 일으켜 세우려고 애썼습니다. 그러나 너무
힘겹고 외로웠습니다. 아내 몰래 한숨도 많이 쉬고 절망의 구렁텅이
로 많이 떨어지기도 했습니다.

그때 아내가 문득 말했습니다.

"영욕(榮辱)은 반반이다."

그것은 위로인 동시에 용기였습니다. 그동안 작품에서 얻은 영예를 혼자 누렸듯이 작품에서 오는 곤욕도 혼자 싸워서 이겨야 하는 것이었습니다. 아내는 또 새롭게 피어난 꽃으로 저를 부축하고 있었습니다.

"영욕은 반반이다."

아내는 제가 힘들어하고 괴로워할 때마다 이 말로 일깨우고는 했습니다. 저는 그때마다 위로를 받고 힘을 내고는 했습니다. 그리고 14년이 지나 『태백산맥』 문학관 개관식에서 이 말을 그대로 했습니다. 그보다 더 절실한 말은 없었으니까요.

4월에 고발당하고 6월에 경찰 수사가 시작되었습니다. 박종철을 수사했던 속칭 남영동 분실이었습니다. 그런데 박종철 사건 이후 그곳은 문화촌 구석으로 옮겨가 있었습니다. 무슨 회사 간판을 붙여놓고.

김영삼 정권으로 바뀐 탓이었는지 지하실로 끌고 가지는 않았습니다.

"으쩌끄나 와! 개 패디끼 헌다든디."

며칠 전에 여든다섯이 넘은 어머니가 전화를 걸어 울음 섞인 목소리로 한 말이었습니다.

"괜찮아요, 아무 걱정 하지 마세요. 세상이 바뀌었고, 저 같은 사람은 못 때려요."

저는 자신에 찬 목소리로 어머니를 위로했습니다.

"잘해라 잉. 뻣대지 말고."

어머니의 애타는 당부였습니다. '뻣대지 말고' 하는 말에서 저는 콧날이 찡 울리는 것을 느꼈습니다. 늙은 어머니는 작은 아들의 뻣뻣한 성깔을 걱정하고 있었던 것입니다.

2층 수사실로 올라가며 왜 그런 어머니의 생각이 떠오르는 것이었을까요. 저는 때리면 맞을 수밖에 없다고 생각하며 마음을 공글리고 있었던 게 분명합니다.

세 평이 될까 말까 한 수사실은 직사각형으로 좁았고, 수사관 책상 하나와 사무용 소파 하나가 놓여 있었습니다. 수사실 그 어디에도 창문은 없었지만 폭행 도구 같은 것은 보이지 않았습니다. 그러나 그 분위기는 살벌했습니다.

저를 담당한 수사관은 세 명이었습니다. 40대 중반인 그들은 건장한 체구로, 무술로 단련되었음을 보여주고 있었습니다. 그들 세 사람은 하루씩 저를 맡아 조사할 거라고 했습니다. 얼마나 조사할 것이 많으면 세 사람씩이나 배치한 것인지, 그것부터 기 질리게 했습니다.

수사는 10시부터 시작되었습니다. 눈에 익은 푸른 표지의 고발장을 수사관이 펼쳤습니다. 그 고발장은 며칠 전에 출판사를 통해 받아 대충 훑어보았던 것입니다. 5백여 개의 혐의사항으로 이루어진 그 고발장은 120쪽이 넘는 책 모양을 갖추고 있었습니다. 몇 년이 지나 안 사실인데, 그 고발장은 사법사상 가장 긴 고발장이라고 했습니다.

"혐의사항들이 전부 억지니까 선생님께서는 계속 묵비권을 행사하세요. 그게 경찰 조사를 빨리 끝내는 방법이기도 합니다."

박원순 변호사의 말이었습니다.

혐의사항은 제1부 작가의 말에서부터 시작되고 있었습니다. 아무것도 아닌 말도 국가보안법 위반이라고 억지로 밀어붙이고는, 그러니까 빨갱이다 하는 식으로 혐의사항들이 이루어져 있었습니다. 대꾸할 가치가 전혀 없는 억지고 생트집이었습니다.

그런데 더 문제는 수사관의 태도였습니다. 경찰에서는 최소한의 객관성이나 공정성을 갖추지 않고 완전히 고발자의 입장에서 저를 빨갱이로 몰려는 편파적 태도를 취하고 있었습니다. 『태백산맥』에 경찰의 횡포와 부당성을 사실대로 쓴 저에게 오늘의 경찰은 마치 자기들에게 욕을 한 것 같은 동병상련적 적대감을 드러내는 것이었습니다. 그들에게 이성을 좀 찾으라고 해서 될 일이 아니었습니다.

저는 무조건 묵비권을 행사하기는 싫었습니다. 분명한 제 의사를 드러내는 태도를 취해야 한다고 생각했습니다. 그것이 묵비권보다 강한 자기 방어가 되고, 경찰 수사의 부당성을 입증하는 증거 자료가 될 수 있었기 때문입니다.

"고발자들은 논리적 근거나 객관적 증거가 전혀 없이 감정적이고 일방적으로 혐의를 씌우고 있다. 이에 대해 경찰은 최소한의 객관성이나 공정성을 가지고 고발 사실들을 식별하려는 노력을 전혀 하지 않고 전적으로 고발자들의 입장에서 편파적인 수사를 전개하고 있다. 이러한 수사에는 진술할 아무런 이유가 없다."

저는 이런 내용을 조서에 적게 했고, 수사관이 다시 읽는 것으로 확인까지 했습니다. 그런 다음부터 수사관이 새 혐의 사실을 추궁할 때마다 '전과 동'으로 진술을 대신하게 했습니다.

'전과 동'이 계속되자 어느 순간 수사관의 안색이 확 바뀌고는 했습니다. 그러나 수사관은 다음 순간 감정을 수습하며 얼굴을 부드럽게 하려고 애쓰는 기색이 역력했습니다. 수사관의 그런 노력에서 시대 변화를 실감할 수 있었습니다. 이제 군부독재 시대는 막을 내리고 명색이 '문민정부' 시대였던 것입니다.

점심으로 설렁탕 한 그릇을 먹고 수사는 계속되었습니다. 화장실 갈 때도 수사관이 따라와 화장실 앞에 서 있었습니다.

'전과 동'이 계속되며 또 설렁탕 저녁을 먹었습니다. 말도 안 되는 혐의 사실 추궁이 150여 개를 넘기고 있었습니다. 그때만 해도 경찰에서 컴퓨터를 쓰지 않을 때라 수사관은 일일이 손으로 조서를 꾸며나가고 있었습니다. 쓸데없는 일 하는 그의 노고가 딱하기도 했습니다.

저는 밤 12시 반에 풀려났습니다. 밖에서는 아내가 기다리고 있었습니다. 온 천지에 아내 하나밖에 없다는 생각이 어찌 그리도 절실하던지요.

"당신을 낮 12시에 귀가시켰다고 모든 신문에 났어요."

아내가 경찰에 대한 불신감을 드러내며 말했습니다.

"뭐라고……?"

저는 믿을 수가 없었습니다. 공권력이라는 경찰이 그런 거짓말을 하다니. 사회를 향해서 왜 그런 거짓말을 하는 것인지 이해할 수가 없었습니다. 제 수사에 대해 신문들이 관심을 보이면 더욱더 있는 그대로 말하는 것이 옳습니다. 그런데 엄연히 창문 하나도 없는 밀폐된 수사실에서 한창 수사를 하고 있으면서 신문들을 향해서는 그런 거짓말을 한 것입니다. 저는 그때 소문으로만 들어오던 공권력의 거짓말을 처음 확인했습니다. 성직자의 강간과 교사의 도둑질을 확인하는 것처럼 오만 정이 다 떨어졌습니다. 그런 식으로 뻔뻔하게 사회를 속이고 국민을 속이는 자들에게 내 몸을 맡기고 수사를 받아야 하다니……제 마음은 격렬하게 저항하기 시작했습니다.

"나 더 이상 수사 안 받아!"

아내가 무슨 뜻이냐는 눈으로 저를 쳐다보았습니다.

"그런 거짓말을 하는 자들한테 더 조사받을 것 없어. 내일 아침 일찍 변호사한테 연락할 테니까 당신은 아무 걱정 하지 말어."

저는 아내의 손을 잡았습니다. 아내도 제 손을 마주잡으며 아무 말이 없었습니다. 그건 동의였습니다.

"예, 그렇게 하시지요. 그것도 한 방법입니다."

제 말을 듣고 난 박 변호사의 결정이었습니다.

저는 이틀 더 받아야 할 조사를 그렇게 거부했습니다.

편지 공방전

불안한 며칠이 지나 경찰에서 편지가 날아들었습니다. 기다렸던 것이었습니다. 공문치고는 그 내용이 길었는데, 수사 협조 약속을 지키지 않은 제 잘못을 몰아세우고는, 순순히 수사에 응하지 않으면 강제 구인하겠다는 사실을 명시하고 있었습니다.

저는 소설 쓰던 것을 멈추었습니다. 그리고 군대에 간 아들 책상으로 자리를 옮겨 경찰의 잘못을 공격하는 글을 써나가기 시작했습니다.

몇 시간에 걸쳐 글을 다 쓰고 나니 길게 쓰는 버릇은 못 고쳐 A4용지 10장이 넘는 분량이 되었습니다.

"아, 당신 참 대단해요. 이젠 됐어요."

그 글을 다 읽고 난 아내가 가슴까지 쓸면서 안도의 숨을 내쉬는 것이었습니다.

"무슨 소리야……?"

저는 의아했습니다.

"경찰 편지를 읽고 큰일 났다 싶었어요. 당신이 꼼짝없이 감옥에 가게 되었다 싶었으니까요. 그런데 당신 글을 읽어보니 당신이 잘못한 건 하나도 없어요. 당신이 옳아요."

아내는 정말 저를 믿고 인정한다는 눈길로 밝게 웃고 있었습니다. 저는 아내한테 그토록 흔쾌한 칭찬을 받아본 것은 결혼 이후 처음이었습니다(이게 결혼 몇 년 만인지는 여러분이 한 번 계산해보십시오. 이 일에는 상품이 없음).

"아주 잘되었습니다. 글자 한 자 고칠 데가 없군요. 한데, 이렇게 긴 반박문은 처음 있는 일 같은데요."

그대로 경찰에 발송하기로 결정하며 박 변호사가 한 말이었습니다.

"강제구인은 곧 실시될까요?"

"글쎄요, 강제구인 당하는 것도 수사 받는 한 방법입니다. 경찰이 피하려고 하는 매스컴의 관심을 집중시킬 수 있으니까요. 왜, 신경 쓰이십니까?"

"아니, 신경 쓰이는 게 아니라 글쓰는 데 너무 지장이 크니까요."

"아 예, 그거 큰 문제지요. 그냥 글만 쓰는 것도 얼마나 힘든데……"

저는 그즈음 『아리랑』에서 사회주의자의 독립투쟁에 대해서 한창 쓰고 있었습니다. 그런데 국가보안법 위반 혐의로 수사를 받고 있는 것 아닙니까. 자칫 잘못하다간 『아리랑』까지 이중으로 걸려들 판이었습니다. 참 분단 상황에서 글쓰기란 그런 것이었습니다.

경찰은 쉽사리 강제구인을 하지 못했습니다. 협박성 편지만 자꾸 보내왔습니다. 그 편지 공방전은 여름을 보내고 가을까지 이어졌습니다. 그러면서도 경찰은 강제구인이란 무기를 쓰지 않았습니다. 아니, '쓰지 못했습니다.' 지난날 대검에서 그랬던 것처럼 경찰에서도 '독자의 울타리'를 의식하고 있었던 것입니다. 그동안 독자의 수는 더 불어나 있었으니까요.

그 즈음에 서울대학교에서 문화관을 새로 지어 저를 최초의 외부강사로 초청해 강연을 열었습니다. 넓은 문화관을 학생이 다 채우다시피 했는데, 핸드폰이 없었던 그 시절에 큼직한 워키토키라는 것을 든 대여섯 사람이 분주하게 오락가락하는 게 신경에 거슬렸습니다.

"예, 관악경찰서에서 나온 형사들입니다."

사회를 맡은 학생 간부의 대답이었습니다.

형사들이 그 모양을 하고 있으니 강연이 제대로 될 리가 있었겠습니까. 제가 수백 번 한 강연 중에서 가장 망친 강연이 되고 말았습니다. 서울대학교에서 대여섯 번 강연을 했었는데, 그날의 학생들에게 참으로 미안합니다.

"선생님, 하나도 걱정하지 마십시오. 만약 선생님을 어떻게 하면 그때는 저희 대학생이 전국적으로 들고일어나기로 준비를 다 끝내놓았습니다."

문화관 앞에서 작별의 악수를 나누며 총학생회장이 한 말이었습니다. 학교를 드나드는 형사들이 그런 정보를 모를 리 없었습니다. 거칠기로 소문난 대공분실이 성질대로 강제구인을 하지 못한 데는 그런 정보가 장애물의 하나로 작용했을 것이 분명합니다.

지식인들의 표변

그 고소 고발 사건은 수사기관과의 문제로 끝나는 것이 아니었습니다. 그 여파는 전혀 예상할 수 없었던 사태를 야기했습니다.

제가 고발 당하는 것에 발을 맞추어 어느 종합 월간지는 '조정래는 역사 왜곡한 빨갱이'라는 식으로 대형 특집을 꾸몄습니다(불명예도 명예더라고, 독자를 제일 많이 가진 그 월간지에 지면 한 페이지를 얻기가 하늘의 별 따기로 어려운 형편에 수십 페이지에 달하는 특집감이 되었으니 그보다 더 큰 영광은 있을 수 없었습니다. 아즘찮이 아즘찮이 또 아즘찮이지요).

인터뷰 형식의 그 특집 기사를 보고 저는 소스라치고 말았습니다.

도저히 믿을 수가 없어서 몇 번씩 눈을 질끈질끈 감았다 뜨며 보고 또 보았습니다. 그러나 그건 분명 제가 아는, 제가 믿었던, 저의 『태백산맥』을 좋은 작품이라고 평가한 글을 썼던 두 사람이 등장하고 있었습니다. 한 사람은 문학평론가였고, 한 사람은 박사과정에 있는 정치사회학 연구자였습니다. 그들은 기자의 질문에 전에 글을 썼던 것과는 정반대로 『태백산맥』을 부정하고 있었습니다. 그뿐만 아니라 기자의 추궁성 질문에 따라 『태백산맥』이 역사를 왜곡한 국면이 있고, 문제가 있는 작품이라는 말까지 하고 있었습니다.

그들의 그 말은 고발자의 주장을 뒷받침해주는 역할을 하고 있었고, 재판정에 증거로 내놓으면 제가 유죄 판결을 받지 않을 수 없는 내용이었습니다. 저는 그들의 표변에 아연실색하여 말을 잃고 말았습니다.

그 특집은 그런 식으로 『태백산맥』과 저를 부정하고 매도하는 사람들로 가득 채워져 있었습니다. 좋습니다. 저 벌교의 나이 많은 사람들이 제게 증언해주었던 것과는 정반대의 말을 해서 위기를 모면하려고 하는 것은 충분히 이해할 수도 있습니다. 늙은 촌사람들이 서울에서 내려간 신문사 소속의 잡지 기자 명함을 받고 얼마나 주눅이 들었을지 눈에 환히 보입니다. 그리고 제가 만나보아서 알지만, 이 아무개라는 그 젊은 기자는 촌로들 앞에서 또 얼마나 기세등등했겠습니까.

그런데 명색이 지식인이라는 사람들이, 평소에 지식인이라고 으스대며 의식 있는 척하던 사람들이 촌로들과 전혀 다름이 없다니……지식인의 지성과 마음이 이리도 얄팍하고 가볍고 하잘것없는 것이라니…… 인간이 기회주의적 동물이라는 것은 잘 알고 있었지만 제가 그렇게 당하고 보니 참으로 기막히고 어이가 없었습니다.

그러나 저를 궁지로 몬 것은 그들만이 아닙니다. 김 아무개 평론가는 '왜 우익은 다 나쁘고 좌익은 좋으냐'는 내용으로 긴 글을 썼고, 권 아무개 칼럼니스트는 그 부분을 인용해가며 '조정래를 빨리 잡아넣어라'는 내용의 칼럼을 썼습니다. 그리고 경찰 수사관은 12명의 평론가들이 『태백산맥』을 이적성이 있는 작품으로 평가했다는 말을 하기도 했습니다.

그런 와중에 저를 편들고 나선 무모한 평론가 한 사람이 있었습니다. 서울대 권영민 교수가 『태백산맥 다시 읽기』라는 평론집을 낸 것입니다. 권 교수는 평론집을 내는 것으로 끝나지 않았습니다. 그때 그분은 미국 버클리 대학에 교환 교수로 가 있었는데, 만약 제가 재판을 받기 위해 법정에 서면 변호를 하기 위해 귀국할 작정까지 하고 있었다는 말을 그다음에 들었습니다.

그런데 그분은 책을 낸 다음에 심한 곤욕을 치렀습니다. 다름이 아니라 저를 수사한 수사대장이 권 교수에게 전화를 걸어 '서울대 교수 해먹고 싶으냐'는 둥의 험한 협박을 몇 시간씩 한 것이었습니다. 그 미안함과 고마움을 무슨 말로 표현해야 할지요.

그리고 또 한 분, 소설가 최일남 선생을 잊을 수가 없습니다. 최 선생은 그 살벌한 분위기를 아랑곳하지 않고 저를 옹호하는 칼럼을 썼습니다. 김중배 선생과 함께 우리 시대의 2대 칼럼니스트로 꼽히는 그분의 칼럼은 저에게 무한한 격려가 되었고, 새로운 힘을 북돋워주었습니다. 젊은 후배들이 무정하게 등을 돌려버리는 상황 속에서 대선배는 궁지에 몰린 후배를 구하려고 세상의 양심을 흔들어 깨우는 명칼럼을 쓴 것이었습니다.

그러나 최 선생에게도 곧바로 험한 일이 닥쳤습니다. 수사대에서는 신속 기민하게도 그분에게도 협박성 전화를 한 것이었습니다(공권력이 하는 일이 이렇다니, 대한민국 참 사람 살 만한 좋은 나라가 아닐 수 없습니다).

그러나 일은 거기서 끝나지 않았습니다. 더 큰 사태가 벌어졌습니다. 신문사에서 고정적으로 쓰기로 되어 있던 최 선생의 칼럼을 더는 쓰지 못하게 해버린 것입니다. 수사대장의 힘은 이렇게도 막강한 것이었습니다.

아, 어쩌면 좋습니까. 그 원고료는 최 선생의 유일한 수입원이었습니다. 죄송하고 또 죄송해 저는 얼굴을 들 수가 없었습니다. 오늘날까지도 그 죄스러움과 고마움을 제대로 표현해보지 못했습니다. 말이라는 것은 그런 속마음을 표현하기에는 얼마나 부족하고 마땅찮은 것인지 다시금 절감하게 됩니다.

『아리랑』과 『한강』 때문에 외국 취재를 다닐 때 대사관이나 영사관 직원들이 노골적으로 저를 기피하는 것은 전혀 서운한 느낌 없이 그냥 웃어넘겨버립니다. 공무원들의 제2의 DNA가 되어 있는 보신주의의 발로니까요. 그러나 러시아 블라디보스토크 영사관의 이 아무개 여직원은 잊을 수가 없습니다. 후배 작가 정동주 씨의 소개를 받아(아주 친절하게 잘해줄 것이라는 말과 함께) 찾아갔는데 어찌 그리도 냉정하고 불친절하던지요. 저는 그녀의 출세에 지장을 주는 병균이 되어서는 안 되겠기에 서둘러 돌아섰습니다. 그렇게 단호한 그녀는 계속 그렇게 나가면 결국 외무부장관까지 해먹게 되리라 믿습니다. 부디 건승하시길.

경찰에서 검찰로

해가 바뀌었습니다. 『태백산맥』 사건을 경찰이 검찰로 넘겼다고 신문들이 보도했습니다. 그건 경찰이 강제구인을 포기한 것이었고, 1차적인 저의 승리를 의미했습니다. 저는 비로소 한시름 놓게 되었습니다. 다시 검찰의 조사가 시작되겠지만, 일단 경찰에서 한풀이 꺾였으니 검찰이라고 수사에 신명이 날 리 없었기 때문입니다.

한국전쟁 이후 최대 국난이라고 불린 IMF 사태가 터지고, 정권이 바뀌었습니다. 그 격랑 속에서 검찰도 정신을 차리기 어려웠던지 아무 소식이 없었습니다. 저는 일이 닥치면 그때 대응하기로 하고『한강』준비에 정신을 쏟았습니다.

그런데 한 가지 문제가 생겼습니다. 외국 취재를 가야 하는데 갈 수가 없었습니다. 출국정지, 검찰이 제 발목에 채워놓은 족쇄였습니다. 저는 외국에 나갈 때마다 검찰청에 찾아가 담당 검사에게 사유서를 제출하고 허가를 받아야 했습니다. 그런데 검사님네들은 어찌 그리도 나이가 젊은지요. 아닙니다. 다 늙은 나이에 새 소설을 쓰겠다고 나선 제가 주책이었지요.

저를 그렇게 괴롭힘으로써 고발자들은 그들이 원하는 소기의 목적을 달성한 셈이었습니다. 그 불편함과 괴로움은 매번 너무 짜증나고 혐오스러웠습니다. 그러나 그 어디에도 하소연할 데가 없는 고독한 형벌이었습니다.

그러나 저는 결국 취재를 다 마치고『한강』을《한겨레》에 연재하기 시작했습니다.

그 즈음에 이런 소문이 들려왔습니다.

'고발자들이 사건을 빨리 처리하라고 압력도 가하고 시비를 걸고 하니까 검찰에서는 계속 담당 검사를 바꾸며 자료 검토 중이라고 한다.'

그것 참 묘안이 아닐 수 없었습니다. 그러나 고발자들은 검찰의 처분만 바라고 가만히 있는 것이 아니었습니다. 출판사에 출판을 중단하라는 협박의 내용증명을 보내는가 하면, 『태백산맥』을 번역하는 일본 출판사에까지 번역을 중단하라는 편지를 보내고 전화를 걸고 했습니다. 그뿐만 아니라 『태백산맥』 1백 쇄 기념식장인 프라자호텔 정문 앞에서 태극 마크가 찍힌 머리띠를 두르고 '김일성 앞잡이 조정래'라는 삐라를 뿌려대기도 했습니다.

그러자 검찰에서도 더는 어쩔 수가 없었던지 제게 수사 날짜를 통고해왔습니다. 1998년이었습니다.

저는 『한강』 쓰기를 중단하고 그 조사에 응하지 않을 수가 없었습니다. 소설을 쓰다가 딴 일로 소설을 중단하는 것처럼 짜증나고 기분 상하는 일은 없습니다. 작가들은 아마 다 똑같을 것입니다.

역시 검찰은 경찰과 달랐습니다. 5백 개가 넘는 혐의 사실을 120여 개로 줄여놓은 것입니다. 말이 안 되는 것은 빼버리고 간추린 것이었습니다. 경찰에서도 그랬더라면 제가 수사를 거부하는 일은 벌어지지 않았을 것입니다.

검찰은 그 120여 가지에 대해 '객관적 자료'를 요구했습니다. 객관적 자료—그건 국가 기록물(국회 증언록이나 행정 관청의 발간물), 그리고 국가가 납본필증을 내준 책으로 제한되었습니다. 제가 직접 경험한 사실도, 제가 직접 취재한 사실도 인정하지 않는다는 것이었습니다.

"만약 한 가지라도 객관적 자료를 제시하지 못하면 그게 유죄 혐의가 될 수 있습니다."

젊은 검사의 말이었습니다.

신문이 시작되었습니다.

"객관적 자료를 제시하겠습니다."

저의 대답이었습니다.

"객관적 자료를 제시하겠습니다."

저는 검사만큼 감정이 담기지 않은 목소리로 말했습니다.

'전과 동'의 응답이 반복되고 있었습니다.

"선생님, 저희 세대는 6·25를 모릅니다. 잘 생각하시고 대답하셔야 합니다."

젊은 검사가 컴퓨터에서 손을 떼고 저를 똑바로 쳐다보며 말했습니다.

저는 그 말뜻을 금방 알아들을 수가 없었습니다. 6·25를 모르니 심정적 이해란 있을 수 없고 객관적 자료대로만 판단할 뿐이니 정신 차리라는 뜻 정도로 파악했습니다.

『태백산맥』에 대한 검찰 내부의 의견은, 문제가 있다고 판단하는 검사가 70퍼센트, 문제가 없다고 판단하는 검사가 30퍼센트 정도라는 말을 들은 적이 있습니다.

'이 검사는 어느 쪽일까?'

그 순간에 왜 그 생각이 떠오르는 것인지 모를 일이었습니다.

'전과 동'의 응답은 계속되었습니다.

10시에 시작된 조사는 오후 5시에 끝났습니다. 저는 이튿날 정해진 시각에 정확하게 대검찰청에 나갔습니다.

조사는 12시가 못 되어 다 끝났습니다. '전과 동'의 되풀이였으니 사흘 예정이었던 조사가 절반으로 단축될 수밖에 없는 일이었습니다.

저는 객관적 자료를 준비할 기간으로 일주일 여유를 요청했습니다.

"예, 열흘을 쓰셔도 좋습니다."

검사의 말이었습니다.

저는 『한강』 쓰기를 중단했습니다. 그리고 그놈의 객관적 자료들을 찾아 이미 기억 저편으로 몰아내버린 책들을 뒤지기 시작했습니다. 저는 소설 쓸 때보다 더 말이 없어졌고, 아내는 없는 듯 저한테서 멀리 떨어져 그림자처럼 오갔습니다.

저는 객관적 자료들에 '포스트잇'이라는 색종이를 붙여나가기 시작했습니다. 저는 그때 처음으로 포스트잇이라는 것을 알았습니다. 그 신식 문구는 전에는 쓸 일이 없었으니까요.

매일 새벽 3, 4시까지 계속된 자료 찾기는 예정대로 일주일 만에 끝났습니다. 책은 모두 17권이었습니다. 저는 그것을 보자기에 쌌습니다. 그 보퉁이를 들고 나서는 제 모습은 국정감사장의 국회의원 모습과 비슷했습니다. 그날 한국일보사 기자로 검사실 앞에까지 저와 동행한 유일한 사람은 오늘의 소설가 김훈 씨였습니다. 저는 그 보퉁이를 검사의 책상 위에 올려놓았습니다.

"아니, 이 많은 것을 언제 다……"

젊은 검사의 놀란 말은 여기서 끝났습니다.

"예, 아무 걱정 하지 마십시오. 다 표시해왔습니다."

저는 보자기를 풀어 포스트잇이 줄줄이 붙은 책들을 보여주었습니다.

"그리고 이건 조사받은 혐의 사실들입니다. 여기에 책과 그 페이지를 다 표시해놓았습니다."

저는 목록을 정리한 A4용지 묶음을 검사에게 내밀었습니다.

"아 예에……"

검사는 놀라고 당황한 기색으로 그것을 받아 들었습니다. 그리고 그것을 대충대충 살피며 넘겨갔습니다.

"조사 받으실 때 하나도 메모를 안 하시던데 어떻게 이렇게 다……"

검사가 약간 더듬거리는 어조로 말했습니다.

"그야 뭐……, 빠진 건 하나도 없을 것입니다."

저는 돌아섰습니다.

아마 그 검사님은 제 소설을 한 편도 안 읽은 모양이었습니다. 제가 『태백산맥』에서만 280여 명, 『아리랑』『한강』까지 합하면 1천 2백 명이 넘는 인물을 만들어낸 사람이라는 걸 모르는 것 같았습니다.

검찰은 그 후로 아무 연락이 없었습니다. 협박자들도 그만 지쳤는지 더는 심야에 전화를 해오지 않았습니다. 하긴 작가야 자정을 넘기면 원고량이나 불어나지만 그 사람들이야 자정을 넘기면 수면 부족만 초래할 뿐이지요.

햇볕정책을 내세우며 북한을 오간 정권도 『태백산맥』사건에는 아무 관심도 없이 끝났습니다.

"아예 상을 탈 생각도 하지 말고, 교과서에 들어갈 생각도 하지 말아요. 백날 정권이 바뀌어도 윗대가리 빼고는 다 보수니까."

어느 후배 평론가가 술 취해 한 말이었습니다.

저는 그저 웃었습니다.

정권이 바뀌었습니다. 해가 바뀌고 또 바뀌었습니다. 국가보안법 폐지의 물결 위에 『태백산맥』표지가 찍힌 삐라가 뿌려지고 있었습니다. 그러나 그 엄동설한에 뜨겁게 달아올랐던 국가보안법 폐지 운동은 물거품이 되었습니다. 분단은 위기의식을 낳고, 위기의식은 보수를 낳고, 보수는 그렇게 견고했습니다. 그런 사회에서 『태백산맥』같은 것을 쓰다니…… 새삼스럽게 가슴 한복판으로 서늘한 바람 한 줄기가 스쳐 지나갔습니다. 이 정권에서도 틀렸다……, 저는 마음을 닫았습니다.

그런데 어느 날 검찰에서 연락이 왔습니다. 세 가지의 자료를 좀 보내달라는 것이었습니다. 모두 신문에 보도되었던 『태백산맥』에 대한 긍정적인 기사였습니다. 셋 다 스크랩북에 있어서 힘들이지 않고 쉽게 보내줄 수 있었습니다.

그리고 며칠이 지났습니다.

검찰이 『태백산맥』에 무혐의 결정을 내렸다고 신문이 일제히 보도했습니다. 1994년 4월에 고발당해서 2005년 5월에 무혐의 판정을 받은 것입니다. 만 11년을 잡아먹은 그 사건은 사법사상 가장 길게 끈 고발 사건이 되었습니다.

● 『태백산맥』이 영화화됐지만 소설에서 보여준 방대함과 깊이를 다루기엔 많이 부족했습니다. 만약, 드라마나 연극 등으로 현대사 3부작이 제작된다면 가장 놓치지 않았으면 하는 것은 무엇이며 그것이 어떤 의미를 갖는지 묻고 싶습니다.

박지숙 · 한림대 일본학과

● 『태백산맥』 영화화엔 구구한 사연이 많습니다. 『태백산맥』 고발 사건이 얽히면서 전면적 제작 방해를 당했기 때문입니다. 전면적 제작 방해가 뭐냐고요?

예, 이 얘기부터 들어보십시오. 『태백산맥』의 무대인 전남 보성군에서는 이미 15년 전쯤에 벌교에 『태백산맥』 문학관을 세울 구상을 했습니다. 그런데 고발 사건이 터지자 곧 이런저런 새로운 사태가 발생하기 시작했습니다. 한국전쟁 피해자 유가족이 뭉쳐 반대에 나서고, 반공단체 지부들이 들고일어나고, 순천 지청에서는 그 일을 추진하려던 공무원들을 소환했습니다. 이런 동시다발적인 사태 앞에서 일이 어찌 됐겠습니까. 당연히 중지되었지요. 그리고 세월이 흘러 고발 사건이 무혐의로 마무리되자 그 일은 다시 추진되어 2008년 11월에 개관식을 하게 된 것입니다.

영화 제작도 그런 식으로 여러 방면에서 방해를 받게 된 것입니다. 먼저 시나리오부터 심의에서 막혔습니다(물론 이 사실은 영화 상영이 끝나고 나서야 알았습니다. 소설이 영화화되는 경우 촬영 전에 원작자에게 시나리오를 보내오고, 영화 촬영이 시작되면 현장에 초대하는 것이 상식이고 관례입니다. 그런데 『태백산맥』의 경우 영화사나 감독한테서는 아무 연락이 없었습니다. 저도 고발 사태에 당황하고 있던 참이라 영화 진행에 관심 돌릴 겨를이 없었고, 고발 사건이 영화 제작에도 영향을 미칠 거라고 짐작하며 이해하는 쪽으로 덮어두었습니다).

신문 보도로 영화가 촬영되고 있다는 것을 알았고, 어느 기자를 통해서 임권택 감독이 촬영에 몹시 어려움을 겪는다는 소식을 들을 수 있었습니다. 촬영장에 반공단체 회원들이 나타나 방해를 하는가 하면, 촬영 장소를 정해놓으면 경찰서에서 나와 사전에 허가를 받지 않았다고 촬영 금지를 한다고도 했습니다. 그뿐이 아니라 이미 고물이 되어 창고에 버려두다시피 한 M1 소총을 빌려주지 않아 영화사에서는 일일이 목총을 깎아야 하는 형편이라고 했습니다. M1 소총을 실제로 사용하고 있었던 시절에도 전쟁영화를 찍을 때면 으레 그걸 빌려주는 것이 상식이었습니다.

임권택 감독이 얼마나 악전고투하는지 환히 알 수 있었습니다.

두 벌의 시나리오

영화가 완성되었다는 보도에 잇따라 장안을 시끄럽게 하는 사태가 벌어졌습니다. 『태백산맥』을 고발한 8개의 반공단체들이 영화관을 폭파하거나 불지르겠다고 들고일어난 것입니다. 영화 상영 저지 투쟁이었습니다. 그 극렬함에 놀라 신문은 그 사실을 대서특필했고, 만평이며 만화까지 그려지고 있었습니다. 『태백산맥』은 이래저래 야단법석이고 시끌시끌한 작품이었습니다.

영화사에서는 보수 인사들을 대거 초청하는 시사회를 마련했습니다. 그 난관을 돌파하려는 응급조처였습니다. 그 시사회를 본 인사들의 의사에 따라 영화 상영을 결정하겠다는 것이었습니다(그 시사회에 원작자인 저는 제외되었습니다. 원작자가 시사회에 초청받지 못한 것은 우리나라 영화사에서, 아니 세계 영화에서 최초의 일이었을 것입니다. 그러나 상황이 상황이었던 만큼 영화사의 그런 결정은 잘한 일이었습니다).

시사회 결과는 '상영해도 좋다'였습니다. 저는 상영 첫날 비로소 초대권을 받았습니다. 아내와 함께 영화관에 갔습니다. 영화는 두 시간이 좀 넘게 길었습니다. 저는 끝까지 다 보지 않고(보지 못하고) 밖으로 나왔습니다. 그리고 영화관을 나서며, '그래도 지구는 돈다'고 중얼거렸던 갈릴레이처럼 중얼거렸습니다.

"춘향전처럼 몇 번이고 다시 만들면 된다……"

아내는 제 중얼거림을 들었는지 못 들었는지 침묵뿐이었습니다.

며칠이 지나고부터 저는 낯선 곳에서 걸려오는 전화를 받아야 했습니다. 영화잡지들이었습니다.

"영화를 어떻게 생각하십니까?"

약속이나 한 것처럼 그들의 첫 번째 물음은 이랬습니다.

저는 노골적으로 대답을 꺼렸습니다.

"만족하십니까?"

그들은 추궁하듯 다시 물었습니다.

저는 역시 대답하지 않았습니다.

그들이 원하는 대답은 뻔했습니다. 만족하지 않는다로 시작해서 감독을 비판하고, 우익단체들을 비판해서 화젯거리를 만들고 싶어 군침을 흘리고 있었습니다. 영화잡지들이 그렇게 많은 것을 그때 처음 알았습니다.

"임 감독의 입장을 충분히 이해한다."

저는 이런 맥빠지는 대꾸 한마디씩을 해주었을 뿐입니다.

그러고 나서 영화사에서 제게 시나리오를 보내왔습니다. 봉투에서 나온 것은 두 벌의 시나리오였습니다. 거기에 임권택 감독의 고뇌가 고스란히 들어 있었습니다. 그분이 영화 〈태백산맥〉을 자신의 작품으로 내세우고 싶어 하지 않는다는 것도 미루어 짐작하고 있습니다. 그게 분단시대를 살아야 하는 감독의 상처고 아픔입니다. 분단의 파장이 피해 가는 곳은 없습니다. 세월이 어서 좋아져서 임 감독이 아무 간섭 받지 않고 맘껏 다시 만들 날이 오기를 기대합니다.

세 가지 공통점이 살기를

『태백산맥』『아리랑』『한강』은 모두 텔레비전 드라마로 계약되어 있습니다. 그런데 아마 『아리랑』이 가장 먼저 시청자를 만나게 되지 않을까 싶습니다. 그리고 『한강』『태백산맥』의 순서가 될 듯합니다.

텔레비전 드라마가 되거나 영화가 되거나 원작자의 욕심은 자기가 쓴 것이 그대로 영상화되기를 바랍니다. 그러나 그건 불가능한 일입니다. 제각기 매체의 특성이 있기 때문입니다.

헤밍웨이가 자기 작품 『누구를 위하여 종은 울리나』의 영화화에 불만을 품고 감독을 두들겨 패 콧뼈를 부러뜨린 것은 유명한 일화입니다. 그런 갈등은 수없이 많이 일어납니다. 그래서 저는 좀더 세련된 방법을 택해 아예 그런 갈등을 없애버립니다. 그들의 전문성과 그들의 특성을 전적으로 인정해버리는 것입니다. 그들은 그들의 명예를 위해 최선을 다할 테니까요.

그러나 제 3부작에서 꼭 놓치지 않기를 바라는 것이 있다면 앞에서 얘기한 '세 가지 공통점'을 살리는 것입니다. 왜냐하면 그것이 인간의 삶과 역사를 바르게 이끌 수 있는 기본이고, 우리 민족의 미래를 밝게 열어갈 수 있는 열쇠이기 때문입니다.

드라마가 잘되어 소설에서 얻었던 재미가 더 커지기를 바라는 마음이 큽니다. 드라마는 드라마의 호소력과 감동이 있으니까요.

● 『태백산맥』은 한때 이적 표현물로 조사 받았으면서도 한편으로는 이념의 대립에서 중립적인 시선을 유지했다는 평을 듣습니다. 작가님은『태백산맥』이 중립적인 시선을 유지했다는 평가가 의도에 맞는다고 생각하시는지 궁금합니다.

임정균 · 인제대 의학과

● 여기서 '중립적'이라는 말은 과히 적절하지가 않은 듯합니다. 보다 뜻이 적확해지려면 '객관적'이라고 해야 옳을 것 같습니다. 왜냐하면 저는 양쪽 입장의 가운데에 섬으로써 또 하나의 입장을 확보하려고 한 것이 아니라, 사실을 사실이라고 말함으로써 확보할 수 있는 진실을 드러내고자 했기 때문입니다. 그 객관적 시각으로 양쪽의 모순, 문제점, 잘못 같은 것들을 냉정하게 보고 비판하려 한 것이 저의 태도였습니다.

제가 검찰에서 요구했던 '객관적 자료'를 하나도 빠짐없이 제출했고, 그에 따라 무혐의가 된 것이 그것을 입증해주고 있습니다. 저는 애초에 어느 쪽을 편들자고『태백산맥』을 쓴 것이 아닙니다. 그런데 반공주의에 의해 절대 신성 불가침의 자리를 차지하고 있던 군인·경찰·미군 등의 문제점을 적시하게 되자 그들은 자기네 성역이 균열을 일으키는 것을 견딜 수 없어서 저를 감정적으로 몰아댄 것이었습니다.

제가 무혐의가 되면 저를 고발한 그들에게 자동적으로 주어지는 죄는 무엇이지요? 무고죄입니다. 그러나 저는 그들을 무고죄로 고발하는 일을 하지 않았습니다. 왜냐하면 제가 당한 고통은 분단시대를 살아가며 분단소설을 쓴 작가로서 의당 당해야 하는 아픔이었고, 제게는 더 중요한 일들이 산적해 있었기 때문입니다.

똑바로 보라

"난 절대로 좌익을 편든 게 아니다. 좌익은 좌익대로, 우익은 우익대로 서로를 욕하고 비판한다. 그 분량도 비교해보라. 거의 같다. 그런데 왜 좌익의 말만 가지고 문제 삼는가. 그 반대로 우익이 좌익을 욕하는 것을 중시한다면 나는 표창을 받아야 마땅하지 않은가. 경찰은 이 점에 대해서 균형을 잡아야 한다. 그게 법의 공정성이다."

제가 경찰 조사에서 한 말입니다. 그러나 먹혀들지 않았습니다. 명색이 문학평론가들이 그 구분을 못하는 판에 경찰에게 그 기대를 하는 것 자체가 무리일 수밖에 없는 일이기도 했습니다.

제가 객관적 시선을 유지했다는 평가가 있다면 그건 제 뜻을 제대로 파악한 것이며, 저는 고마움과 보람을 동시에 느낍니다. 지금까지 누누이 이야기해오고 있지만 작가는 그 어떤 정치의 종속물도 아니고, 그 어떤 이념의 부속물도 아닙니다. 문학작품은 정치, 이념, 그것들과 다른 어떤 것이며, 작가가 받드는 것은 오로지 하나, 순수한 인간 그 자체입니다.

◉ 『태백산맥』이 일본에서 번역, 출판되었습니다. 좀 의외라는 느낌이 있는데, 그 반응이 어떠했는지요?

고영민·충남대

● 2000년에 슈에이샤(集英社)에서 완역 출간되었습니다.

"톨스토이나 숄로호프, 솔제니친처럼 세계적으로 인정 받은 작가의 대하소설은 다 번역되었지만 한국의 대하소설이 번역되는 것은 최초의 일이다. 일본 독자에게 많이 읽혔으면 좋겠다."

슈에이샤 주간이 한 말이었습니다.

'『태백산맥』은 단순히 한국전쟁에 대해서 쓴 소설이 아니다. 한국전쟁에 대해서 쓰되 그것을 통해서 강대국이 약소국을 어떻게 핍박하고 유린하는지를 적나라하게 밝혀 인류사의 문제로 그 지평을 확대한다. 그리고 또 하나의 미덕은 한국과 한국 민족을 총체적으로 이해할 수 있는 백과사전 노릇을 하고 있다는 점이다.'

문학평론가 가와무라 마나도가 쓴 글입니다.

"일본 대학 총장을 만난 적이 있습니다. 그 사람이 대뜸 『태백산맥』을 읽었느냐고 묻는 겁니다. 진작 읽었다고 하니까 반가워하면서 하는 말이, 지금 일본 대학 총장 사이에서는 『태백산맥』 읽기 붐이 일고 있는데, 『태백산맥』을 안 읽고는 지식인 취급을 못 받을 지경이라고 하는 겁니다. 참 기분 좋은 말이었어요."

순천대학 허상만 전 총장의 말이었습니다.

일본 슈에이샤에서 『태백산맥』 완역 출간

일본에서는 대체로 양장본이 먼저 출간됩니다. 양장본은 특히 제본이 고급스러워 책의 품위가 우아하지만 그 대신 값이 비쌉니다. 그 양장본이 일차 팔리면서 인기를 끌고, 독자의 요구가 넓어지면 대중보급용으로 문고판이 발간됩니다. 일본은 독서 시장의 그 이중구조가 아주 조화롭게 발달한 나라입니다. 장서 보관용을 원하면 양장본을 사고, 일반 대중은 값이 싼 문고판을 사는 것입니다.

저는 지난해 문고판도 계약을 했습니다. 일본 사회에서 문고판까지 계약하게 된 것은 기쁜 일이 아닐 수 없습니다. 미국이나 유럽에는 지나칠 만큼 관심이 많으나 우리나라에 대해서는 별다른 관심이 없는 일본 사람에게 우리의 소설이 읽혀진다는 것은 여러모로 의미가 적잖은 일이기 때문입니다.

특히 경제 사정이 넉넉하지 못한 우리 교포에게 문고판이 읽혀진다면 그보다 더 반가운 일은 없습니다. 오사카의 어느 서점에서 『태백산맥』을 들여다보고 또 보다가 아쉬운 표정으로 책을 그냥 놓고 나가던 어느 교포의 뒷모습이 오래 잊혀지지 않습니다.

● 『한강』 마지막 인터뷰를 보면 아드님과 그 아드님의 아내 분께 자신의 책을 원고지에 옮길 것을 주문하셨습니다. 벌써 시간도 꽤 흘렀으니 그분께서도 이제 완성을 하셨는지요? 그 속도가 굉장히 빨라 놀라셨다고 하셨는데 말입니다. 저도 그 부분을 읽고 선생님의 능력을 몹시 흠모했던지라 책을 베끼기로 결심하였습니다. 그러나 쉽지 않은 일이더군요. 이 질문은 조정래 선생님께 올린다기보다는 그 아드님 분과 그 아드님의 아내 분께 질문드리고 싶습니다. 하시고 난 후 성과가 있으셨나요? 있다면 어느 것이었는지 궁금합니다.

정채희 • 아주대 사학과

● 　『한강』 작가의 말을 보면 아들과 며느리에게 선생님의 『태백산맥』을 베끼게 했습니다(또는, 하셨습니다). 벌써 시간도 꽤 흘렀으니 그분들은 이제 완성을 했는지요? 그 속도가 굉장히 빨라 놀랐다고 하셨는데 말입니다. 선생님을 몹시 흠모하고 있던 저는 그 부분을 읽고 저도 그 책을 베끼기로 결심하였습니다. 그러나 쉽지 않은 일이더군요. 이 질문은 조정래 선생님께 올린다기보다는 아들 내외분께 하고자 합니다. 베끼고 난 후(또는, 필사 후) 성과가 있으셨나요? 있었다면 어떤 것이었는지(또는, 어떤 점이었는지) 궁금합니다.

　문장론 강의를 한다고 생각하고 질문을 좀 손질해보았습니다. 글을 무난하게 잘 쓴다는 것은 쉽지 않습니다. 글을 물 흐르듯이, 그러면서 의미가 깊도록 쓰고 싶으면 많은 책을, 정신 모아, 유심히 읽는 습관을 들이십시오. 앞에서 몇 번씩 강조했던 말입니다. 남의 눈길에 끌리게, 남의 마음에 담기게 글을 쓸 수 있는 것처럼 아름다운 일은 없습니다.

그 아름다움은 꾸준한 노력으로 자신의 것이 될 수 있습니다. 지금 조금 서툰 것을 전혀 부끄러워하지 마십시오. 그 서툰 부분이 곧 발전의 모태가 됩니다. 처음부터 잘하는 사람은 이 세상에 아무도 없습니다. 어느 분야의 일이든 처음 시작이 조금씩 어설프고 실수를 하게 되는 건 어린아이의 서툰 걸음마처럼 고운 삶의 모습입니다.

여기는 저만 발언하는 데니까 제 아들이나 며느리의 말은 제가 대신 전하겠습니다.

제 아들은 원래 말수가 적으니까 『태백산맥』 열 권을 다 베끼고도 그저 묵묵부답이었습니다. 그런데 며느리는 어느 날 불현듯 한마디를 했습니다.

"제가 임신했을 때 『태백산맥』을 베껴서 재면이가 그렇게 머리가 좋은가봐요."

어떻습니까. 이만하면 제 며느리가 베끼기의 효과에 얼마나 만족하는지 알 수 있지 않습니까. 또한 『태백산맥』을 베끼게 한 저의 용단에도 얼마나 감사해하는지 느껴지지 않습니까(착각 그만하라고요? 시아버지 듣기 좋게 한 말일 뿐이라고요? 예, 그럴 수 있습니다. 그러나 한 가지 모르시는 게 있습니다. 제 큰손자 재면이가 얼마나 총명하고 영특한지 아시면 제 며느리가 왜 그렇게 말하는지 이해하실 겁니다. 당신도 손자 자랑이나 하려고 드는 주책 영감이라고요? 예, 그래서 말을 삼가려고 합니다. 그러나 여기서 얘기를 자르고 말면 왜 제 며느리가 그렇게 말했는지에 대한 설명을 묵살해버리는 것이니 그건 독자 여러분에 대한 기본 예의가 아니로군요. 그래서 손자 자랑한다는 누명을 무릅쓰며 딱 두 가지 사실만 밝히겠습니다. 제 큰손자 재면이는 지금 열 살입니다. 제 아버지가 캐나다 '밴쿠버 필름 스쿨'에 공부를 하러 가는 데 함께 따라가서 1년 동안 머물고 8월 23일 귀국합니다. 그런데 큰손자놈은 3학년 1년 동안의 공부에서 29명의 캐나다 애들을 제치고 1등을 차지했습니다. 그러나 그게 중요한 게 아닙니다. 녀석은 교실 출입문 옆에다가 우리 한글 ㄱ·ㄴ을 쭉 쓰고 그 옆에 영어로 발음 표기를 한 큼지막한 종이를 붙였습니다. "내가 영어를 배우니 너희들은 한글을 배우라"는 것이었고, 영어로 에세이를 제일 잘 쓰는 조재면의 그 뜻을 담임선생이 받아들여준 것입니다. 그리고 녀석이 세 살 때 일입니다. 엄마 아빠와 함께 우리 집에 온 녀석은 많이 운 표가 났습니다. 제 에미의 말로, 영어가 쓰인 셔츠를 안 입겠다고 버티며 30분을 울었다는 것입니다. 녀석은 이렇습니다. 이거 죄송합니다. 딱 두 가지만 얘기한다고 해놓고 1등한 것까지 흘러나와 세 가지가 되고 말았습니다. 할아버지란 역시 대책없는 주책들입니다).

꾸준한 노력의 중요성

많은 독자가 왜 제가 아들만이 아니라 며느리한테까지 『태백산맥』을 베끼게 했는지 궁금해합니다. 그리고 그들이 정말 다 베꼈는지도 궁금해합니다.

그거 궁금할 것 없습니다. 제가 한 일의 어려움을 터득케 하려고 그랬을까요? 문장 공부를 시키려고 그랬을까요? 우리 역사를 철저하게 이해시키려고 그랬을까요? 세상살이의 복잡다단함을 미리 체험케 하려고 그랬을까요? 그런 것들은 다 부차적인 것일 뿐입니다.

제 아들 친구들은 저의 처사에 대해 너무한다는 반응들을 보인 모양입니다. 아내가 슬쩍 흘리는 말을 들으면 저를 독재자로 매도하기도 하는 모양이었습니다. 그 친구들은 자기 아버지가 조정래가 아닌 것을 천복이라고 생각했을지도 모르지요.

아들의 불만을 대변하는 것인지 어쩐지 아내도 그걸 다 베끼게 하는 건 너무 심하지 않느냐는 느낌을 얼핏 보이기도 했습니다. 저는 그런 분위기에 단호하게 대처했습니다.

"내가 『아리랑』하고 『한강』까지 베끼게 하지 않은 것을 고마워해야 해."

아내는 입을 다물어버렸습니다.

제가 굳이 『태백산맥』을 베끼게 한 것은 한 가지 이유가 있습니다. 매일매일 성실하게 꾸준히 하는 노력이 얼마나 큰 성과를 이루는지 직접 체험케 하려는 것이었습니다.

여러분, 『태백산맥』 열 권을 베끼는 데 얼마나 걸릴까요? 같이 계산을 해봅시다. 1년 365일에서 일요일을 뺍니다. 그럼 3백여 일이 남습니다. 3백 일에, 4년이면 1천 2백 일입니다. 무슨 뜻인지 아셨지요? 하루에 원고지 10매씩만 베끼면 4년이면 다 베낀다 그겁니다. 10매를 베끼는 데는 1시간쯤 걸립니다. 하루에 1시간의 노동을 바치는 것, 얼마나 쉽습니까.

그러나 1백 명이 『태백산맥』 베끼기를 시작했다고 했을 때 4년 후에 몇 명이나 완성을 시킬 수 있을까요? 제 인생 경험으로 보아 열 명이 되기 어렵지 않을까 싶습니다.

『태백산맥』 문학관에는 네 벌의 『태백산맥』 원고가 쌓여 있습니다. 그중의 하나가 독자 119명이 한 장(章)씩 필사한 것입니다. 『태백산맥』 사랑 카페 회원인 그들은 제 아들과 며느리의 필사 소식을 듣고 자기들도 필사하겠다고 나섰습니다. 그러나 다 실패하게 되자 공동 대처에 나선 것입니다.

인생이란 노력이 피우는 꽃

저는 『태백산맥』 베끼기를 통해서 아들과 며느리가 인생이란 스스로 한 발, 한 발 걸어야 하는 천리길이란 것을 깨우쳐주고 싶었습니다. 인생이란 지치지 않는 줄기찬 노력이 피워내는 꽃이라는 것을 체득시키고 싶었습니다.

젊은이들이 제일 듣기 싫어하는 말이 '성실하게 노력하라' '꾸준하게 노력하라'는 말이라 합니다. 그래서 저는 그 말을 하지 않았습니다. 그 대신 『태백산맥』 베끼기를 택했습니다. 아들과 며느리가 베끼기를 다 끝냈을 때도 저는 아무 말도 하지 않았습니다. 그러나 그들이 매일매일 지치지 않고 미련하게 하는 노력이 얼마나 큰 성과를 나타내는지 절절히 깨달았으리라 믿습니다.

여러분께서도 그 실감을 하고 싶으시면 『태백산맥』 필사를 시작하십시오. 하루에 단 1시간 투자입니다.

두어 달 전에 평창동의 영인문학관에서 강연을 했습니다. 강연이 끝나고 사인을 하는데 한 여성이 조그만 메모지를 내보였습니다. 거기에는, 자기도 『태백산맥』을 필사하겠으니 그것을 문학관에 전시해 줄 수 있느냐, 고 적혀 있었습니다. 저는 순간 당황했고, 어찌할 줄을 몰라 이렇게 말했습니다.

"써보세요."

하겠다, 아니다도 아닌 이 불투명하고 막연한 말뜻은 무엇인가요. '당신은 못할 것이다' 하는 생각을 저는 하고 있었습니다.

그런데 집으로 돌아오면서 생각하니 그 여성이 해낼 수도 있는 일이었습니다. 그때 제 머릿속에 문학관의 '문학 사랑방' 공간이 떠올랐습니다. 2층 그곳은 관람객들의 휴식을 겸한 토론방으로 꽤나 넓었습니다. 그곳에 그 여성의 원고를 전시하면 되겠다고 생각한 것입니다. 그곳에는 창을 따라 빙 둘러가며 20명 이상의 원고를 전시할 수 있을 것입니다. 원하시는 분은 망설이지 말고 자원하십시오. 독자들의 필사 원고가 봉우리 봉우리를 이루고 있는 것도 문학관의 진풍경 아니겠습니까. 그러나 제가 이렇게 자신만만하게 말하는 내심도 아시지요? 한 사람도 없을 거라고 생각하는……

『태백산맥』 문학관에 전시된 원고들을 구경하는 관람객.
왼쪽이 '며느리 필사본', 가운데 '아들 필사본',
오른쪽은 119명 독자들의 릴레이 필사본이다.

● 『태백산맥』은 1994년 국가보안법에 저촉된다는 혐의를 벗은 이후에도 역사를 왜곡하는 내용을 담았다는 논란이 끊임없이 제기되고 있는데, 『태백산맥』 집필을 시작한 지 20여 년이 지난 지금 책을 다시 쓰신다면 수정할 부분이 있나요? 있다면 무엇인가요?

우성민 · 서강대

● 　제 작품의 수정 여부를 묻기 전에 귀하의 질문부터 수정해야 할 것 같습니다. 1994년에 국가보안법 위반 혐의로 고발당했고, 그 혐의를 벗은 것은 2005년입니다. 그리고 『태백산맥』이 완간된 것이 20년이 되었고, 집필을 시작한 지는 26년이 되었습니다.

　법치국가 대한민국의 대검찰청이 무혐의 결정을 내렸습니다. 일사부재리의 원칙 아래에서 더 무슨 말이 필요합니까. 그러나 그런 논란을 일삼는 것은 통일의 그날까지 계속될 것입니다. 그게 또 하나 분단의 슬픈 현실이고, 치유될 길 없는 정신 질환의 일종입니다.

　수정할 부분?

　없습니다.

● 소설 『아리랑』은 일제 시대 폭압에 저항했던 우리 민족의 투쟁과 승리의 역사를 부각하고 그 역사는 민족적인 긍지와 자존심을 회복케 하는 것으로 평가됩니다. 하지만 아직 우리 사회는 근대화론 등 식민지 시기의 성과론에서 자유롭지 못한 것이 사실입니다. 식민사관과 근대화론에 대해 어떤 견해를 갖고 계신가요?

박민호 • 국민대 국사학과

● 　당신은 일제 식민지 시대에 대해 얼마나 알고 있는가? 당신은 일제 식민지 시대에 대해 제대로 알고 있는가? 당신은 일제 식민지 시대에 대해 다 알고 있는가? 당신은 일제 식민지 시대에 대해 교과서에서 배우면서 뭔가 이상한 점을 느끼지 않았는가? 당신은 일제 식민지 시대에 대해 교과서에서 배우면서 무슨 질문을 했는가? 당신은 일제 식민지 시대에 대해 교과서에서 배우면서 아무 질문도 떠오르지 않았는가?

　당신은 앞의 질문들 중에서 어디에 해당하는가? 모두에 해당하는가? 아무 데도 해당하지 않는가? 모두에 해당하면 당신은 어떤 존재일까? 아무 데도 해당하지 않으면 당신은 어떤 존재일까?

　초등학교 6학년 때였습니다. 사회생활 교과서에 임진왜란도 나오고 일제 시대도 나왔습니다.

　임진왜란을 일으킨 3대 왜장: 도요토미 히데요시, 가토 기요마사, 고니시 유키나가.

　그때 외운 것입니다. 그다음에 일제 시대가 나왔습니다. 저는 임진왜란보다 훨씬 더 분함을 느꼈습니다. 시대가 가까우니 당연한 것이지요.

그런데 다 배우고 나니 이상했습니다. 너무 허망했습니다. 이등박문으로 외운 이토 히로부미와 안중근 의사, 3·1 운동과 유관순 누나, 청산리 대첩과 김좌진 장군, 상해임시정부와 김구 선생. 이러고 나니 없었습니다. 이거 너무하지 않나 싶었습니다. 36년 동안이나 죽고 짓밟히면서 우리는 당하기만 했다는 것입니까?

저는 견딜 수 없어 손을 번쩍 들었습니다. 그리고 그 점을 질문했습니다.

"건방진 놈, 담에 크면 알게 된다."

사범학교를 갓 졸업한 젊은 담임선생은 씨익 웃으며 말했습니다.

그 즈음에는 알고 싶은 게 많고 많았는데 어른들한테 물으면 무뚝뚝하게 돌아오는 대답은 대개 '담에 크면 알게 된다'였습니다. 저는 그 질문도 그런 것일 거라고 생각할 수밖에 없었습니다.

그러나 중학교, 고등학교를 거치면서도 역사 교과서는 크게 달라지지 않았고, 그 의문을 풀어주는 사람도 없었습니다. 저는 '대학은 문학을 가르쳐주는 데가 아니다'는 사실을 깨닫는 데 대학 4년을 바쳤다고 앞에서 말했습니다. '문학의 길은 스스로 찾는 것이다'는 깨달음과 함께 저의 '독학의 세월'은 시작되었습니다. 책을 읽고 의문을 풀고, 새 의문을 만나 또 다른 책을 펼치는 시간 시간이 세월로 흘러갔습니다. 그 세월의 흐름 속에서 초등학교 때의 의문들도 차츰 풀려가고 있었습니다.

그런데 엄청난 충격을 받게 되었습니다. 제가 그동안 교과서에서 배워왔던 일제 식민지 시대 역사는 반쪽에 불과하다는 사실을 발견했던 것입니다. 다른 반쪽이 엄연히 있는데도 교과서에서는 빼버렸던 것입니다.

무슨 소리냐고요? 예, 차츰 순서대로 들어보십시오.

지워진 반쪽 역사 찾기

교과서에서 고의적으로 빼버린 그 반쪽의 역사를 찾는 건 누가 해야 할 일입니까? 당연히 역사학자가 해야지요. 그런데 역사학자는 '해방 공간'의 역사 연구를 기피하고 외면했던 것과 똑같은 이유로 그 반쪽의 역사 찾기에도 눈을 닫아버렸던 것입니다. 역사학자도 그 지경이었으니 작가라고 별수가 있었겠습니까. 일제 시대를 더러 소설로 썼으되 그 지워진 반쪽의 역사는 여전히 흔적이 없었습니다.

그 망각한 반쪽의 역사를 찾아 나서는 길, 그것이 『아리랑』 쓰기였습니다. 사실을 사실대로 써서 역사의 진실의 집을 짓는 것, 그것이 『아리랑』을 쓰지 않을 수 없는 이유였습니다.

자, 이야기의 순서가 약간 바뀌더라도 그 사라진 반쪽의 역사가 무엇인지 먼저 밝히는 것이 좋을 것 같습니다.

저는 『아리랑』을 쓴 다음부터 지금까지 강연을 하면서 수없이 확인을 하고는 했습니다.

"청산리 전투를 승리로 이끈 장군이 누구지요?"

"김좌진 장군이요."

남녀 대학생이든 일반 청중이든 거침없고 당당하게 대답합니다.

"예, 잘 맞혔습니다. 그러나 이건 정답이 아닙니다. 절반밖에 못 맞힌 것이니 세모표(△), 50점밖에 안 됩니다."

청중은 모두 어리둥절합니다.

"일본 정규군 3천 4백여 명을 이틀 밤 사이에 사살하고 항일 무장투쟁에서 가장 위대한 승리를 이룩한 청산리 전투는 또 한 명의 장군이 김좌진 장군과 협공해서 세운 최대의 업적입니다. 그 장군이 누구입니까?"

"······"

청중의 침묵은 너무 당연한 것입니다. 교과서에서 배운 바 없었기 때문입니다.

"그분이 바로 홍범도 장군입니다."

"······"

"그런데 우리 남쪽에서는 그분이 사회주의자라고 해서 교과서에서 빼버렸습니다. 그러면 북쪽에서는 어떻게 했을까요? 북쪽에서도 남쪽과 똑같이 김좌진 장군이 민족주의자라고 해서 그들의 교과서에서 빼버렸습니다. 여러분, 남·북한 정권 지배집단은 자기네 체제 유지에 편리하고 유리한 대로 분단 이후의 역사만 왜곡하고 암장한 것이 아닙니다. 우리가 지금 확인하고 있는 것처럼 분단 이전의 역사, 식민지 시대의 역사까지도 자기네 입맛에 맞도록 거짓으로, 가짜로 기록했습니다. 이것은 절대로 용납할 수 없는 문제입니다. 특히 식민지 시대 역사는 우리 민족 전체가 고난을 당하며 민족주의자든 사회주의자든 잃어버린 나라를 찾겠다는 한뜻으로 뭉쳐 싸운, 민족 전체가 공유해야 할 역사입니다. 그런데 어찌 남·북한 정권 지배자가 자기네 구미에 맞도록 역사를 제멋대로 왜곡하고 암장해 진실한 역사를 반쪽밖에 못 보도록 민족 전체를 애꾸눈으로 만든단 말입니까. 이건 분명 역사 범죄이고 민족 범죄입니다. 우리 민족은 그 언젠가 통일이 될 것입니다. 그때 분명 이 역사적 만행에 대한 비판이 행해질 것입니다. 그때 남·

북한 정권 지배집단을 통일 역사는 뭐라고 비판하겠습니까. 여섯 글자입니다. 맞히시는 분들께『태백산맥』『아리랑』『한강』에 사인을 해서 보내드리겠습니다. 사회학적 용어입니다. 어렵게 생각하지 마십시오. 아주 쉽습니다."

이렇게 힌트까지 주었지만 여태껏 맞힌 분은 한 명도 없었습니다(그러나, 여기까지 따라 읽느라 수고하셨다고 이 문제를 다시 퀴즈로 내지는 않겠습니다. 왜냐하면 그동안 수없이 정답을 밝혀왔기 때문입니다. 수천 명이 정답을 맞혀버리면 제 손자들 밥 굶기게 됩니다. 그래도 정답을 모르시겠거든 출판사로 연락하십시오).

허, 젊은이가!

제가 만주를 첫 번째 해외 취재지로 정한 것은 망실된 사회주의자들의 투쟁을 찾을 수 있는 최적지가 만주였기 때문입니다.

저는 연변에 도착하자마자 연변대학 박창욱 교수를 찾아갔습니다. 그분은 제 말을 유심히 들었습니다. 그리고 그분의 입에서 나온 소리는 이랬습니다.

"허, 젊은이가⋯⋯!"

그분은 한참이나 저를 물끄러미 바라보았습니다.

그때 저는 마흔일곱 살이었고, 환갑이 넘은 분의 눈에는 제가 한창 젊은이로 보였겠지요. 저를 바라보는 그분의 눈길과 표정은 좀 복잡했습니다. 소설로 진실한 역사 복원을 하겠다는 남쪽의 젊은 작가를 대견해하는 것도 같았고, 얘기해봤자 헛수고일 텐데 하며 믿지 못하는 것 같기도 했습니다.

"선생님, 아버님께서 전화하신 대로『태백산맥』을 쓰신 분입니다.

『태백산맥』에 비하면『아리랑』쓰기는 훨씬 더 쉬울 것입니다."

연변 조선족자치주의 원로 동포 작가 김학철 선생의 아들 김해양 씨가 말했습니다.

"알겠소. 이건 남북한 역사학자들이 힘을 합쳐 나서서 해야 할 일인데……"

그분은 반대 머리를 훔치며 자리를 고쳐앉았습니다.

평생 독립운동사를 연구해온 역사학자 박창욱 교수의 입은 그렇게 열리기 시작했습니다.

저는 위벽이 두 군데나 헐어내리는 위궤양이 걸린 줄도 모르고 술 좋아하는 중국공산당 동포 간부들과 어울려 38도 독주를 날마다 마시며 한 달 동안 우리 동포의 발길을 따라 만주 곳곳을 헤매고 다녔습니다.

식민사관과 근대화론을 어떻게 보느냐고요? 굳이 대답이 필요할까요? 일고의 가치도 없는 망발이고 궤변입니다. 한국의 하늘 아래서 한국의 공기로 숨 쉬고, 한국 땅에서 난 곡식을 먹고 살고, 한국 사람의 노동으로 형성된 보수로 살아가는 자들이 어찌 그리도 충실하게 일본 극우의 앵무새 노릇을 할 수 있는 것인지요.

● 『아리랑』을 쓰실 때는 중국 만주, 동남아 일대, 미국 하와이, 일본, 러시아 연해주 등지로, 또 『한강』을 쓰기 위해 베트남, 사우디아라비아 등으로 취재여행을 다니셨다고 들었습니다. 『태백산맥』에 비해 『아리랑』의 어떤 점이 더 어려우셨는지요?

이진주 • 고려대 국어국문학과

● 『아리랑』의 취재 지역이 『태백산맥』에 비해 수천 배가 더 넓으니까 그게 힘들었을까요? 아니면, 길이가 두 권이 더 길고, 주인공들이 세 배 가까이 많으니 그게 더 힘들었을까요?

아닙니다. 그런 것은 소설의 특성에 맞추어 이루어져 나아가는 일이니 비교될 어려움이 아닙니다. 노력을 해나가면 그 나름의 성취감과 함께 시나브로 풀려가는 문제이지요.

힘들었던 것은 따로 있습니다.

모든 운동선수의 존재 가치는 기록 갱신에 있습니다. 자기 기록을 스스로 깨고 넘어 새 기록을 세우는 것. 그건 운동선수들의 치열한 위대함이면서 끝내는 좌절할 수밖에 없는 숙명적 비애입니다. 그러나 세상은 그 예견된 좌절을 아름답게 치장해서 성대한 은퇴식을 베풀어 줍니다.

그러나 기록 갱신은 운동선수에게만 요구되는 것이 아닙니다. 모든 예술가 앞에도 그 덫은 놓여 있습니다. 전 작품보다 새 작품이 더 좋지 않을 때, 그것이 두세 번 계속될 때 세상의 시선은 싸늘해지고, 그 예술가…… 예술가에게는 성대한 은퇴식이 없습니다. 그래서 예술가의 그 숙명적 비애는 운동선수에 비해 너무 잔혹하고 쓸쓸합니다.

『아리랑』은『태백산맥』보다 더 좋아야 한다. 『아리랑』을 써야 하는 저에게 덮쳐오는 부담이었습니다. 그건 태산의 무게였습니다.

"『태백산맥』만 못하다!"

취재를 시작하기도 전에 제 귀에 쟁쟁히 들려오는 세상의 소리였습니다.

제 뜻대로 할 수 있는 일이라면『태백산맥』을 읽은 독자는『아리랑』을 못 읽게 하고 싶었습니다. 그럼 마음이 얼마나 홀가분해질까요. 그러나 저는 한편으로 자신이 있었습니다.『태백산맥』과『아리랑』은 여러 가지 면에서 서로 상반되는 조건을 가지고 있었기 때문입니다.『태백산맥』은 진행 시간이 짧은데 비해『아리랑』은 다섯 배 정도 길었습니다.『태백산맥』에서는 장면 이동을 빨리 하고 사건 진행을 신속하게 하면서도 시간의 흐름을 붙들어야 하는 모순된 상황이 힘겨웠습니다. 그러나『아리랑』에서는 시간의 흐름을 편히 탈 수 있는 자유가 한껏 보장되어 있었습니다.『태백산맥』은 그 무대가 제한적이라 자칫 답답하다는 협착감을 줄 수 있는데『아리랑』은 무한하다고 할 만큼 지구의 절반에 걸쳐 있어서 그 다양한 무대 묘사만으로도 신선함을 확보할 수 있었습니다.『태백산맥』은 분단에 의한 이념 알레르기가 너무 심해 반감이 극심했던 것에 비해『아리랑』은 민족 전체가 함께 슬퍼하고 분노할 수 있는 민족 수난사였습니다. 그리고『아리랑』은『태백산맥』보다 인물도 훨씬 더 많고 길이도 더 기니 흥미를 한층 더 증폭할 수 있었습니다.

『태백산맥』만 못하겠지만!

만주 취재는 무슨 형벌처럼 힘겨웠습니다. 위궤양인지도 모르고 매일 독주를 마셔야지, 음식은 안 맞지, 잠자리는 불편하지, 온통 비포장 도로를 날마다 달려야지, 계절풍 따라 황사는 몰아치지, 지옥이 따로 없었습니다. 그러나 저는 『아리랑』을 더욱 잘 쓰겠다는 일념으로 눈을 부릅뜨며 모든 어려움을 가뿐한 마음으로 참아낼 수 있었습니다.

마침내 귀국길에 오르게 되었습니다. 저는 저를 초청해준 김학철 선생께 작별 인사를 드렸습니다.

"『아리랑』도 잘 쓰시오. 『태백산맥』만 못하겠지만!"

악수를 하는 김학철 선생의 입에서 불쑥 나온 소리였습니다.

저는 머리가 아찔해지고 무릎이 휘청 꺾이는 것 같은 충격을 받았습니다. 그렇게 심한 충격은 난생처음인 것 같았습니다. 제가 오래전부터 들었던 세상의 소리는 저의 신경과민 때문이 아니었던 것입니다.

연변에서 북경으로, 다시 홍콩으로, 홍콩에서 김포로 이어지는 여정은 길고 지루했습니다. 그동안 저는 김 선생의 목소리를 떼치지 못하고 있었습니다. 그 소리는 『아리랑』을 끝낼 때까지 제 귓속에서 꽹과리 소리 크기로 살아 있었습니다. 어쩌면 저는 그 소리를 몰아내려는 것이 아니라 오히려 더 단단히 붙들려고 했는지도 모릅니다.

저는 『태백산맥』보다 더 빠른 속도로 『아리랑』을 끝냈습니다. 그러나 소설을 끝냈다는 홀가분한 기분은 느낄 수가 없었습니다.

"『태백산맥』만 못하다!"

이 소리는 더 크게 들리고 있었습니다. 그 큰 소리는 제가 안고 있는 불안감이었습니다. 벗어나려고 했지만 벗어날 수가 없었습니다. 저는 그때 제자신에게서 두 가지를 새로 느꼈습니다. 내가 이렇게도 소심한 인간인가 하는 것이었고, 내 욕심이 이렇게도 큰가 하는 것이었습니다.

나는 『아리랑』이 더 좋다

책이 완간되고 한 달쯤 되었을 때였습니다.

"내가 보기에는 『아리랑』이 더 좋습니다."

어느 잡지의 인터뷰를 위해 만난 평론가 황광수 씨가 말했습니다.

저는 그 말을 헛들은 것 같은 기분이었습니다. 갑작스러운 그 말이 너무 놀랍기도 하고 반갑기도 했습니다. 『아리랑』 준비에서부터 그때까지 7년이 넘도록 가장 듣고 싶었던 말이 그 말이었던 것입니다.

황광수 씨는 제게 그 말을 처음으로 해준 사람이었습니다. 그는 그냥 평범한 독자가 아닙니다. 전문 독자인 문학평론가입니다. 저는 비로소 소설을 다 끝낸 홀가분함을 느낄 수 있었습니다.

집에 돌아와 아내한테 그 말을 했습니다.

"나도 진작부터 그렇게 느끼고 있었어요."

별달리 반가운 기색 없는 아내의 대꾸였습니다.

"뭐라구?"

저는 여기서 말을 끊었습니다. 왜 그 말 진작 하지 않았느냐는 말은 삼켜버렸습니다. 그 순간 약게도 남편 체면을 지키고 싶었던 것입니다.

아내의 말까지 듣고 나서 저는 완전히 자신감을 갖게 되었습니다. 6개월이 지나도, 1년이 지나도 그 '세상의 소리'는 들려오지 않았습니다. 드디어 저는 저의 생존을 확인할 수 있었습니다.

『한강』을 쓸 때도 그 긴장과 불안감은 다시 살아났습니다. 아니,

『한강』의 적은 하나가 더 불어나 있었습니다.

　『한강』도 그런 '세상의 소리'를 듣지 않고 많은 독자를 만나게 되었습니다. 그건 그야말로 작가로서 흔히 누리기 어려운 천복이었습니다. 제 능력보다 훨씬 큰 사회의 은혜였습니다. 저는 세상을 향해 진심으로 고개를 깊이 숙였습니다.

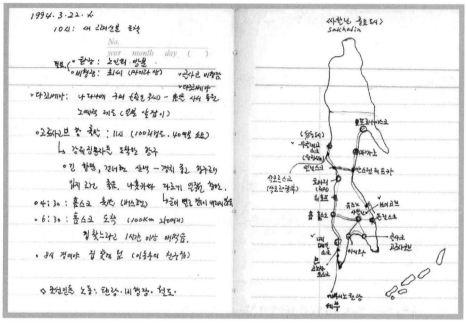

1994. 3. 22. 火
10시: 새 드미선보 도착

No.
year month day ( )

필요。° 단상: 노인회·엉님볼
° 비행장: 최씨 (샤이라 상) └ 춘샤리 비행장
└ 다연세아
＊ 다연세아: 나라씨께 구어 (친인 최씨) — 문은 사시 들고
노예쳐 체로 (민볼 알잡이)

° 고르사간브 장 출반 : 11시 (1000여킬로. 40분 소요)
└ 강제징용자들 도착한 항구
° 긴 항만, 겐어호 산벽 — 정치 좋고 황구리
없지 리고 춘뮤, 나홋카바 자르게 인정 됐요.

° 04:30 : 홈스코 출반 (버스편) └ 눈이 면고 길이 빼꼬하요
° 6:30 : 홈스코 도착 (100Km 2여에)
침찾느라고 1시간 이상 어렸음.

° 8시 정에야 침 찾게 됨 (이홍순이 친구집)

◇ 꼭실인촌 노동: 단상. 비행장. 철도.

〈사한린 중요도시〉
Sakhalin

● 선생님의 세 작품은 소설로서의 큰 매력뿐 아니라 우리 근현대사에서도 큰 의미를 가진다고 생각합니다. 그리고 이런 방대한 스케일의 작품을 쓰기 위해서는 그전에 철저한 자료 조사와 엄청난 고통이 있었을 것 같은데요.

박철홍 • 부산대 정보컴퓨터공학과

● 예, 대하소설을 쓴다는 것은 세 가지의 3단계 싸움이 아닌가 합니다. 자료와의 싸움, 인물들과의 싸움, 길이와의 싸움이 그것입니다.

그리고 대하소설을 준비하는 과정은 첫째, 시대 선택, 둘째, 새롭게 할 이야기 설정, 셋째, 자료 모으기입니다.

자료 모으기는 첫째, 필요한 모든 책 섭렵하기, 둘째, 무대가 될 땅의 직접 취재, 셋째, 자료의 취사선택입니다.

여기서 '섭렵'이라는 말에 유의하십시오. 그것이 어떤 책, 어떤 인쇄물이든 간에 필요하다는 '느낌'이 들면 다 모으고 다 읽어야 합니다. 그리고 반드시(이것은 절대적인 것임) 읽어나가면서 중요한 것들의 강도에 따라 볼펜의 색깔을 달리하고, 기호를 달리해가며 표시를 하십시오. 그리고 책을 다 읽고 나서는 그 사항들을 반드시 노트에 옮겨 정리하되, 자료마다 책의 페이지를 표시하십시오. 절대로 머리로 기억하려고 하지 마십시오. 기억력을 과신하는 것처럼 어리석은 일은 없습니다. 책이 열 권, 스무 권이면 모르겠는데 백 권을 넘기 시작하면 꼭 필요한 사실을 찾으려고 할 때 어느 책에 있었는지 헤매게 됩니다. 이 책도 아니고, 저 책도 아니고, 무수한 책장을 넘기다 보면 혼란은 점점 심해져 정글 속에서 길을 잃고 헤매는 꼴이 되고 맙니다. 그러다 보면 작은 사실 하나를 확인하느라 소설을 써야 하는 소중한 시간을 몇 시간이고 낭비하고 탕진해버리게 됩니다. 그때 후회해봤자 때는 이미 늦으리입니다. 그건 평소에 사소한 노력에 충실하지 않았던 혹독한 대가입니다. 이건 절실한 경험에 의한 충고입니다. 대하소설을 쓸 마음이 있다면 이의 없이 따르는 게 보약이 될 것입니다.

책의 섭렵이 끝났으면 지체 없이 작품 무대가 될 현장을 찾아 짐을 꾸려야 합니다. 현장 취재를 하는 이유는 우선 현장을 직접 확인할 필요성 때문입니다. 백문이 불여일견이라 했습니다. '백 번 들어봤자 한 번 보는 것만 못하다'는 뜻입니다. 말로만 듣는 게 아니라 사진으로 보면 될 거 아니냐구요? 사진으로 백 번 보는 것은 말로 백 번 듣는 거나 마찬가지입니다.

사람이라는 고등동물을 찾아

제아무리 잘 찍은 사진이라고 해도 그것은 카메라 렌즈의 크기일 뿐입니다. 그 사진을 확대한다고 다른 풍경이 보입니까? 그런데 우리의 두 눈은 선 자리에서 180도를 봅니다. 그리고 그대로 뒤를 돌아서면 360도를 보게 됩니다. 사진을 수십 장을 찍으면 그 360도의 풍경을 담을 수 있겠지요. 그러나 그 사진을 다 연결시켜놓으면 '평면'일 뿐이고, 눈이 보게 되는 입체감은 영원히 살려낼 수가 없습니다. 그게 사진의 한계입니다.

그뿐이 아닙니다. 사진은 바람의 세기를 담을 수 없습니다. 햇빛의 강도를 담을 수 없습니다. 땅의 냄새를 담을 수 없습니다. 기온의 감각도 담을 수 없습니다. 그리고 가장 중요한 사람의 정서, 인정, 마음을 담을 수 없습니다. 또 더욱 중대한 것, 사람이 살아온 이야기를 담아낼 도리가 없습니다.

여기까지 말했는데도 현장 취재의 필요성이 실감되지 않으십니까? 죄송합니다. 그렇다면 소설 쓰기를 어서 포기하십시오. 그건 고소공포증이 있는 사람이 번지점프를 하려는 격이며, 실연으로 가슴 아파 본 경험이 없는 사람이 비련의 영화를 만들겠다고 덤비는 격이기 때문입니다.

자, 앞에서 지적한 사진이 담아내지 못하는 것들 중에서 가장 중요한 게 무엇일까요? 이미 말하지 않았습니까. '사람이 살아온 이야기'입니다. 앞에서 이미 강조했습니다. 소설은 인간에 대한 총체적 탐구이고, 그건 곧 사람이 사는 이야기라고. 그 나머지 것들은 모두 부차적인 것입니다.

오늘이 아니고 몇 십 년 전 이야기를 쓰는 것이고, 그 시절 사람들은 다 죽고 없는데 무슨 소리냐고요? 그건 참 앞 짧은 단견입니다. 그건 최고 수준의 어리석음이니 소리 내 말하지 마십시오.

사람들은 자기가 겪은 일이 험난하면 험난할수록, 고통스러우면 고통스러울수록, 원통하면 원통할수록 더욱더 이야기로 남기고 싶어 하는 본능적 욕구를 가진 고등동물입니다. 그 욕구에 의해 이 지구상에 존재한 모든 인종과 종족들은 그들 나름의 구전문학을 탄생시켰습니다. 그리고 그 구전문학의 문자화가 곧 소설 아닙니까. 그 욕구에 따라 후손은 할아버지, 증조할아버지, 그 위로 거슬러 올라가는 쓰라리고 아픈 시대의 기구한 삶을 이야기로 엮어 간직하고 있습니다. 그 이야기들은 여러 가지 책에서 빠져 있거나, 역사학자들이 무시해버렸지만 소설을 쓰는 데는 꼭 필요한 보물인 것입니다.

그뿐만 아니라 현장의 지형지물은 작가의 상상력을 자꾸 자극해 새로운 이야기가 마구 샘솟게 하며, 영상으로 담기고, 오류 없는 묘사를 할 수 있게 합니다. 어느 작가든 실존하는 무대를 취재 없이 썼다고 자랑하듯 말하는 것은 무성의와 무책임의 표본이고, 철 덜 든 오만이며, 독자에 대한 모독입니다. 어떤 작가가 해란강에 사철 뗏목이 흘러간다고 썼는데, 그건 만주 사람이 어이없어 입을 못 다물 오류지요. 작가에게는 무한하게 자유로운 상상력이 보장되어 있지만 그런 오류까지 허용하는 것은 아닙니다.

성실한 취재, 소설의 생명력

하와이 취재를 하지 않았더라면 그 핏빛으로 물든 것 같은 붉은 땅을 몰랐을 것이고, 그랬으면 그 붉은 땅은 우리 동포가 노예노동으로 채찍을 맞으며 흘린 피가 스며 그리 되었다는 묘사는 나올 수 없었을 것입니다. 그리고 울뢰바로 두들겨 맞으며 했던 노예노동도 쓰지 못했을 것입니다. 하와이 이민사를 다룬 그 어떤 책에도 '노예노동'에 대한 기록은 없었으니까요. 역사책은 진실만을 써야 하되, 형편에 따라 상황에 따라 많이 지우고, 빠뜨리고, 파묻습니다. 그래서 작가라는 존재가 또 필요한지도 모르겠습니다.

저의 세 대하소설에서 이와 같은 예는 수없이 많습니다. 저는 진실을 찾아 최선을 다하고자 했고, 그것을 쓰는 데 그 어떤 방해에도 굴하지 않으려 했고, 제가 써놓은 것들이 처절한 역사의 고통 속에서 슬프고 원통하게 살아온 우리 민족의 미래에 미약하더라도 한 줄기 빛이 될 수 있기를 소망했습니다. 그래서 위궤양을 다스리되(치료가 아닌) 변비를 유발하는 잔탁을 계속 먹으며 러시아 연해주 벌판을 헤매고 다녔고, 위궤양이 재발한 배를 붙안고 베트남 더위 속을 허덕거렸으며, 불볕 쏟아지는 사우디아라비아의 광막한 불모지를 걸었고, 이제는 동포의 모습이 사라진 서독의 탄광 여기저기를 찾아다녔습니다.

● 일제 강점기를 배경으로 하는 소설『아리랑』의 일본어판 번역을 요청하고 싶은 계획은 없는지요?

이가온 • 서강대 정치외교학과

◉ 　재미있는 발상입니다. 그렇잖아도 그런 시도가 한 차례 있었습니다.
『태백산맥』일어판이 나와 인기를 끌자 일본의 어느 출판사에서
『태백산맥』번역을 중개한 신원에이전시에 연락을 해왔습니다. 조정
래의 다른 대하소설은 없느냐고요. 그래서 신원에서『아리랑』을 소개
했지요. 그런데 어찌 됐을까요? 지금까지 10년이 다 되도록 아무 소
식이 없습니다.

　2009년 8월 초에 일본 아오모리에 며칠 머문 일이 있습니다. 현의
지사와 합석한 사람이 한일 문화 교류 관계 일을 하는 분이었습니다.
그가 굳이 지사를 따라온 것은 제 사인을 받기 위해서였습니다.

　그런데 그가 내민 두 권의 책은『태백산맥』과『한강』이었습니다. 왜
『아리랑』은 없느냐고 물으려다가 민간 외교를 위해 그냥 넘겼습니다.

　일본 사람이 그러는 걸 보면 역시『아리랑』은 명작인 모양이지요.
허허허……

● 『한강』에는 박정희 정부에 대한 상반된 두 가지 평가가 있는 것 같습니다. 우선 5·16을 쿠데타가 아니라 혁명이라 칭하며, 독재정권을 경제 성장이란 결과로 칭송하고 떠받드는 축이 있는가 하면, 5·16은 혁명이 아니라 대한민국 헌법과 민주주의를 찬탈한 쿠데타며 유신까지 하면서 경제개발이라는 명분으로 영구집권을 노린 박정희는 독재자라는 평가 또한 작품 속에 나타나 있습니다. 작품을 통해 박정희 정권에 대한 상반된 평가를 모두 하고 계신 것 같습니다. 혹 박정희 정권에 대한 선생님의 평가를 들어볼 수 있겠습니까?

최수연 • 이화여대 정치외교학과

● 　이 질문은 '『한강』은 왜 썼는가' 하는 문제와도 직결되어 있습니다. 그리고 질문자의 분석은 정확합니다.

　『한강』은 두 줄기의 이야기가 얽혀 이루어져 있습니다. 첫째, 남북한 정권이 말로는 '민족 통일'을 내세우면서 사실은 분단을 현실 정치에 어떻게 악용하고 분단을 얼마나 강화시켜왔는가 하는 점입니다. 둘째, 우리의 경제발전이란 어떻게 전개되어왔고, 어떠한 과정을 거쳤으며, 그것을 이룩해낸 실체는 누구인지 그 총체적 모습을 밝혀내고자 한 것입니다.

　어느 작가는 말했습니다. 제가 재수가 참 좋은 작가라고. 왜냐하면 빨치산 투쟁이 치열했던 땅을 고향으로 둬서 『태백산맥』을 쓰게 되었으니.

　그런데 그 작가와 저는 일제 시대를 살지 않았습니다. 그런데 저는 『아리랑』을 썼습니다.

　그리고 그 작가와 저는 함께 6,70년대를 살았습니다. 그런데 저만

『한강』을 썼습니다.

　『한강』에서 계속 문제가 되는 것은 제가 쓰고자 했던 두 번째 문제입니다. 그 문제는 앞으로도 꽤나 오래 논란이 계속되지 않을까 싶습니다. 그건 좋은 일입니다. 반드시 그런 과정을 거쳐야만 역사는 정립됩니다. 더구나 우리는 세계가 놀랄 만큼 민주주의를 신장시켰지만 아직은 그 완성을 향해 가는 도정에 있으므로 그런 문제에 대한 많은 논의는 아주 바람직한 일입니다. 민주주의는 지금까지 인간이 발명한 가장 아름다운 인간적인 제도입니다. 그건 다양성 위에서 서로를 존중하고, 토론하고, 논의해서 타협을 이루고 화합을 꽃피워내는 제도이기 때문입니다. 정치권 일각에서는 타협을 나쁜 것으로 치부하기도 하는데, 그건 크게 잘못된 인식입니다. 나쁜 건 야합과 결탁이지 타협이 아닙니다. 민주주의는 타협을 하기 위해 하는 정치이며, 타협은 민주주의의 복스러운 꽃입니다.

경제발전의 의미

　'그곳을 석기시대로 돌려놓았다.'

　한국전쟁에 참전했던 미 공군사령관의 의회 보고입니다.

　'이 땅은 앞으로 백 년 안에는 복구하지 못할 것이다.'

　유엔군 총사령관 맥아더의 회고입니다.

　그런데 우리는 어떻게 했습니까?

　전후 20년 만에 거의 다 복구했고, 전후 30년 만에 획기적인 발전을 거듭했고, 전후 40년 만에 국민소득 1만 달러대를 돌파했습니다. 그리고 IMF 사태를 거쳤으면서도 오늘에 이르러 2만 달러 시대에 한 발을 걸치고 있습니다.

이 놀라운 현상을 세계는 '20세기의 기적'이라고 부르며, 개발도상국 중에서 '경제발전과 민주주의 발전을 동시에 이룩한 유일한 나라'로 꼽습니다. 그리고 우리 모두는 우리 스스로의 성취에 만족하며, 크나큰 자부심과 긍지를 가지고 세계인의 대열에 섰습니다.

그런데 경제발전의 의미는 우리가 전후의 참혹한 가난에서 벗어나 잘살게 되었다는 데만 있는 것이 아닙니다. 또 하나의 큰 의미는 우리 민족의 숙원이고 비원인 통일을 평화적으로 이룩해나갈 수 있는 통일 헤게모니를 장악하게 되었다는 사실에 있습니다.

국제 통계에 따르면 우리는 현재 북한보다 32배나 높은 경제력을 확보했습니다. 그러나 그것은 수치의 단순 계산일 뿐이며, 그 복합적·다면적 상호작용의 상승 효과까지 계산하면 우리는 북한보다 1백 배는 더 강한 경제력을 갖췄다고 합니다. 그 우월한 경제력이 우리가 바라는 평화통일을 이끌어 나가는 데 결정적인 역할을 하게 되는 것입니다. 그 좋은 본보기의 시발이 개성공단이었습니다.

극명한 양면성의 인물

박정희라는 인물이 쿠데타를 일으켰습니다. 그리고 곧바로 민심을 사로잡았습니다. 첫째, 국민의 원성을 사고 있던 정치깡패를 가차없이 사형해버린 것입니다. 둘째, 경제개발 5개년 계획을 곧바로 추진하기 시작했습니다.

그 두 가지 문제는 4·19의 참혹한 희생으로 정권을 물려받은 민주당이 이전투구의 집안싸움으로 미처 해결하지 못하여 민심을 잃을 대로 다 잃은 중대사였습니다.

정치깡패의 일소로 국민은 비로소 4·19가 완성된 듯한 보상감을 맛보았습니다. 그리고 신속한 경제개발 착수는 전후의 혹독한 가난 속에서 어떻게 해서든 잘살기를 갈망하던 국민에게 희망의 빛을 던지는 것이었습니다. 박정희는 그렇게 일거에 민심을 사로잡을 수 있는 탁월한 정치술을 발휘했고, 그렇게 사로잡힌 민심은 민주당에 완전히 등을 돌림과 동시에 차라리 쿠데타가 잘 일어났다는 쪽으로 쏠리기 시작했습니다.

우리는 여기서 이 사실을 상기해야 합니다.

'백성은 바다요, 권세는 그 위에 뜬 일엽편주다.'

저 당나라 때부터 전해져 내려오는 명언입니다. 따라서 백성을 굶주리게 하면 그 바다는 노도를 일으키며 뒤집히고, 무수한 왕조는 그 성난 바다 위에서 명멸했음을 인류의 긴 역사는 잘 보여주고 있습니다.

"천하에 가장 천해서 의지할 데 없는 것도 백성이요, 천하에 가장 높아서 신과 같은 것도 백성이다."

다산 정약용 선생의 말입니다.

그 백성은 자기들의 급한 바람을 이루어줄 것 같은 박정희와 그의 정치세력을 받아들였으며, 그들이 은근히 신경 쓰여 쿠데타를 '혁명'으로 바꾸는 것쯤 못 본 척 너그럽게 넘기고 말았습니다. 배고픔을 면하는 것에 비하면 그까짓 명칭쯤 아무것도 아니었으니까요.

박정희는 잘살기를 열망하는 국민의 바다에 경제개발이라는 깃발을 드높이 올리고 배를 띄웠습니다. 그 깃발은 기세 좋게 나부끼며 경쾌하게 항해를 계속했습니다. 잘살게만 된다면 그 어떤 험악한 일도 마다하지 않았으며, 돈만 벌 수 있다면 하루 14시간 노동도 달게 감수하는 국민이었으니 그 바다에 뜬 배가 순풍에 돛 달고 질주할 수밖에요.

그런데 박정희는 3선개헌을 단행했습니다. 국민은 뜨악해했지만,

'그래, 한 번만 더 한다면' 하고 인심 쓰는 분위기였습니다. 그동안 경제를 '발전'시킨 공을 인정했기 때문이었습니다.

그런데 박정희의 정치 욕심은 '10월유신'까지 저지르고 말았습니다. 그건 돌이킬 수 없는 정치 함정이었습니다. 바다가 파도를 일으키기 시작한 것입니다. 박정희는 경제발전을 강변했지만 이제 국민은 5·16 그때의 국민이 아니었습니다. 다급해진 모든 독재자가 그랬듯 박정희는 강압통치를 강화하기 시작했습니다. 그러나 스프링은 세게 내려치면 내려칠수록 더 세게 튕겨오르게 되어 있습니다. 그게 힘의 역학입니다. 경제발전의 깃발은 사라지고 살벌한 '유신시대'만 공포를 자아냈습니다.

그러다 박정희는 끝내 비운의 삶을 마감했습니다. 그때 우리나라 국민소득은 1천 2백 달러 정도였습니다. 80달러 정도에서 경제개발을 시작했으니까 박정희는 국민소득을 15배 정도 올려놓고 세상을 떠난 것입니다.

여러분, 지금부터의 이야기를 주시하십시오. 박정희가 떠나고 들어선 정권이 무엇무엇입니까. 다 아시다시피 전두환 정권, 노태우 정권 아닙니까. 그 세월 동안 우리는 군부독재를 종식하기 위한 민주화 시위만 계속해온 것 같았습니다. 그런데 김영삼 정권으로 바뀌자마자 국민소득 1만 달러 시대가 선언되고, OECD에 가입한다고 야단법석이 일어났습니다. 국민은 너나없이 다 놀라고 어리둥절했습니다. 그러나 그건 사실이었습니다.

그 사실은 무엇을 뜻합니까. 기본 토대를 갖춘 경제는 그 어떤 정치적 힘도 필요없이 그 스스로의 힘으로 커간다는 사실을 명백히 보여준 것이었습니다. 박정희는 일찍이 이 사실을 깨닫지 못했습니다. 박정희가 '유신'을 하지 않고 3임을 마치고 물러갔더라도 경제는 자생력에 따라 계속 발전해나갔을 것이라는 사실입니다. 그랬으면 유신정치의 그 많은 피해자도 생겨나지 않았을 것이고, 박정희 대통령은 천수를 누리며 그 부정적 평가를 훨씬 줄이게 되었을 것입니다. 그러나 역사에서 가정법이란 부질없는 것입니다.

박 대통령이 그렇게 비운에 떠나고 나자 그에 대한 정반대의 평가가 충돌하게 되었습니다. 전 국민을 잘살게 한 경제발전은 오로지 박 대통령이 이룩한 유사 이래 최대의 업적이며, 그러므로 다른 흠은 조족지혈에 불과하다는 절대긍정론이 하나였습니다. 경제발전은 전 국민의 처절한 피와 땀으로 이루어진 것이고, 박정희는 일본군 장교로 독립군에게 총을 겨눈 민족 반역자고, 18년 동안 강압통치를 일삼은 독재자라는 절대부정론이 다른 하나였습니다.

그 양극단의 대립은 전두환·노태우 군부정권을 거치며 팽팽했다가 김영삼 정권이 들어서면서 절대부정론이 강세를 띠기 시작했습니다. 30년 군부독재 종식, 문민정권 수립이라는 정치·사회 분위기에 따른 것이었습니다.

박정희라는 이름이 점점 땅속 깊이 파묻힌다고 느끼던 어느 순간 박정희는 느닷없이 땅 위로 솟아 올랐습니다. 한국전쟁 이후 최대 국난이라고 불린 IMF 사태가 몰아닥친 때문입니다. 그 사태와 함께 대학생에 의해 복제하고 싶은 인물 1등으로 박정희는 부상했습니다. 그 꼴찌는 물론 김영삼이었습니다.

그때부터 지금까지 역대 대통령에 대한 여론조사에서 박정희 대통령은 47퍼센트에서 49퍼센트까지 지지를 받으며 부동의 1위를 차지하고 있습니다. 유신 피해자들이 볼 때는 분통해 죽을 노릇인 것입니다.

우리는 여기서 역사 평가라는 것을 만나게 됩니다. 박정희, 그를 어떻게 평가해야 할까요. 역사 평가를 받을 수밖에 없는 공인으로서 박정희만큼 정반대의 양면성을 가지고 있는 극적인 인물도 드물 것입니다. 그 점이 역사학자나 사회학자를 매우 곤혹스럽게 만들었을 것입니다. 그래서 지금까지도 대립적 논란이 계속되는 것이기도 합니다.

우리는 여기서 인간의 본질에 대해 잠시 생각해볼 필요가 있습니다. 성선설이냐, 성악설이냐. 인간은 감정적 동물인가, 이성적 동물인가. 인간은 영적 존재인가, 육적 존재인가. 인간은 도덕적 존재인가, 동물적 존재인가. 이 이분법은 수천 년에 걸쳐서 충돌하고 갈등하며 인간을 규명하려고 애써왔습니다. 그러나 그 결과는 아무것도 얻지 못한 무였습니다. 인간은 그 어떤 한 가지 요소만의 존재가 아니라 그 두 가지를 다 공유하는 존재였기 때문입니다. 그래서 현대 철학은 이분법을 폐기했습니다.

박정희를 평가하는 열쇠가 바로 거기에 있습니다. 박정희의 극단적 양면성은 인간이 공유하는 그 두 가지 대립 요소에서 비롯했다는 사실입니다. 그러니까 부정적인 면도 박정희요, 긍정적인 면도 박정희라는 사실입니다. 그러므로 우리는 그 두 가지를 다 똑같은 지평에 올려놓고 평가해야만 공정한 객관적 역사 평가의 소임을 다하게 될 것입니다.

저는 그런 자각으로 『한강』을 쓰기 시작했고, 『한강』을 통해서 독자가 그 사실을 깨달을 수 있도록 글을 써나갔습니다. 그러므로 사실은 이 응답은 필요 없는 것이기도 합니다. 그러나 소설에서는 이런 식으로 직설적으로 설명이 되어 있지 않기 때문에 굳이 이 글을 쓰는 것입니다.

역사 해석은 계속 달라집니다. 앞으로 10년, 20년이 지나면 그때는 국민이 박정희 대통령을 얼마나 지지할지 아무도 모릅니다. 단 한 가지 확실한 것은, 그가 국민 전체의 열망을 모아 경제개발의 깃발을 들어 올렸다는 그 공적은 지워지지 않을 것입니다.

● 『한강』에서 전라도 사람을 하와이라 부르는 이유가 무엇인가요?

김지영 • 서울대

● 『태백산맥』에서 정하섭과 소화가 애인이 되기 이전에 어떤 관계였던가를 묻는 독자가 많았습니다. 소설에는 가끔 그런 모호하거나 난해한 부분이 나옵니다. 그러나 그 답은 분명히 소설 속에 들어 있습니다. 작가가 일부러 연기를 피우듯 모호하게 처리를 한 것이지요. 딴생각하지 않고 유심히 읽으면 정하섭과 소화는 자신들이 모르는 속에서 근친상간을 하고 있습니다.

　『한강』에서 하와이 문제는 『태백산맥』에서 정하섭과 소화의 문제보다 훨씬 더 선명하게 씌어 있습니다. 아마 질문자는 그 대목을 읽으면서 애인 생각을 하고 있었거나, 밀린 리포트 쓸 생각을 하고 있었거나, 누워서 읽다가 살짝 졸았거나, 무슨 일이 있었을 것입니다. 국어 시간에 빵점짜리 질문이 낱말의 뜻을 묻는 것이고, 가장 엉터리 국어 선생이 그 질문에 뜻풀이를 해주는 것입니다. 낱말 뜻 찾기는 언제나 예습에 속하는, 학생 스스로 해결해야 할 문제입니다.

『한강』에서 읽었던 파독 광부 도전기가 인상깊었습니다. 30년이 지난 후 2000년대에 있었던 일들을 소설의 소재로 삼는다면 어떤 것이 있을까요?

구혜미 • 영국 유학생

● 그게 눈물겨운 우리의 과거사, 잊어서는 안 될 우리 모두의 삶의 뿌리입니다. 우리의 쓰리고 아픈 경제발전 과정을 총체적으로 그려 풍요 속에 사는 젊은 세대에게 보여주고 싶었던 것이 제가 『한강』을 쓴 첫 번째 목적이었습니다.

그때 한국은 여전히 농업국가였고, 공업화의 기치는 올렸으나 산업은 겨우 보세가공에 매달리고 있었습니다. 그런데 한국의 농부는 고생은 고생대로 하면서 업신여김까지 당하는 자기들 신세를 자식에게까지 대물림하지 않으려고 자식 교육에 열을 올렸습니다. 도회지로 대학엘 보냈는데 학비 대기가 쉬울 리 없었습니다. 그래서 소를 팔았습니다. 소는 농가의 재산 제1호고, 젊은 농꾼 세 몫을 하는 살아 있는 농기구입니다. 그래서 대학은 우골탑(牛骨塔)이라는 말까지 생겨났지요.

그렇게 대학을 나왔는데 어찌 되었나요? 취직할 자리가 없었습니다. 그래서 생긴 말이 '고등 실업자'입니다.

근년에 '청년실업' 문제로 전 사회가 떠들썩합니다. 그만큼 사회가 관심을 쓰고, 국가적 문제로 취급한다는 것입니다. 그러나 그때는 사회나 국가가 별로 관심을 쓰지 않았습니다. 경제력이 형편없이 약한 사회라 일자리 자체가 빈약했던 탓입니다. 그래서 '고등 실업자'는 인생 막장에서 서독 광부의 길을 택할 수밖에 없었습니다. 그들의 선택은 슬펐으나 비장했고, 치열했습니다. 석탄가루를 들이마시는 그들의 투지는 결국 자신의 삶을 구했고, 가난하고 슬픈 조국을 구하는 밑바탕이 되었습니다.

　어디 그들뿐입니까. 그래도 그들은 나이도 좀 먹은 남자들이었습니다. 그런데 열아홉, 스물의 처녀들이 또 머나먼 나라 서독으로 간호사로 갔습니다. 광부보다 그녀들의 이야기를 쓸 때 어찌 그리도 가슴이 아프던지요. 우리는 그렇게 살아 오늘에 이르렀습니다.

　『한강』을 절반쯤 썼을 때였습니다. 어느 40대 주부한테서 전화가 왔습니다. 고등학생인 아들한테 지난날 어려웠던 얘길 하면 영 듣기 싫어하는데, 『한강』을 아침 밥상머리에서 읽어주기 시작하자 아주 흥미 있게 듣는다는 겁니다. 그러니 어서 단행본을 내달라는 것이었습니다.

　"이상해요. 아들 놈은 『한강』이 좋다는 거예요. 사회학을 해서 그런지 어쩐지."

　어느 문인의 말이었습니다.

　젊은 세대에게 읽히고 싶었던 제게 이보다 더 큰 위로와 격려는 없었습니다. 글쓰는 보람이란 동감하는 영혼을 만나는 것입니다. 천리밖, 만리 밖에 떨어져 있어도 그 교감이 이루어질 수 있는 것이 글의 힘일 것입니다.

　아직 모르겠습니다. 2000년대는 이제 겨우 시작이니까.

● 『아리랑』『한강』의 경우 여전히 갈등 구조가 남은 채로 끝을 맺는데, 한국 현대사에 기반을 둔 소설인 만큼 갑작스런 해피엔딩으로 끝날 수도 없겠지만 대하소설의 마무리로서 아쉬운 측면이 있습니다. 이에 대한 말씀을 듣고 싶습니다.

손병산 • 서울대 언론정보학과

●   일제 식민지 시대를 다룬 소설 거의가 '독립 만세'를 외치며 끝납니다. 저도 그러고 싶습니다. 그러나 그건 무책임이고 기만입니다. 왜냐하면 우리의 '해방'은 곧 '분단'이고, 그 비극은 오늘날까지 우리 민족 전체를 옥죄기 때문입니다.

   우리 문학 하는 마당에 이런 말이 있습니다. '제목이 그 소설의 절반을 결정짓고, 첫 문장이 나머지 절반을 결정짓고, 끝 문장이 그 나머지 절반을 결정짓는다.' 그 중요성을 강조한 말입니다.

   저는 『아리랑』의 제목을 쉽게 정했다고 앞에서 말했습니다. 그러나 끝 장면을 어떻게 해야 할지 고심이 컸습니다. 소설을 쓰기로 마음을 정하고, 제목을 정하게 되면 막연하게나마 소설 전체의 윤곽이 잡히면서, 자연스러운 것처럼(꼭 자연스럽지는 않으니까) 첫 장면과 끝 장면이 떠오르게 됩니다(물론 이건 저의 경우일 뿐입니다). 그래야만 취재를 해나가면서 구성이 구체적으로 진행될 수 있습니다.

   그런데 『아리랑』의 경우 자료 조사를 끝내고, 국내 무대의 취재도 끝냈는데 끝 장면이 떠오르지 않는 것이었습니다. 무시로 고심을 거듭하며 수없이 많은 장면을 생각해보았지만 마음을 사로잡는 것이 하나도 없었습니다.

그 찜찜한 상태로 만주 취재를 떠났습니다. 만주 곳곳을 돌아 하얼빈에 이르고, 마지막으로 전라도 출신 동포 마을을 찾아 몽고 쪽으로 비포장도로 8백 리를 달려갔습니다〔그 기행문은 『누구나 홀로 선 나무』(문학동네, 2000)에 실려 있음〕.

지금도 전라도 음식과 풍습을 고수하며 전라도 말을 쓰는, 정읍·김제 일대에 뿌리를 둔 동포는 '해방'을 자꾸 '그 사변' '그때 사변'이라고 말하는 것이었습니다. 참 이상한 일이었습니다. 저는 왜 그러는지 그 까닭을 물었습니다. 그분들의 눈물 맺히는 얘기를 듣고 저는 그야말로 눈앞이 환히 열리고, 환호성을 지르고 싶을 만큼 환희를 느꼈습니다. 그분들의 이야기는 그대로 『아리랑』의 끝 장면이 되었습니다.

'현실은 소설가의 상상을 능가한다'는 말이 있습니다. 그 어떤 소설가의 상상이 『아리랑』의 끝 장면을 만들어낼 수 있습니까. 현실의 삶의 필연성과 처절성은 늘 소설가의 상상력보다 깊고 넓은 파장을 일으킵니다. 그래서 현장 취재를 꼭 해야 합니다. 만주의 고생은 그 끝 장면 하나만으로도 충분한 보상이 됩니다.

대체로 소설은 삶과 역사의 비장미를 쓰는 것입니다. 그리고 작가는 해결자가 아니라 제시자여야 합니다.

● 1994년 『태백산맥』이 국가보안법 위반 혐의로 고발 당한 후에도 계속 집필해 『아리랑』과 『한강』을 완성하셨습니다. 정신적으로 상당히 힘든 시간이었을 텐데 어떻게 이겨내고 계속 집필을 하셨는지요?

정수정 · 성균관대 유전공학과

● 지금 돌이켜보면 그때를 어떻게 견뎌냈는지 정말 꿈만 같습니다. 그날이 다시 온다면 이젠 못 견딜 것 같습니다. 그러나, 다시 와도 저는 또 견딜 것입니다. 그것이 소설가의 영혼입니다.

현대 의학이 자신만만하게 하는 말 세 가지가 있습니다. 스트레스는 모든 암의 원인인 동시에 모든 질병의 원인이며, 비만의 원인이기도 하다. 비만은 모든 질병의 원인이며, 각종 암의 원인이기도 하다. 흡연은 32가지의 암을 유발한다.

그런데 저는 글쓰는 스트레스 외에도 저를 반대하는 사람들에 의한 스트레스를 19년 동안 받아왔지만 건강에 아무 이상이 없습니다(지난 5월의 종합진단 결과 전체 건강 이상 무).

그러고 보면 제 DNA가 염치없이 건강하든지, 의사들이 너무 과장하는 것이든지 둘 중의 하나가 아닐까 합니다. 『태백산맥』을 쓰면서 신경성 위궤양에 걸린 것을 비롯해 각종 직업병에 시달린 것을 보면 딱히 신경이 둔한 것 같지도 않은데 말입니다.

가장 먼저 저를 찾아온 병이 극심한 기침병이었습니다. 눕기만 하면 기침이 터져나와 꼬박 두 달을 소파에 앉아서 잠을 자야 했습니다. 엑스레이를 찍고 어쩌고 하면서 용하다는 의사들이 겨우 찾아낸 것은 '만성피로'였습니다. 『태백산맥』 1부를 쓰는 동안 시달린 몸이 일으킨 반란이었습니다. 건잡을 수 없는 기침과 싸우면서 연재 2회분을 썼습니다. '연재'란 일종의 형틀입니다.

두 번째 저를 방문한 것이 위궤양이었습니다. 『아리랑』 취재를 하다가 뒤늦게 발견한 위궤양은 위벽 두 군데가 헐어 내리는 중증이었습니다. 거슬러 추적을 해보니 『태백산맥』 3부를 쓰던 1987년 하반기부터 발병한 것이었습니다. 그 병은 질기고 질겼습니다. 나았다 재발하고, 나았다 재발하고를 다섯 차례씩 하면서 『아리랑』을 쓰는 내내 저를 괴롭혔습니다. 아닙니다. 이 말은 잘못된 것입니다. 범인은 저였습니다. 병을 완치하려면 의사의 처방대로 글쓰기를 중단하고 신경을 쓰지 말아야 하는 것입니다. 그런데 날마다 글을 쓰니 위궤양에게 영양분을 공급하는 셈이었습니다. 위궤양이 오래가면 위암이 될 수 있다는 의사의 경고도 귀에 들어오지 않았습니다. 위궤양을 치료하려고 『아리랑』을 미완성으로 남기게 되는 것보다는 『아리랑』을 써놓고 위암으로 죽는 게 더 낫다고 생각했습니다. 이게 작가인가 봅니다.

세 번째 불청객이 엉덩이 종기였습니다. 날마다 너무 오래 앉아 있다 보니 엉덩이에 종기가 자주 났습니다. 그때마다 연고를 바르며 신속히 대처하곤 했는데, 결국 고약한 놈 하나가 끝내 말썽을 부리고 말았습니다. 그 자리도 하필 말하기 거북한 데였습니다. 더는 앉을 수가 없게 되어 병원에 가 수술을 받아야 했습니다. 『아리랑』은 아직 절반이나 남아 있었습니다.

네 번째 닥쳐온 것이 한 달 동안이나 글자 한 자 쓰지 못하고 앓은 극심한 몸살이었습니다. 흔히 밤새 앓았다는 말을 쓰는데, 전신이 조각조각 깨지고, 그 조각들이 다시 잘게 바스러져, 몸이 까마득한 저 어딘가로 흩어져 가는 듯한 착각과 함께 온몸이 비비 틀리고 쥐어짜는 것 같은 고통 속에서 정말 한 숨도 자지 못하고 밤을 꼬박 새운 것은 그때가 처음이었습니다. '아, 이대로 죽는 모양이구나' 하는 생각이 한시도 떠나지 않은 무시무시한 아픔이었습니다. 약도 아무런 효과가 없었습니다. 한 달 동안 글 한 자 쓰지 못하고 밤마다 그렇게 앓았습니다. 시달리다 시달리다 못한 온몸이 차라리 죽여달라며 덤비는 발악이라고 할 수밖에 없었습니다. 그때 하루 평균 35매씩 쓰고 있었으니, 원고지 1천여 장이 고스란히 날아가고 만 것입니다.

다섯 번째 습격해온 것이 오른팔 마비였습니다. 컴퓨터를 두들기는 게 아니고 원고지에 한 자씩 써나가는 형편에 오른팔 마비라니, 비행기 한쪽 날개가 떨어져 나가는 격이고, 달리는 자동차의 한쪽 바퀴 두 개가 빠져나가는 형국이 아니고 무엇입니까. 오른쪽 어깨 관절의 탈로 시작된 마비는 점점 팔 아래로 퍼져 내려왔습니다. 아무리 맨손체조를 열심히 하고, 물파스를 바르고 했지만 마비 증상은 결국 손등까지 점령하고 말았습니다. 손등의 네 번째와 다섯 번째 손가락 부분이 완전히 굳어버리니 더는 글씨를 쓸 수가 없게 되었습니다. 침술에 용한 권도원 선생의 파격적인 치료를 한 달 넘게 받았습니다. 많이 치료가 되기는 했지만 계속 글을 써야 하니 완치란 있을 수 없었습니다. 물파스깨나 바르며 가까스로 『아리랑』을 끝냈습니다.

그리고 여섯 번째로 찾아든 것이 배를 째야 하는 탈장이었습니다. 너무 긴 세월 동안 앉아 있다 보니 장의 무게를 견디지 못해 장을 막고 있던 막이 '아이고, 나 더 못 견디겠다' 하고 백기를 들어버린 것입니다.

"7개월 정도 더 쓰셔야 한다고요? 지금 수술을 하면 2년 정도는 글 쓰는 자세로 오래 앉아 있어서는 안 됩니다. 참을 수 있으면 7개월 후에 수술을 해도 별 문제는 없습니다. 선택은 선생님께서 하십시오."

의사의 말이었습니다.

여러분, 어찌해야 하나요?

예, 당연히 7개월을 참아야죠. 저는 왼손으로 아랫배를 누른 채『한강』 막바지를 써나갔습니다. 그리고『한강』을 끝내자마자 수술실로 갔습니다.

"탈장은 직접 탈장과 간접 탈장이 있습니다. 그런데 선생님은 두 가지가 다 겹쳐 수술 시간이 좀더 오래 걸렸습니다."

하반신 마취로 정신이 어릿어릿한 제 귀에 들려온 말이었습니다.

회복실로 실려갔습니다. 그런데 여자 셋이 종이를 들고 줄을 섰습니다.

"선생님, 사인해주세요."

아, 야속하기도 해라. 그러나 어찌겠습니까. 어지러운 제 눈으로 봐도 사인은 흔들려 춤을 추고 있었습니다. 그래도 두 분의 여의사와 한 분의 간호사는 좋아라고 웃었습니다. 그분들에게는 특이한 추억이 되기도 하겠지요.

"얼마나 걱정했는지 몰라요. 30분 걸린다는 시간이 한 시간이 훨씬 넘었잖아요."

회복실에서 나온 제 이동침대를 붙들며 아내가 말했습니다.

저는 무언가 다 끝낸 것 같은 시원한 마음으로 아내의 손을 잡았습니다.

이런 병치레 속에서 경찰과 검찰의 수사가 겹쳐졌던 것입니다. 어떻게 견뎠냐고요? 사생결단, '어디 나 죽여봐라' 하는 심정이었지요.

저는 밤마다 이를 너무 심하게 갈았습니다. 이가 너무 닳아지는 것을 우려해 절친한 치과의사 안수동 선생이 플라스틱 이틀을 특별히 맞춰주기도 했습니다. 저는 낮에는 잘 참고 있다가 잠이 들면 분함을 참지 못하고 이를 뿌득뿌득 갈아댔는지도 모릅니다. 그런 걸 유식한 말로 잠재의식의 발로라고 하나요.

저는 하고자 하는 일을 끝내 다 마쳤습니다. 그러고 나서 둘러보니 마흔의 나이가 예순이 되어 있고, 그 숱 많던 머리도 마구 빠져 헤싱한 가을 숲이 되어 있었습니다. 그러나 저는 뿌듯하고 떳떳했습니다.

김보만 • 한양대 경영학과

● 여러분이 이 책을 다 읽고 나서 『태백산맥』『아리랑』『한강』을 다시 읽는다면 어떤 기분이 들까? 저는 이 점이 사뭇 궁금합니다.

무슨 말인고 하면, 여러분은 이 책에서 읽은 제 여러 가지 모습을 여러 다양한 인물에게서 발견하게 되리라는 사실입니다. 그건 마치 숨은그림찾기가 될 수도 있을 것이고, 퍼즐 짜맞추기가 될 수도 있을 것입니다.

이 말은 무슨 뜻인가요? 제 모습은 물론 제가 체험한 것, 아니 제 삶 전체가 많은 등장인물에 부분적으로 투영되어 있지 어떤 한 인물에 집중되어 있지 않다는 뜻입니다.

그렇다면 이런 책을 진즉 내놓지 그랬냐고요? 그런 요청은 여러 출판사에서 있었습니다. 그러나 다른 작품 쓰기에 바빠 피해왔습니다. 10년이 넘어 여든 가까이 되어 써도 늦지 않으니까요.

이번에도 《시사IN》이 아니면 쓰지 않았을 겁니다. 참언론을 위해 뜻 모은 그들의 살림에 조금이나마 보탬이 되고자 이 여름 더위를 무릅쓴 거지요.

● 한 작가가 한 편 쓰기도 어렵다는 대하소설을 선생님은 세 편이나 쓰셨습니다. 그 사실을 저 혼자만 경이롭게 생각하는 것은 아닐 것입니다. 세 편을 쓰시고 가장 크게 느끼신 보람이 무엇인지 궁금합니다.

박민희 • 우석대

● 독자들의 이런 글이나 말을 들었을 때.

　'세상을 보는 눈이 달라졌다.'

　'아껴가며 읽었다.'

　'가보로 자식들에게 물려주겠다.'

● 선생님의 소설 속 인물들은 사투리로 말을 해서, 처음에는 낯설고 감정이입이 잘 안 되기도 하는데요. 이내, 둥글면서 거세고, 운율이 있으면서 강렬한 사투리의 매력에 빠져들게 됩니다. 하지만 다른 언어로 번역된다면 그런 느낌이 사라질뿐더러, 작품 자체가 내뿜는 아우라가 감해질 것 같습니다. 이런 측면을 보완할 만한 방법을 번역자와 의논해보셨는지요? 만약 그렇다면 어떤 방식이 있을 수 있을까요?

강규영 • 서강대 영미어문학과

● 『불놀이』가 영어로 번역될 때도, 『태백산맥』이 일어로 번역될 때도, 『아리랑』이 프랑스어로 번역될 때도, 『유형의 땅』이 독어로 번역될 때도, 『태백산맥』이 중국어로 번역되면서도 그건 모두 고민스러운 문제로 대두했습니다.

그들 나라의 어느 고장말로 해볼까 어쩔까…… 그러나 그 나라의 특정 지역 사투리를 쓰면 그 지역의 정서가 되어버리지 한국의 전라도 정서는 없어지고 맙니다.

그래서 사투리 번역은 포기하고 모두 표준어로 번역했습니다. 그래서 번역을 뭐라고 한다고요?

'번역은 반역이다!'

● 『태백산맥』과 『아리랑』 『한강』을 원고지 양으로 계산하면 5만 1,500장에 육박
한다고 들었습니다. 원고지를 쌓으면 5미터 50센티미터에 이르는 그야말로 글의
대홍수에서 인생의 한 문장, 작가 조정래 문학의 정수를 꼽는다면 어떤 문장이라
할 수 있나요?

이큰별 • 고려대 사회학과

●   앞에서 국어사전에 있는 모든 단어는 그 민족 성원이면 누구나 자
유롭고 공평하게 사용할 수 있다고 했습니다. 그러나 그 단어를 두 개
이상 조립해서 다른 사람들은 흉내도 내지 못하게 하면서 자기만의
독점적 소유권을 영원히 행사하는 사람들이 있습니다.

    '타고 남은 재가 다시 기름이 됩니다.'

만해 한용운입니다.

    '사뿐히 즈려밟고 가시옵소서.'

김소월입니다.

    '얇은 사 하이얀 고깔은 고이 접어서 나빌레라.'

조지훈입니다.

    '모란이 뚝뚝 떨어져 버린 날.'

김영랑입니다.

    '한 송이 국화꽃을 피우기 위하여 봄부터 소쩍새는 그렇게 울었나
보다.'

미당 서정주입니다.

'구름에 달 가듯이 가는 나그네.'

박목월입니다.

이 시인들은 이 한 줄의 시구로 민족어와 더불어 그 생명을 영구히 누립니다.

그런데 소설가들은 어떻습니까? 긴 장편소설에서도 그런 문장을 하나도 골라낼 수가 없습니다. 왜 그럴까요? 장르의 특성 때문에 그렇습니다. 시는 크고 깊은 의미를 '응축'하는 문학입니다. 그런데 소설은 그 반대로 사건이나 상황을 펼치고 묘사하며 '전개'하는 문학입니다. 그러니 시적이고 금언적인 '한 문장'은 나올 도리가 없는 법입니다. 더구나 저는 보통 장편의 열 배가 되도록 길게 써댔으니 정수로서의 '한 문장'은 찾을 수가 없는 것입니다.

그래서 시인은 소설보다 시가 우월한 문학이라고 거만할 수 있는 것이고, 소설가는 회복할 길 없는 열등감을 시인에게 느끼는 것입니다.

제가 왜 아내한테 꼼짝 못하고 사는지 이제 한층 더 확실하게 아셨지요? 그 증거를 분명하게 하기 위해 제가 떠받드는 김초혜 시인의 시 한 편을 여기 적습니다. 여러분도 즉각 동의하리라 믿어 의심치 않습니다.

어머니

한몸이었다

서로 갈려

다른 몸 되었는데

주고 아프게
받고 모자라게
나뉘일 줄
어이 알았으리

쓴 것만 알아
쓴 줄 모르는 어머니
단 것만 익혀
단 줄 모르는 자식

처음대로
한몸으로 돌아가
서로 바꾸어
태어나면 어떠하리

● 이 책엔 야한 장면이 많이 나옵니다. 소설에 그런 장면은 어느 정도 필요하기도 하겠지만 『태백산맥』을 포함한 선생님의 책에선 조금 과하다 싶을 정도로 많습니다. 선생님께서 시대의 암울함을 강조하기 위한 장치로 사용했는지는 몰라도 나이 어린 독자가 읽을 때 거북함을 피할 길이 없습니다. 왜 이렇게 거북한 장면을 많이 삽입했어야 했는지, 그 뒤에 숨겨진 선생님의 진심은 무엇인지 너무나 궁금합니다.

장우정 · 청심국제고등학교

● 저는 이 질문을 받으며 우선 두 가지 사실에 놀랍니다. 질문자가 고등학생이라는 사실이며, 고등학생인데 제 소설을 거의 다 읽은 것처럼 느껴지기 때문입니다.

그리고 고등학생이 하필 성적 묘사의 지나침에 대하여 일침을 가하는 것에 대해서는 빙그레 웃습니다. 어쨌든 10대 공자님의 왕림에 대하여 이 나이 많이 든 작가는 그저 면목이 없을 따름입니다.

저는 앞에서 소설이 아무리 길어도 작가는 불필요한 문장을 한 문장도 쓰지 않는다고 했습니다. 그리고 젊은 시절에 신문에 연애소설을 한 번도 연재하지 않았다고 했습니다. 그 두 가지 사실을 염두에 두고 왜 그렇게 성적 장면을 썼는지 다시 한 번 생각해보십시오.

그리고 이미 『태백산맥』에서 무엇을 쓰고자 했는지 밝혔습니다. 그걸 상기하며 『태백산맥』 첫 부분을 다시 생각해보십시오. 왜 정하섭과 소화의 연애 이야기부터 나오는지. 그걸 모르겠거든 더 나이 들어 대학생이 되면 책을 다시 한 번 읽어보십시오. 그 여러 가지 의미는 책

속에 다 들어 있습니다.

한 편의 서부영화를 손자·아버지·할아버지가 함께 봐도 그 느낌과 깨달음은 다 다릅니다. 지금 느끼는 것이 전부라고 속단하지 마십시오. 삶의 경험도 많고 연륜도 많이 쌓인 어른들이 왜 같은 책을 여러 번 읽을까요? 읽을수록 새롭게 발견하고 새롭게 깨달을 것이 있기 때문입니다.

지금 그 이유를 다 밝히지 않는 것은 양이 많기도 하고, 교육적으로도 좋지 않기 때문입니다.

'고기를 많이 잡아주지 말고 잡는 법을 가르쳐라.'

그 잡는 법을 스스로 찾아내는 것, 그것이 올바른 독서법이고, 자기 안목을 더욱 키우는 첩경입니다.

● 선생님의 작품은 주로 '전라도'라는 공간을 중심으로 이야기가 펼쳐집니다. 개인적 애착인가요, 민족적 상징으로서의 공간인가요? 우리 민족에게 전라도가 갖는 의미는 무엇인가요?

이유정 • 고려대 교육학과

　전라도가 어떤 땅인지 그 역사성이 안 보입니까?

　우리 한반도는 수천 년에 걸쳐서 농업사회였습니다. 근대의 산업화 시기가 빠르고 늦은 차이가 있을 뿐 전 세계의 국가가 다 마찬가지였습니다.

　농업국가의 세금원의 중심은 당연히 곡창지대입니다. 그러므로 곡창지대는 국가적 수탈 대상이 되고, 탐관오리들이 들끓게 됩니다. 그뿐만 아니라 생존을 위해 많은 사람들이 모여들게 됩니다. 그 인구 집중은 필연적으로 지주와 소작인이라는 갈등 구조를 배태합니다.

　전라도 땅에는 한반도에서 가장 넓은 호남평야가 있습니다. 이미 신라 시대부터 호남평야의 중심인 김제에는 벼농사를 위해 아시아에서 가장 큰 저수지인 벽골제를 세웠을 정도입니다. 전라도 땅은 오랜 옛날부터 관과 민의 이중 갈등 구조가 형성되어왔습니다.

　농업국가에서 농민은 국민의 80퍼센트가 넘으며, 그중 80퍼센트가 소작인인 것이 상식입니다. 그런데 앞에서 이미 지적한 대로 양반은 세금도 내지 않고, 국난이 닥쳐도 군대에 가지 않았습니다. 그 두 가지 중대한 일을 가난한 소작인이 전부 감당했다는 뜻입니다. 그러니 왕조란 가난한 백성의 등에 달라붙어 피를 빠는 거대한 거머리였던 셈입니다.

나라에 뜯기고, 탐관오리들에게 뜯기고, 지주에게 뜯기고, 피골이 상접한 소작인은 참다 참다 못해 '이렇게 사느니 차라리 죽는 게 낫다'고 마음이 뭉쳐져 들고일어났습니다. 그 저항이 무엇입니까? 바로 동학농민혁명이었습니다. 왜 그 불길이 호남평야 중심에서 솟구쳤는지 이제 이해가 되십니까?

그 사회적 모순과 갈등은 일제 시대를 거쳐 해방이 될 때까지 변함없이 지속되었습니다. 그래서 지리산에 몰려든 빨치산도 전라도 사람이 가장 많았습니다.

또한 산업화로 농촌 노동자가 산업 노동자로 도시로 유입되기 시작했습니다. 그때 어느 도 사람이 무작정 상경 1위를 차지했을까요? 가난에 찌든 소작인이 많았던 전라도 사람이었던 것은 더 말할 필요가 없습니다.

여기까지 얘기로 왜 세 편의 대하소설의 무대가 전라도인지 그 필연성을 깨닫게 되었을 것입니다.

제가 전라도에서 태어난 건 완전한 우연이며, 한편으로는 큰 행운입니다. 그러나 그 우연이 아니었더라도 세 대하소설의 무대가 전라도 땅이 되었을 것은 필연입니다.

● 제가 초등학교 고학년 때 『아리랑』이 한창 인기였습니다. 활자 중독으로 눈에 띄는 것은 닥치는 대로 읽던 시절이라 선생님 작품도 그때 처음 접하게 되었습니다. 나이 들어 다시 읽으니 그때는 미처 보지 못했던 또 다른 깊이가 있기는 합니다만, 초등학생이 읽기에도 어렵지 않고, 참 흥미진진한 소설입니다. 글을 쓸 때, 어느 정도의 사람이 읽으면 이해할 만하겠다 하는 식으로 대상의 연령이나 교육 수준을 고려하시는지요?

김가흔 • 숙명여대 인문학부

● 중학생이 『태백산맥』을 읽고 감동해서 역사학자가 되기로 결심했다는 편지를 보내온 적이 있습니다. 마침내 귀하는 그 기록을 깨뜨리고 말았습니다. 초등학생 때 『아리랑』을 읽다니…… 뭐라고 할 말을 잃습니다. 그때의 귀하는 맹랑하고, 귀하의 부모는 대단하십니다. 그런 책을 읽게 내버려두다니.

주시경 선생 이후 한글 연구를 가장 치열하게 했던 외솔 최현배 선생은 한글 발전에 기여한 소설가들의 공을 두 가지로 꼽았습니다.

첫째, 전체를 한글로 써서 한글 전용에 앞장섰다. 40년 전에 한글 전용을 부르짖었던 분다운 선정입니다.

둘째, 남녀노소·학식고하를 막론하고 모든 사람들이 읽고 즐길 수 있게, 의미와 무게를 지니게 하면서도 쉽게 쓴다. 소설의 독특한 기능을 명쾌하게 지적한 것입니다.

소설은 모든 사람이 읽고 즐길 수 있는 글입니다. 그래서 작가는 글을 쓰면서 그 대상을 전혀 고려하지 않습니다. 소재에 따라서 독자층이 자연스럽게 형성되기 때문입니다. 그러나 그 어떤 소재이든 귀하와 같은 유별난 독자는 더구나 고려 대상이 될 수 없습니다. 동화 동시를 읽어야 할 세대의 돌출 현상이니까요. 만약『아리랑』을 쓰려고 할 때 초등학생을 독자 대상으로 고려했더라면 결국『아리랑』은 쓰지 못했을 것입니다. 기본 지식을 요구하는 그 많은 역사 사실을 어떻게 써야 할지 방법을 찾을 수 없었을 테니까요. 그렇다고 귀하의 때이른 독서 선택이 잘못된 것은 전혀 아닙니다. 전문서적이 아닌 소설의 독서 체험은 그 나이에 어울리는 상상력을 자극하고 영혼을 살찌게 해주니까요.

특히 예술작품에 대한 소화 능력은 개인차가 심하기 때문에 연령에 따른 평균치를 판단 기준으로 적용하는 것은 무척 어리석은 일입니다. 예술 창작이 특출한 재능이듯이 남다른 예술작품 감상 능력도 특이한 재능입니다.

책을 읽는 속도는 그 내용의 이해력에 비례한다는 말이 있습니다. 책을 많이 읽을 수 있는 능력을 자기 발전을 위해 십분 활용하시기 바랍니다.

○ 작가 조정래가 유명한 만큼, 조정래 선생님에 대한 많은 연구와 비평이 나와 있습니다. 소설을 읽기 전에, 이런 연구와 비평을 먼저 접하고 '조정래의 작품은 이렇다'고 말하는 이들에게 한마디 한다면 뭐라고 하시겠습니까?

정보미 · 중앙대 국어국문학과

● 　그런 독서 방법은 최악의 방법입니다. 왜냐하면 부지불식간에 남의 인식과 판단에 자기의 의식이 침윤되고 설득당하여 정작 자기의 주관적 가치평가를 하기 어렵게 되기 때문입니다.

여러분, 정직하게 자기를 돌아보십시오. 한 가지의 문제, 한 작가의 작품을 놓고 정반대의 입장에서 평을 했는데 이 평론가의 말도 옳고, 저 평론가의 말도 옳게 느껴지는 경험을 안 해보셨습니까? 그런 일은 너무 흔합니다. 지적 수준이 낮을수록, 자기 가치관이 형성되지 않을수록 그런 현상은 더 심해집니다. 궤변도 논리이고, 모든 논리는 그 나름의 설득력으로 무장되어 있기 때문입니다. 이 세상에는 궤변적 평론도 많고, 그건 엄청난 독입니다.

평론은 독서의 보조물일 뿐입니다. 선입관이나 고정관념 없이 작품을 먼저 읽고 자기의 주관적 판단과 평가를 한 다음에 비로소 평론을 참작하십시오.

◉ 이것도 질문이 될는지 모르겠습니다. 그러나 안 할 수가 없습니다. 선생님처럼 되려면……

이지혜 • 한동대 언론정보문화학과

● 질문이 안 될 리는 없습니다. 그건 곧 '성공의 비결'은 뭐냐 하는 것일 텐데, 분야마다 성공한 사람들에게 일반인 특히 젊은이가 묻고 싶어 하는 말입니다. 저도 강연을 할 때면 그 질문을 적잖이 받고는 했습니다. 다만 질문을 받는 당사자들이 쑥스러워하고 더듬거리고는 하지요. 면구스럽기도 하지만 또 하나 다른 이유는 '성공'에 이르기까지의 과정을 한두 마디로 할 수 없기 때문이지요.

"선생님이 이렇게 세계적인 화가가 된 비결은 무엇입니까."

기자가 물었습니다.

"재수 있는 놈은 되고 재수 없는 놈은 안 되는 거지 뭐."

백남준 선생이 대답했습니다.

"예술은 무엇입니까?" 기자가 다시 물었습니다.

"그거 다 사기야."

파격적 행위예술가다운 대응입니다. 통쾌하기까지 합니다. 촌철살인이란 이런 게 아닐까요. 제 답은 바로 이 책 전체가 될 것 같습니다.

● 작가께서는 현실정치에 개입하는 것과 정치적으로 이용되는 것을 싫어하시는 것으로 알고 있는데 당신의 문학 속에서 정치는 뗄 수 없는 것 아니겠습니까. 그리고 『태백산맥』 기념관이나 NL계열이 당신을 절대시 여기는 등, 정치성에서 벗어날 수 없는 면에 대해서는 어떻게 생각하시는지 궁금합니다.

김효진 • 이화여대 사회학과

● 　우리 인간 세상의 2대 필요악은 정치와 종교입니다. 인간의 3대 발명품 중에 앞자리에 선 두 개가 필요악으로 지목된 것입니다. 그만큼 인류사에 끼친 폐해가 크고 많았다는 증거지요. 정치와 종교는 그 속성상 군림하게 되어 있고, 군림하면 횡포를 자행하게 되어 있습니다. 그런데도 국가라는 조직을 없애버릴 수 없고, 종교 또한 일소해버릴 수가 없으니 어찌할 도리 없이 '필요악'으로 그 존재를 수용하는 것입니다.

　모든 정치가 저지르는 3대 악은 횡포·부패·오류입니다. 남들을 다스리는 절대적인 힘인 권력을 가졌으니 당연히 횡포를 저지르게 되고, 당연히 부패할 수밖에 없고, 당연히 오류를 범하게 됩니다. 인간의 영혼을 다스리는 권력인 종교 또한 마찬가집니다.

　작가란 인간의 인간다운 삶을 위해서 진실만 말해야 하는 존재라고 했습니다. 그런데 어떻게 '강도 없는데 다리를 놓겠다'고 거짓말을 일삼는 존재와 함께 횡포·부패·오류를 저지르며 비인간적인 행위를 할 수 있습니까.

　진정한 작가란 그 어느 시대, 그 어떤 정권하고든 불화할 수밖에 없습니다. 정치의 횡포·부패·오류를 감시 감독하며 진실을 말하기 때문입니다. 그러므로 작가는 정치성과는 전혀 상관없이 진보적인 존재일 수밖에 없으며, 게다가 진보성을 띤 정치세력이 배태하는 오류까지도 직시하고 밝혀내야 하기 때문에 작가는 끝없는 불화 속에서 외로울 수밖에 없습니다.

　모든 작품은 발표하는 그 순간부터 사회의 공동소유가 됩니다. 사전 속의 단어를 아무나 마음대로 쓸 수 있듯이 작품을 읽는 모든 사람은 자기나름대로 그 작품을 해석하고 활용할 자유가 있습니다. 작가는 문화 소비자의 그 자유를 막을 아무런 권한이 없습니다. 자기 노래를 술주정꾼이 제멋대로 부른다고 가수가 나서서 나무랄 수 없듯이. NL계열에서 어떻게 하든 그건 그들의 자유일 뿐 저와는 아무 상관이 없습니다.

　소설이 인간에 대한 총체적인 탐구라면, 인간의 생활에 막대한 영향을 끼치는 정치와 문학은 뗄 수 없는 관계에 있는 것은 사실이지요. 그렇다고 작가가 직접 정치에 가담하라는 의미는 아니지요. 정치를 냉정하게 감시하고 감독하는 감시자와 감독자로서의 역할 관계입니다. 그러므로 작가가 현실정치에 대해 쓴 소리를 하고 비판의 소리를 내야 하는 것은 작가의 사회적 책임이자 소임이 되는 것입니다.

◎ 최근 북한 미사일과 핵 개발 선언으로 인해 남북관계가 급속도로 경직되고 있는 가운데, 작품과 평소 행보를 통해 남북관계의 평화적 진전을 적극 추진해왔던 작가 본인의 의견을 듣고 싶습니다.

나정범 · 고려대 사회학과

● 저는 그동안 칼럼을 통해 그 문제에 대해 여러번 말해왔습니다. 그 내용은 간단명료합니다.

'우리 민족의 통일은 반드시 이루어져야 한다. 그 유일한 방법은 평화통일이다. 이것은 전 민족적 동의다. 그러므로 북한은 핵을 전면 포기해야 한다. 그와 동시에 미국은 북한에 대한 모든 규제와 압박을 풀고 국교를 정상화하고, 북한이 세계 무대에서 정상 국가로서 활동할 수 있도록 보장·지원해야 한다. 따라서 남북한은 휴전협정을 평화협정으로 바꾸는 동시에 상호불가침조약을 체결하고, 그것을 바탕으로 군축을 실시하고, 남한은 민족동질성의 정신에 입각해서 북한과의 경제협력에 적극 나서야 한다.'

이런 내용이었고, 그 생각은 여전히 변함이 없습니다. 그 일들을 성취시키기 위해서 세 나라는 진정성을 가져야 합니다. 진정성은 핵폭탄 수백 개를 제압하고 능가하는 힘입니다.

◉ 조정래 선생님은 3부작을 끝으로 더 이상 대하소설을 집필하지 않는다고 선언하셨습니다. 하지만 1986년 이후 한국 민주주의가 어느 정도 완성되었다는 생각이 현 정권 들어 크게 흔들리고 있습니다. 이 격변하는 현대사를 다시 커다란 물줄기에서 서술하실 생각은 없으신지요?

고정현 • 연세대 사학과

●   대하소설을 또 쓰기에는 저는 이제 너무 나이 들었습니다. 일찍이 석가모니께서 이르시기를 '탐욕을 갖지 말라' 하셨습니다. 지나친 돈 욕심만 탐욕이 아니라 과한 일 욕심도 탐욕인 것입니다.

    저는 그 많은 인물들, 그 긴 이야기를 이끌고 또 몇 년을 몸부림하고 산다는 것이 너무 힘겹습니다. 그래서 그 일을 능력 있는 후배 작가에게 넘기고자 합니다. 그리고, 새 대하소설을 쓰라고 하시는 독자에게는 저를 그만큼 신뢰해주시는 것으로 알고 감사와 고마움을 드립니다.

    대하소설을 쓰는 일, 그건 물 없이 사막을 건너는 일이고, 맨몸으로 바다에 뛰어드는 일입니다. 그 아득하고 캄캄하고 외로운 고통 속으로 또 들어갈 자신이 없습니다. 죄송합니다.

● 선생님의 작품 속에서 가난이 생생하게 묘사되는 이유가, 선생님에게 있어 가난
은 자신의 삶 그 자체로 체화된 것이기 때문이라고 하셨습니다. 당시 세대의 가난
과 지금 세대가 겪는 가난은 분명 그 의미가 다를 텐데요. 어떻게 구분할 수 있겠
습니까. 또 지금 세대의 가난이 작품의 주제가 될 수 있을는지 알고 싶습니다.

반기웅 • 한양대 국제대학원

● 　시대가 다르니 가난의 성격도 달라지겠지요. 5, 60년대의 가난은 참
혹한 전쟁이 남기고 간 것이기 때문에 사회 전체가 가난했습니다. 그
러니 다소 불편한 것으로 인식되었을 뿐 부끄러운 것이 아니었고, 무
능은 더구나 아니었습니다. 그것은 애써 노력하면 언젠가 물리칠 수
있는 시한부적인 공동의 척결 대상이었습니다.

　그러나 지금 우리가 만나는 가난은 50년 된 한국 자본주의의 소산
입니다. 부자 따로, 가난한 사람 따로, 빈부 격차가 심해졌습니다. 그
상대적 빈곤의 대비는 불편한 것이 아니라 불행한 것이 되었고, 부끄
러움이나 무능의 증표처럼 되었습니다. 그것은 공동의 척결 대상이
아니라 개개인이 알아서 해결해야 하는 적이 되었습니다.

　큰 자본들의 지반 구축과 함께 사회는 안정의 틀을 갖추었고, 불법
상속으로 세상이 한바탕씩 떠들썩해지는 가운데 경영권 세습마저 일
반화되고 있습니다. 그것은 없는 젊은이 입장에서 보면 그만큼 자수
성가의 기회가 없어졌다는 것을 뜻합니다.

자본주의의 가장 큰 마성인 부익부 빈익빈의 시대가 굳건해지면서 용으로 솟구칠 기회마저 사라지고 있는 시대. 이 시대의 풍요가 전 시대의 가난보다 행복하다고 자신 있게 말하기 어려운 것이 이 시대의 불행입니다.

이 사회적 불행감을 행복감으로 바꾸기 위해서 우리의 자본주의는 대전환을 하지 않으면 안 되는 시점에 와 있습니다. 그 길은 단 하나, 선진 자본주의 국가가 냉전시대에 사회주의권과 싸워 이기기 위해 추진했던 분배 정책과 사회안전망 구축 정책을 과감히 추진해나가야 합니다. 그들은 그 혁명적 정책을 추진하면서도 국민소득 4만 달러를 이룩해냈습니다. 그런데 우리는 국민소득 4만 달러를 선망하면서도 그 정책을 과감히 추진할 뜻은 거의 없는 것 같습니다.

신자유주의가 불러온 글로벌 경제위기에 봉착하고서야 북유럽식 사회민주주의 제도가 새삼스럽게 사회적 관심의 대상이 되었습니다. 9년쯤 전에 우리나라도 핀란드식 사회민주주의의 도입을 본격적으로 검토해야 한다는 글을 어느 신문에 썼습니다. 그런데 보기 좋게 묵살당하고 말았습니다. 청탁 받은 원고를 묵살당한 최초의 기록이었습니다. 그것이 어찌할 수 없는 우리의 현실입니다.

구조적 모순에 대한 인식을 투철하게 하면 오늘의 가난은 이 시대에 응답하는 가장 좋은 주제가 될 수 있습니다(수업료는 사양하겠습니다).

◉ 분단 사회를 그린 선생님의 작품은 '민족주의'의 문제와 결부될 수밖에 없다고 생각합니다. 그런데 아시다시피 오늘날 민족주의를 폐기해야 할 구시대의 유물로 생각하는 사람들이 적지 않습니다. 분단시대의 한반도에 있어 민족주의는 어떤 의미를 가지는 것일까요?

심진용 · 서울대 정치학과

●   우리에게 '세계화'라는 말은 정치적 유행어로 시작되었습니다. 김영삼 정권 때의 일입니다. 대통령이 그 말에 자꾸 힘을 넣고 영어 교육을 강조함으로써 걷잡을 수 없는 영어 사교육 바람이 몰아치기 시작했습니다. OECD에 가입하고, 대한민국은 곧 국민소득 2만 달러, 3만 달러, 4만 달러의 시대가 오는 것처럼 들뜨고 요란했습니다. 그런데 덮쳐온 것은 날벼락 같은 IMF 사태였습니다. 국민소득 1만 2천 달러가 절반으로 뚝 허리 꺾여 6천 달러로 곤두박질쳤고, 그 불구덩이에 빠진 나라에 IMF는 점령군의 기세로 쳐들어와 국제적 고리대금업을 자행해 25퍼센트의 이자를 빼앗아갔습니다. 우리가 처음 맛봐야 했던 세계화의 실체였습니다.

   김영삼은 국민 여론조사에서 맨 꼴찌를 차지한 대통령이 되어 물러갔지만 세계화의 망령은 사라지지 않았습니다. 그 이름도 세련되게 신자유주의라는 이름으로 살짝 변신한 것입니다. 그리고 영어라면 허둥지둥 허겁지겁 정신을 못차리는 한국 사람 구미에 착 들어맞도록

'글로벌'이라는 이름이 모호한 관계로 짝을 맞추기 시작했습니다. 그 새 바람을 타고 영어 사교육의 광풍은 점점 거세게 휘몰아치고, 정체도 알 수 없고 자격도 알 수 없는 원어민 교사들이 태평양을 건너 밀어닥치기 시작했습니다.

그런 분위기 속에서 슬슬 고개를 들기 시작한 것이 민족주의 시대 착오론이었습니다. '민족주의는 애초에 실체가 없는 것이고, 신자유주의 경제가 꽃피는 이 글로벌한 시대에 그런 시대착오적인 주의에 집착해 어쩌자는 것인가. 나라의 세계적인 발전을 위해서 그런 구시대적 유물은 당장 폐기되어야 한다.' 민족주의 폐기론자들의 이런 합창이 여기저기서 기승을 부리게 되었습니다.

민족주의 폐기론의 뿌리

'민족주의는 배타적이고 폐쇄적이고 공격적이고 파괴적이다. 그러므로 폐기해야 한다.' 민족주의 폐기론자들의 공통 주장입니다. 그 좋은 본보기가 나치의 게르만 민족 제일주의입니다.

예, 히틀러의 나치가 저지른 제2차 세계대전의 비인간적 범죄는 참혹하고 엄청났습니다. 그런 민족주의의 폐해는 마땅히 없어져야 합니다.

그러나 어디 독일뿐입니까. 영국을 비롯한 프랑스·스페인·네덜란드·미국 등도 자기네 민족의 우월성에 취해 끝없는 영토 탐욕을 앞세워 약한 나라를 식민지로 짓밟으면서 수백 년 동안 나쁜 짓을 얼마나 많이 저질렀습니까. 서구에 대한 열등감에 사로잡혀 그들의 모든 것을 닮고자 했던 동양의 나라가 있습니다. 일본입니다. 일본은 서구 나라의 제국주의 팽창술을 그대로 배워 식민지 확보 작전에 나섰던 동양의 유일한 나라입니다.

그 제국주의 국가가 저지른 인류사적 범죄 또한 히틀러가 저지른 범죄에 못지 않습니다. 일본은 과거의 범죄를 사죄하고 보상하라는 국제 압력에 대해 식민지를 거느렸던 유럽 여러 나라도 안 하는데 왜 우리만 하라는 거냐고 항변하기도 합니다. 그건 자기의 잘못을 희석하려는 교활하고 뻔뻔하기 짝이 없는 기만술이고 물귀신 작전이기는 하지만, 일면으로는 일리가 없는 것도 아닙니다.

제2차 세계대전 승전국은 패전국 독일이 저지른 홀로코스트 범죄를 집중적으로 공격해 세계화하는 데 성공했습니다. 그건 지난날 자기네들이 식민지에서 저지른 잘못을 은폐하기 위한 승자의 집단 음모는 아닌지 의심이 가기도 합니다. 유대인의 그 끈질기게 불타오르는 복수심에 동조하면서 말입니다. 유대인의 그 상상을 초월하는 집념을 우리는 배워야 합니다.

그런데 그 제국주의 국가는 지금도 세계를 좌지우지하는 강대국입니다. 그렇지만 그들은 이제 제국주의 국가가 아닙니다. 과거의 잘못을 반성해서 그럴까요? 아닙니다. 영토를 장악하는 방법은 번거롭고 반감을 사게 됩니다. 그 방법 아니고도 식민지를 거느렸던 때보다 더 큰 이익을 장악하는 방법이 있습니다. 그것이 돈의 힘입니다. 그래서 그들은 영토 제국주의에서 자본 제국주의로 모양을 바꾼 것뿐입니다.

그들의 착취 대상인 약소국이라고 그 변신을 모를 리 있습니까. 현대 대중교육에 의해 약소국에도 총명한 지식인이 포진하게 되었으니까요. 그 지식인이 자본 제국주의의 교묘한 침탈에 대해서 방어하고 나서는 것은 당연합니다. 그들이 내세우는 방어 무기가 바로 민족주의입니다. 약소국이 거대한 제국주의의 힘에 맞설 수 있는 유일한 무기는 예나 지금이나 민족주의뿐입니다. 그것 아니고는 결속의 일체감과 함께 저항의 힘을 응집할 다른 무엇이 없기 때문입니다.

자본 제국주의 국가는 약소국이 소유한 그 강적을 물리치지 않으면 안 됩니다. 그러나 무력을 쓸 수 없으니 그럴듯한 논리 개발을 해야 합니다. 그것이 바로 민족주의의 폐해와 시대착오를 강변하는 폐기론입니다. 자본 제국주의 강대국이 집요하게 공략하는 민족주의 폐기론은 바로 약소국의 '정신무장 해체 전법'입니다.

꼭두각시 유학파들

우리는 배타적이고 폐쇄적이고 공격적이고 파괴적인 나치의 민족주의의 폐해가 얼마나 끔찍하고 비인간적인 재해였는지 분명히 압니다. 그런 민족주의는 결코 용납할 수 없다는 주장에도 동의합니다.

그 명확한 태도와 함께, 과거 강대국의 민족주의와 오늘날의 약소국의 민족주의를 동일시해서 싸잡아 매도하지 말고 이성적으로 냉정하게 분리 구분하여 인식하라는 것입니다.

자, 보십시오. 약소국이 무슨 힘이 있어 다른 나라를 공격하고 파괴할 수 있습니까. 또한 세계경제의 흐름에 따라 약소국은 딴 나라를 배타하고 폐쇄해서는 생존을 유지할 수가 없게 되어 있습니다. 그러므로 약소국이 내세우는 민족주의는 개방적 민족주의, 공생적 민족주의, 방어적 민주주의, 저항적 민족주의라는 사실입니다. 그 구분을 위해 '○○○ 민족주의'라는 새 명칭이 필요합니다.

그런데, 무조건 민족주의 폐기를 주장하는 사람 대부분이 그 힘센 나라에서 유학하고 돌아온 분네들이라는 사실입니다. 유학을 마치고 돌아온 사람이 마치 유학했던 나라의 국민처럼, 아니 더하여 그 나라 정부 대변인처럼 언행을 해온 것은 하루이틀의 일이 아닙니다. 윤치호가 그 효시입니다. 가난하고 위태로운 나라 대한제국 최초의 국비 유학생이었던 윤치호는 미국에 고작 3년 머물고 돌아왔는데 평생 영어로 일기를 썼고, 그걸 자랑스러워했습니다(아깝게도 머리 하나는 좋았던 모양입니다). 그리고 만해 한용운 선생이 3·1 운동에 동참하기를 권하자 '약한 나라는 강한 나라에 저항해봤자 아무 소득이 없으니 강한 나라가 하라는 대로 따르는 게 상책'이라고 했습니다.

그 후 윤치호의 후예가 무수히 생겨났고, 그들은 평생에 걸쳐 유학 경력을 과시하고 팔아먹으면서, 유학했던 나라의 국민보다 더 그 나라 국민인 것처럼 말하고 생각하고 행동하고, 그들의 편을 드는 데 열성인 모습을 도처에서 쉽게 보게 됩니다. 5천 년 동안 1천 번 넘게 외침을 당해온 약한 민족으로서 강한 쪽에 붙어야 산다는 인식이 뼈에 사무치다 못해 우리의 유전인자가 되어버린 모양입니다.

아까운 돈 들이고, 귀한 세월 바쳐가며 유학한 것은 그들 나라를 위해서가 아니라 당신이 태어난 나라, 당신의 모국과 당신의 모국을 형성한 그 사회를 위해 건전하게 쓰자고 공부한 것입니다. 그리고 너나없이 우리가 잊지 말아야 할 사실이 한 가지 있습니다.

경제의 흐름을 따라 세상이, 세계가 어떻게 변한다 해도 인종의 차이, 국가의 차이, 민족의 차이는 결코 변하지 않는다는 사실입니다. 세계화라는 말과 함께 인터넷이 일시에 세계적으로 유통되고, 각종 운동선수가 국경을 넘어 자유롭게 교류하고, 우리나라 전자제품이 세계시장을 석권해나간다고 해서 그런 차이가 다 없어진다고 착각하지 마십시오. 그런 현상은 다만 돈의 흐름을 따라 일어나는 경제의 풍경일 뿐입니다.

사람이 사람으로서 해서는 안 되는 짓이 여럿 있지만, 그중에 으뜸인 것이 좋은 머리 받고 태어나 많은 공부를 하고서도 남의 꼭두각시 노릇을 하는 것입니다.

우리의 민족주의, 더 강화해야

우리가 약소국인 것은 어찌할 수 없는 운명이고 숙명입니다. 이 슬픔에 슬픔이 더한 것은 그나마의 땅도 반토막이 나서 분단되었다는 사실입니다. 여러분이 잘 아시다시피 세계 2백 개가 넘는 나라들 중에서 우리만이 둘로 갈라진 분단국가입니다.

그 분단으로 인한 손해가 뭐냐고요? 부자로 사는 것을 모든 가치의 최우선으로 치는 우리 사회에서 이렇게 말하면 빨리 알아듣고 가장 실감나겠군요.

세계 굴지의 기업 40퍼센트가 한국에 투자하기를 꺼린다는 통계입니다. 왜 그런지 아십니까? 분단 상태의 전쟁 위험 때문입니다.

그뿐만이 아닙니다. 분단의 고통과 손해에 대해서는 앞에서 대충 지적했습니다. 그 모든 것을 포함해서 같은 민족의 불구적인 삶, 비극적인 삶을 종식하기 위해서 통일은 우리 민족의 숙원이고 비원입니다.

우리에게 통일이 민족사의 최대 과제이며, 기필코 풀어야 하는 숙제인 이유는 무엇일까요? 남과 북은 5천 년 역사를 함께 살아온 같은 민족이고, 엄연한 실체이며, 생생한 현실이고, 맥박 뛰는 생명체입니다. 누가 감히 민족은 실체가 없는 것이니, 상상의 공동체니 하는 무식한 소리를 지껄입니까. 누가 감히 그 따위 경제 제국주의 논리를 젊은 이에게 뇌까려 가치 혼란에 빠지게 합니까.

우리가 같은 민족, 한민족이 아니라면 하등 통일해야 할 이유가 없습니다. 우리에게 밥은 그들에게도 밥이며, 우리에게 그리움은 그들에게도 그리움인, 같은 뜻입니다. 그러니 통일의 그날까지 우리의 민족주의는 더욱 강화되어야 합니다.

● 『태백산맥』에서 '빨갱이'란 말의 잔인함과 시대성에 대해 알게 되었습니다. 최근 '좌빨'이라는 말이 다시금 이곳저곳에서 터져 나오고 있는데요. 아무 생각없이 내뱉는 듯 보이는 이 말을 어떻게 생각하시는지 궁금합니다.

곽고은 • 한국외대 인도어과

● '좌빨'이란 '좌익＋빨갱이'의 준말이겠지요. 잽싸게 그런 신조어를 만들어내다니 머리들 참 좋으십니다.

자, 되짚어보십시다. 소련과 동유럽 사회주의 국가의 이데올로기 몰락과 함께 이 지구상에는 '사회주의 국가'는 하나도 존재하지 않습니다. 중국은 뭐고, 베트남은 뭐고, 북한은 뭐냐고 당신은 펄쩍 뛰시겠습니까? 그렇다면 당신은 소아병적 단견의 소유자일 수밖에 없습니다.

모든 경제 체제를 자본주의로 바꾼 중국과 베트남이 사회주의 국가입니까? 그들은 '사회주의 시장경제'라는 궁색한 말로 위장한 자본주의 국가입니다. 다만 정치지배 틀만을 공산당 1당 독재로 지탱하는, 요즘 유행하는 말로 '무늬만' 사회주의 국가일 뿐입니다. 그들 국민도 지금의 보세가공 수준을 넘어 '3D 업종'을 기피하는 시대를 맞이할 때가 있을 것입니다. 그 즈음에 그 어설픈 1당 독재가 어떤 운명에 처하게 될지 아무도 모릅니다.

그럼 북한은 가장 악질적인 사회주의 아니냐고요? 흥분하지 마십시오. 서양 사회학자들이 북한을 뭐라 부르는지 아십니까? '유교적 사회주의'라고 합니다. 그 뜻을 모르시겠습니까? 유교는 어느 시대 지배 논리였습니까? 봉건 시대 아닙니까. 그럼 북한은 '봉건적 사회주의'라는 뜻이 됩니다. 봉건 시대란 뭡니까? 왕이 절대권을 행사했던 시대입니다. 그렇다면 '유교적 사회주의'가 무슨 뜻인지 아셨겠지요? '권력을 세습하는 김일성 왕조'라는 말을 그렇게 에둘러 표현한 것입니다. 직설을 피한 그 명칭 부여 노력이 꽤나 학자답습니다.

이렇게 따지고 보니 이 지구상에 사회주의 국가가 하나도 없는 것이 입증되었지요? 그러니 '빨갱이'란 말도 성립될 수가 없는 거지요.

'좌빨' 쓰기를 즐기시는 분네들이 또 애용하는 말이 '친북 좌파'입니다. 친북? 과연 이 나라에 친북 하는 사람이 있을까요?

우리 남한이 어떤 나랍니까? 국민이 대통령을 마음대로 갈아치우는 나랍니다. 대통령을 제멋대로 갈아치워버리는 재미, 그 재미가 얼마나 통쾌한 것인지 당신도 잘 아시겠지요? 나라의 주인이 자기 자신이라고 확인하는 일이니 보통 통쾌한 일이 아니지요.

그런데 북한은 어떻습니까? 그 통쾌함을 전혀 맛볼 수가 없는 땅입니다. 한데 남한 사람 중에서 북한을 좋아한다구요? 그런 사람 단 하나도 없습니다. 만에 하나 그런 사람이 있다면 그 사람과 당신은 어서 손잡고 신경정신과로 가보시는 게 좋을 것 같습니다.

● 소설 『한강』에는 포철, 현재의 포스코에 대해서 긍정적으로 묘사하는 부분이 많이 등장합니다. 그리고 그 포철을 일구어낸 박태준 명예회장에 대해서도 긍정적으로 묘사하시는데요. 반면에 박정희 전 대통령에 대해서는 부정적으로 묘사하는 부분이 많습니다. 이 상반된 상황을 묘사하시는 데 걸림돌은 없었는지요?

이도형 • 성균관대 사학과

평소 본인의 역사관과 '박태준 평전'은 진정으로 충돌하지 않는 문제입니까?

배정훈 • 연세대 사회학과

● 　박정희 전 대통령에 대한 역사 평가에 관해서는 이미 언급했습니다. 그 언급으로 두 질문자가 갖는 의문에 대해 기본적이고 본질적인 응답은 되었으리라고 생각합니다. 그것이 제가 확보한 객관적인 역사관이며, 그 관점에 따라 저의 모든 작품은 씌어졌고, 그 역사관은 앞으로도 변치 않을 것입니다.

　그러면 왜 제가 『한강』에서 포항제철과 그 건설자 박태준을 쓰고, 그것으로 끝나지 않고 청소년을 위한 위인전까지 집필하게 되었는지를 밝히면 두 질문자를 위한 대답으로 더욱 확실해지리라 생각합니다.

　"우리 레닌 동지가 꿈꾸고 추구한 이상향을 저는 여기 포철에서 보았습니다. 우리가 이루고자 했던 꿈이 바로 이런 것이었습니다."

　모스크바 대학 총장 빅토르 사도브니치는 포항제철을 둘러보며 이렇게 감탄했습니다. 그리고 그가 한국을 떠난 4개월 뒤에 소련이라는 거대한 나라는 타이타닉 호가 침몰하듯 이 지구상에서 영원히 사라졌습니다.

다 아시겠지만 모스크바 대학 총장이면 소련 최고의 지성이며, 소련공산당 최고급 당원입니다. 그런 사람이 자기네의 주신 격이며 최고 최대 영웅인 레닌의 이름을 내세워 포철의 성취를 '이상향'이라고 묘사했습니다. 그런데 그 이상향을 이루어낸 것은 누구입니까. 박태준입니다. 레닌은 이루지 못한 것을 박태준은 이루어낸 것입니다. 소련 사람으로서 이보다 더 높고 큰 칭찬을 할 수는 없습니다. 이 극찬은 미국 사람이 링컨을 비교하며 칭찬하는 것과 같습니다.

보십시다. 우리나라 사람 중에서 박태준을 그렇게 적극적으로 그렇게 흔쾌하게 극찬한 사람이 있습니까? 같은 나라 사람끼리 그렇게 하는 것은 멋쩍고 쑥스러운 일이니 겸손하게 삼가는 것입니까? 아닙니다. 너무 가까이 있어 그 진가를 미처 깨닫지 못하는 일면이 있고, 남이 이룩한 일을 사시로 보며 하찮게 여기려 하고, 남의 칭찬에 인색한 우리 사회 풍토가 크게 작용한 일면도 있는 것입니다.

그런데, 모스크바 대학 총장은 포철의 공장 시설을 보고 그렇게 놀란 것일까요? 그랬을 리가 있습니까. 소련은 원자폭탄에서도, 우주과학에서도 미국과 어깨를 맞겨룬 나라니 그 정도의 공장 시설은 이미 많이 보았을 것입니다.

"제철소의 최신 설비와, 공장답지 않게 깨끗한 관리 상태도 놀랍지만, 그보다도 사원 주택단지와 학교들이 제철소와 가깝게 있으면서도 이렇게 깨끗하고 아름답게 자리 잡고 있다는 것에 정말 놀랐습니다. 공장단지와 주거단지가 이렇게 쾌적하고 청결하게 조화를 이루는 곳은 세계 어디에도 없습니다."

박태준을 왜 그렇게 극찬하는지 모스크바 대학 총장이 밝힌 이유입니다.

그것은 더하고도 빼고도 할 것 없는 있는 그대로의 명확하고 뚜렷한 이유입니다. 저도 포철을 『한강』에 쓰려고 취재를 떠날 때까지만 해도 우리나라 산업화에 포철이 미친 영향에만 신경이 집중되어 있었습니다. 그런데 가서 보니 쇳물이 쏟아지는 공장 시설만이 아니라 모든 사원이 편히 살 수 있는 주거단지와 자식 교육을 걱정할 필요 없이 교육 시설이 완벽하게 갖추어진 것을 보고 감탄을 넘어 감동하지 않을 수가 없었던 것입니다.

살아 있는 위인

미혼의 독신자 숙소는 아파트였습니다. 거기에 독립된 도서실이며 휴게실이며 스포츠 센터가 있는 것은 그러려니 했습니다. 그런데 호텔 객실 같은 방이 몇 개 있었습니다. 그건 면회 온 부모님을 위한 숙소였습니다. 어찌 이럴 수 있습니까. 한국에 이런 회사가 있다니! 저는 감동하지 않을 수가 없었습니다. 그런데 그런 시설이 다 사장님(건설 당시)의 지시에 의한 것이라고 했습니다. 그 섬세한 배려는 사람을 사람답게 대접하려는 진정한 마음이 없고서는 안 되는 일이었습니다. 저는 참사람 박태준을 발견했고, 그 순간 존경의 염을 갖게 되었습니다. '문학은 인간의 인간다운 삶을 위하여 인간에게 기여해야 한다'는 문학관을 가진 제가 진정한 사람을 발견하고 존경하는 마음을 품게 된 것은 너무 자연스러운 일입니다.

"회사는 세우지도 않고 사원 주택부터 짓는다는데, 도대체 무슨 짓이오. 국가 기간산업을 시작도 못 해보고 망치자는 거요, 뭐요!"

국회에서 말썽이 일어났습니다.

"양질의 노동력은 강요해서 나오는 게 아니라 최고의 처우에서 나옵니다."

젊은 박태준 사장의 단호한 대응이었습니다.

그리고 그는 사원에게 최고의 처우를 제공하기 위해 주택과 아파트를 지어 개개인이 소유하게 했고, 유치원부터 초·중·고등학교까지 지어 사원 자녀를 무료로 가르쳤으며, 두 명의 자녀에게는 대학 학자금까지 베풀었습니다. 그러면서 포항제철은 아무 차질 없이 세워져 날마다 쇳물을 쏟아냈습니다. 사람을 보물로 여기는 참사람 박태준의 진정성이 이룩해낸 성공이고 승리였습니다.

제조업 중에서 제철업은 순이익이 가장 낮은 편입니다. 그런 포철이 모범적으로 이룩해낸 일을 그대로 따라서 한 기업은 오늘날까지 단 하나도 없습니다. 모든 회사가 포철처럼 했더라면 강성 노조니, 극한 투쟁이니, 외국 자본의 투자 기피니 하는 문제점이 야기되었겠습니까.

박태준은 거기서 끝나지 않았습니다. 광양제철을 짓고, 한국 최고의 대학을 넘어 아시아 최고의 대학으로 꼽히는 포항공대를 세웠습니다. 광양제철을 광양에 지은 것은 정치권이 만든 지역감정을 경제 영역에서 조금이나마 풀어보려는 희망을 담은 것이었다는 사실을 아는 사람은 그다지 많지 않습니다. 이 나라의 지방 초등학교는 다투듯이 문을 닫는데 광양에서는 새 초등학교를 짓는다는 사실도 아는 사람이 별로 없습니다.

아는 분은 아시겠지만 철은 '산업의 쌀'입니다. 1973년부터 오늘날까지 포스코가 양질의 강철을, 싼 값으로, 모자람 없이 대지 않았더라면 우리의 수출을 주도해온 가전산업, 자동차산업, 조선산업, 각종 기계산업은 어찌 되었겠습니까. 국민소득 2만 달러에 이르기까지 포스코가 우리나라 경제발전에 기여한 공은 계산할 수가 없을 정도였습니다.

박태준은 자원도 없고, 자본도 없고, 기술도 없던 3무의 상태에서 두 개의 거대한 제철회사, 세계 2위의 철강국가의 신화를 이룩해낸 인물입니다. 그 고난의 역경을 헤쳐나가는 감동의 위대한 걸음걸음을 여기 다 적지 못해 아쉽고 안타깝습니다(자세히 알고 싶으신 분은 제가 쓴 『큰작가 조정래의 인물이야기 5, 박태준』을 사보실 수밖에 없습니다. 책 팔아 먹으려고 외판사원 같은 말을 한다는 누명을 써도 어쩔 수 없습니다. 우리도 살아 있는 위인을 가지고 있다는 긍지를 느끼실 수 있을 터이니 한 번 읽어보시기 바랍니다. 만약 실망하시면 지체 없이 책 값을 물어드리겠습니다).

짧은 인생을
영원한 조국에

이건 박태준의 건설 현장 숙소에도, 집무실에도, 집에도 붙어 있는 평생의 좌우명입니다. 그분은 그 길을 한 번도 어긋나지 않게 걸었고, 광양제철을 완공한 다음 명예회장으로 현직에서 물러나 앉으면서 요즘 유행하는 스톡옵션은커녕 퇴직금도 받지 않고 맨손이었습니다.

그뿐만이 아닙니다. 집 한 채 있던 것을 팔아 '아름다운 재단'에 10억 원을 기부하고도 세상이 모르게 했습니다. 지금 제가 최초로 공개합니다. 그분이 노여워해도 할 수 없습니다.

저는 그분의 그 순수한 나라 사랑과 진정한 사람 사랑에 감동하면서 그분이 나라 잃은 식민지 시대에 성인이었더라면 신채호·한용운·안중근·김구 선생처럼 그렇게 조국을 위해 몸바쳤을 거라 생각했고, 그분들 모두가 하신 일이 똑같은 무게로 값지다고 여겨 다섯 분의 위인전을 썼던 것입니다.

우리의 경제발전의 의미와 가치는 앞에서 다 언급했습니다. 그 자랑스러운 주역과 함께 우리가 동시대를 살아간다는 것은 우리의 긍지요 자존심입니다. 그분은 우리의 정면교사이며 거울입니다.

● 지식인의 책무는 무엇이라 생각하시고, 대학생이 지식인으로서 자기만의 시각으로 세상을 읽는 능력을 기르려면 어떻게 해야 하는 것이 좋을지 알려주십시오.

연유진 • 이화여대 중어중문학과

● 　지식인에게 사회적 책무가 따르는 것은 지식인이 자연스럽게 그 사회의 지배계층에 속하게 되기 때문입니다. 그 의미를 담은 서양의 용어로, 우리 사회에서 10여 년 전부터 크게 부각되었던 것이 '노블레스 오블리주'입니다. 로마 시대부터 있었던 그들의 용어가 21세기의 한국 사회에서 크게 부각되었던 것은 그동안 우리 사회에서는 그 지식층의 책임의식이 빈약했기 때문이었던 것입니다.

　노블레스 오블리주 정신은 다름 아닌 사회 지도층의 솔선수범, 지배계층의 정직한 권력 수행, 지식층의 양심적 언행 등을 총괄하는 것입니다. 그러니까 평소에는 세금 한 푼 안 내고, 국난이 닥쳐와도 군대에 가지 않았던 우리의 옛 양반들의 행태와는 정반대의 정신이었던 것입니다.

　지식인의 그 사회적 책임감은 나라가 위기에 처했을 때, 민족이 불행에 처했을 때 더 커지는 것은 너무나 당연한 일입니다. 일제에 나라를 강탈당했을 때 안중근·신채호·한용운·김구·안창호·박은식·이

376

회영·김원봉·윤봉길·이봉창 같은 분들이 죽음을 두려워하지 않고 나섰던 것이 그 좋은 본보기입니다. 그러나 우리의 식민지 역사에서는 독립투쟁에 몸바친 분들보다 자신만의 사리사욕을 위해 친일을 했던 지식인이 훨씬 더 많았습니다. 왜 그랬을까요? 서양식 노블레스 오블리주의 정신 없이 썩은 양반의 행태만 물려받았기 때문입니다.

너무나 늦었지만 우리 사회에서 노블레스 오블리주 정신이 거론되는 것은 그나마 얼마나 다행인지 모릅니다. 분단 조국의 역사를 앞에 두고 그런 정신이 갖추어지지 않은 대학생이 양산되어 사회에 나온다면 그것처럼 심각한 일은 없기 때문입니다.

북핵 문제를 해결하기 위한 '6자 회담'을 유심히 보십시오. 그게 우리 민족이 처한 과거·현재·미래입니다.

무슨 말인지 선뜻 모르겠다고요? 러시아는 세계에서 영토가 가장 넓은 나라고, 중국은 캐나다와 약간의 차이로 세계 3위로, 우리 한반도와 국경을 맞대고 있습니다. 그래서 두 나라는 옛부터 우리 땅을 호시탐탐 노려왔습니다. 미국과 일본은 1905년 '가쓰라-태프트 밀약'으로 각각 필리핀과 조선을 나눠 먹는 일을 자행했습니다.

그런 그들은 우리의 분단과 한국전쟁에 직간접적으로 개입한 당사자이며, 지금의 분단 상황에서도 막강한 영향력을 행사하고 있습니다. 그들 네 나라가 우리의 통일을 원치 않는다는 사실을 초등학생들도 꽤나 많이 알고 있다는 사실에 저는 깜짝 놀라고, 얼마나 환호했는지 모릅니다.

초등학생도 그런 인식을 가지고 있는데 하물며 지식인은 어찌해야 하겠습니까. 우리는 이 지구상에 그 많은 나라 중에서 왜 하필 이 땅에 태어났는지 모릅니다. 우리는 그것을 모른 채 이 땅에서 함께 숨 쉬고 먹고 애들을 낳고 기르다가 이 땅에서 죽어가게 됩니다. 태어난 것도 어쩔 수 없는 일이고, 죽어가는 것도 어쩔 수 없는 일입니다. 우리의 힘으로는 어쩔 수 없는 그것을 우리는 운명이고 숙명이라고 합니다. 이 땅에서 사는 당신과 나는 어쩔 수 없이 같은 운명, 한 숙명에 묶여 있습니다. 그걸 사회학에서는 공동운명체라 합니다.

그 불가항력 때문에, 이 땅의 지식인이기 때문에 당신은 싫더라도 지식인의 책무를 짊어져야 합니다. 그러니까 어차피 져야 할 짐이라면 보기 좋게 솔선해서 지십시오.

다음의 글들을 읽어보시고 어떤 심정이 되는지 당신의 마음을 스스로 점검하시기 바랍니다.

"우월하고 문명한 국가가 열등하고 미개한 나라를 지배하는 것은 당연하다."

시어도어 루스벨트 미국 대통령이 '을사보호조약'을 인정하며 한 말입니다.

"코리아 인민은 자치 능력이 없으므로 일제가 패망한 뒤 수십 년에 걸쳐 연합국의 신탁통치를 받아 정부를 운영하는 능력을 수습해야 한다."

프랭클린 루스벨트의 말입니다.

윈스턴 처칠은, 카이로 선언에 한국의 독립 시기와 관련해 '적당한 과정을 거쳐'라는 문구를 넣도록 했습니다.

"코리아인은 자치 능력이 없다. 항일독립운동을 이끄는 코리아의 지도자 중에도 일제가 패망한 이후 자기 나라를 이끌어갈 인물이 없다. 일제가 패망한 뒤 코리아에 즉각적인 독립을 주는 것보다는 선진국의 고문이 코리아인을 정치적으로 훈련시키면서 코리아를 통치하는 것이 바람직하다."

역사학자 아널드 토인비의 말입니다.

"코리아는 중국이 지난날의 종주권을 되찾아야 할 나라다."

쑨원(손문)과 장제스(장개석)의 말입니다.

"코리아는 중국이 되찾아야 할 식민지 중 하나다."

마오쩌둥(모택동)의 말입니다.

그 어떤 음식이나 그 어떤 표백제도 당신의 피부 색깔을 바꿀 수 없습니다. 당신이 아무리 이 땅의 역사를 외면하려고 해도 당신은 부처님 손 안의 손오공일 뿐입니다. 기분 상하셨다면, 죄송합니다.

대학생이 지식인의 책무를 바르게 실천하는 삶을 살 수 있도록 안목을 갖추는 일은 별로 복잡하지도 어렵지도 않습니다. 그런 자세를 갖추어야 되지 않을까 생각한 사람은 벌써 그 절반을 이룬 것이나 마찬가집니다. 시작이 반이라는 속담은 괜히 있는 게 아닙니다.

그런 자각의 싹 위에 물을 주어야 하지 않겠습니까. 그건 우선 책을 읽는 것입니다. 첫째, 지식인의 삶을 충실히 살다 간 분들의 전기나 평전을 골라 읽으십시오. 둘째, 신뢰할 수 있는 지식인의 책과 글을 골라 읽으십시오. 셋째, 진정성을 가진 시민단체를 골라 틈틈이 자원봉사를 하며 실천 경험을 쌓고, 성취의 보람 속에서 안목을 더욱 넓혀 가십시오.

참된 지식인의 삶은 고달프나 그 의미와 보람은 하늘의 넓이입니다.

◉ 이른바 순수문학과 참여문학은 계속 대치상태로 보입니다. 독자 입장에서는 그게 과연 바람직한 것인지 판단하기 어렵습니다.

정성호 · 동의대

● 　문학을 하는 한 사람으로서 미안합니다. 순수문학과 참여문학은 그 필요성이 증발해버린 케케묵은 논의고 논쟁입니다. 그건 마치 인간을 이분법으로 파악하려는 것과 같은 어리석음이고 소모입니다.

　만약 제 작품을 그 두 쪽 어느 하나로 가르려 한다면 저는 단호히 거부하겠습니다. 그 이유는 이미 '빅토르 위고와 같은 작가를 좋아한다'에서 충분히 밝혔습니다.

　모든 동물은 뼈와 살로 조화를 이루고 있습니다. 문학도 오랜 생명성을 가지려면 그래야 합니다. 여러분의 분별력을 존중하기 때문에 무엇이 소설의 뼈고 무엇이 살인지 사족을 붙이지는 않겠습니다.

　순수 · 참여의 맞섬에 대해 독자 여러분께서는 전혀 신경 쓰지 마십시오. 그건 평론가들이 그저 하는 일일 뿐입니다. 여러분은 좋은 소설만 골라 읽으시면 됩니다. 거기에 고루 들어 있는 뼈와 살의 맛을 즐기시며.

● 『한강』에는 친일파 이야기가 나옵니다. 현재 친일파는 아직도 부유한 삶을 누리거나 사회적 지위가 높은 경우가 많습니다. 선생님께서는 늦었지만 현재라도 친일파 청산을 제대로 해야 된다고 생각하십니까?

● 해방과 더불어 친일파를 깨끗이 청산하지 못한 것은 민족적 불행이고 국가적 재난입니다. 왜냐하면 불의한 자들을 공명정대하게 처벌하지 못함으로써 민족 정기가 훼손되었고 민족 정통성이 무너졌으며, 국가의 존엄성이 서지 않았을뿐더러 사회 질서가 어지러워졌기 때문입니다.

'바른 일 한다는 놈 병신, 어떻게든 출세하는 놈 최고.'

이런 부정적인 가치관과 부당한 기회주의가 해방 이후 지금까지 우리 사회에 넘치는 것은 다 친일파를 척결하지 못한 데서 비롯했습니다. 참 슬픈 비극이 아닐 수 없습니다.

해방 직후 크고 작은 정치세력은 제각기 건국 강령을 내놓았습니다. 그런데 공교롭게도 첫 번째와 두 번째가 똑같은 것이었습니다. 그것이 무엇인데 성격을 달리하는 정치세력인데도 똑같았을까요. '해방의 새 세상'이라는 것이 결정적 힌트이니 여러분 한 번 맞혀보십시오.

예, 별로 쉽지 않으니 제가 말씀드리지요.

첫째, 친일파 척결.

둘째, 토지 무상몰수 무상분배.

첫 번째는 민족 정기의 문제였고, 두 번째는 생존 조건의 문제였습니다.

이 공통점은 정치세력의 탁월한 정치 능력과 투철한 사명감에서 나온 것일까요? 결코 그런 게 아닙니다. 그건 전 민족 성원의 요구가 그랬고, 시대정신이 그랬고, 그 두 가지를 앞세우지 않으면 정권을 잡을 기본 자격이 상실되었기 때문입니다.

그런데도 그 두 가지가 다 남쪽에서는 실현되지 않았습니다(그 과정은 이미 『태백산맥』에 자세히 쓴 그대로입니다).

저는 1977년 1년 동안 《소설문예》라는 포켓용 소형 문예 월간지를 발간한 일이 있습니다. 문학 독자의 확대를 꾀한 것이었지요. 그때 임종국 선생이 우리 잡지에 연재를 했습니다. 임 선생은 그때 모든 사회 진출이 차단되어 천안에서 밥을 굶듯이 심한 가난에 시달리고 있었습니다. 그분은 해방 이후 모든 지식인이 친일파에 대한 연구나 언급을 철저하게 기피하고 있을 때 오직 혼자서 펜을 들었고, 『친일문학론』이라는 책을 내놓았습니다. 그런데 그 보복은 가혹하고 잔혹했습니다. 친일파가 모든 분야에서 득세하는 세상에서 그분은 굶어 죽을 수밖에 없도록 철저하게 사회 진출을 차단당했습니다. 생활고에 시달리는 그분의 비참한 모습은 친일파에게 도전한 사람이 어떻게 되는지를 보여주는 모델 케이스기도 했습니다. 그 공포에 질렸음인지 친일파를 문제 삼는 지식인은 그 후로 단 한 명도 나오지 않았습니다.

그러나 그분은 아사지경에 빠진 고난 속에서도 친일파 연구를 포기하기는커녕 오히려 그 범위를 문학에서 벗어나 전 친일파로 넓혀서 계속하고 있었습니다.

한데 예나 지금이나 문예지 경영은 어려워 저는 1년 만에 경영권을 넘겨야 했습니다. 제가 특별히 부탁을 했지만 새 경영자는 임 선생 글을 연재하지 않았습니다.

그리고 10년 가까운 세월이 흘러 저는 다시 《한국문학》의 주간을 맡게 되었습니다. 저는 다시금 임종국 선생을 생각해냈습니다. 그래서 연락을 했고, 임 선생님은 제 사무실에 오셨는데, 저는 얼마나 죄송했는지 몸둘 바를 몰랐습니다. 제 사무실은 엘리베이터 없이 5층이었고, 아들의 부축을 받고 올라오는데도 임 선생은 숨이 가빠 한동안 말을 못할 지경이었습니다. 그렇게 병이 중하면 올라오지 말고 아래에서 전화를 했으면 얼마나 좋았겠습니까. 그러나 임종국 선생은 그런 분이 아니었습니다.

"선생님, 지금 하시는 친일파 연구를 매달 연재하십시다. 그리고 원고가 모이는 대로 단행본으로 내겠습니다. 어떻게 생각하십니까?"

"고마워요, 조형. 내가 몸이 좀 나아지는 대로 원고를 정리할게요."

임 선생은 숨을 헐떡거리며 그 천진한 웃음을 지었습니다.

그러나 그 폐의 병은 끝내 그분을 저세상으로 데려가고 말았습니다. 저는 임 선생의 친일파 연구에 힘을 보태고자 했던 꿈을 접어야 했습니다. 그리고 그 안타까움과 아쉬움을 달래고, 임 선생이 하신 일이 얼마나 큰 의미를 지니는지 밝히고 싶어 『한강』에 임종국 선생을 등장시켰던 것입니다.

기필코 남아야 할 기록

임종국 선생의 연구 업적을 그대로 물려받은 것이 '민족문제연구

소'입니다. 그곳에서는 '친일인명사전(가칭)' 발간을 벌써 8년째 준비해오고 있습니다. 우리는 불행하게도 친일파를 척결하기 위한 법 하나 만들지 못하고 식민지 시대보다 더 긴 64년을 보내고 있습니다. 국내의 친일파도 척결하지 못한 상태로 일본에게 사죄를 하라니 일본이 우리를 뭘로 보겠습니까. 그들이 진심 어린 사죄를 하지 않는 것은 너무 당연한 일이며, 그건 우리가 우리 스스로에게 씌운 치욕이고 모멸입니다.

우리는 친일파를 법으로 처벌할 시기를 놓쳤습니다. 당사자 99퍼센트 이상 세상을 떠나버렸기 때문입니다. 그렇다고 여기서 문제를 끝내서는 안 됩니다. 그럴 권한은 그 누구에게도 없습니다.

우리는 이 시점에서 '누가' '어떻게' 친일을 했는가를, 그 객관적 기록이나마 분명하게 남겨두어야 합니다. 그것이 민족사가 요구하는 바이며, 민족사 앞에 우리가 수행해야 하는 책무이며, 나라를 찾으려고 싸우다 돌아가신 순국 영령께 그나마 더 죄짓지 않는 일입니다.

오늘 우리가 누리는 이 번성과 평안 속에는 나라를 찾으려다 고통과 통분 속에 숨겨간 분들의 피가 젖어들고 영혼이 스며들어 있습니다. '친일인명사전'은 방대한 분량이라 국민 모금으로 발간하게 될 것입니다. 모금이 시작되면 그때 여러분, 여러분의 형편대로 모금에 적극 참여해주십시오. 하나뿐인 목숨을 내놓으신 분이 무수합니다. 우리는 용돈을 조금 내는 것입니다. 아까워하지 마십시오.

1930년대, 추수 때 80퍼센트까지 빼앗겨야 했던 소작마저 떼인 사람들은 목숨을 부지하기 위해 만주로, 만주로 떠났습니다. 그 넓은 땅이 비어 있어 허겁지겁 논을 일궈 농사를 지었습니다. 그런데 추수 때가 되자 말 탄 무장대가 나타났습니다. 그건 마적 떼가 아니라 땅 주인이었습니다.

우리 동포는 또 수확의 절반을 빼앗기는 소작인 신세가 되어야 했습니다. 그런데도 그들은 농토를 셋으로 나누었습니다. 군전·학전·생전. 독립군을 돕는 논, 자식을 가르치는 논, 먹고사는 논. 여러분, 여러분은 어찌하시겠습니까.

● 학생들도 『태백산맥』과 『한강』 등 선생님의 책을 열심히 읽고 있습니다. 지금까지 읽혀진다는 것은 분명 공감하는 바가 있기 때문이겠지요. 요즘 젊은이들에 대해 어떻게 생각하시는지요. 선생님은 사회적 모순과 불의에 끊임없이 저항했습니다. 요즘 젊은이를 보면 참 순응적이라는 생각을 하실는지도 모르겠습니다.

이지혜 • 성균관대 국어국문학과

● 　어느 시대 어떤 나라에서나 변혁의 핵심과 주체는 언제나 젊은 세대였습니다. 그들은 그만큼 인간다운 정의를 지키고자 하는 순수한 영혼을 지녔고, 그 영혼의 의지를 실행으로 옮길 수 있는 용기와 열정을 품고 있기 때문입니다.

　또한 역사란 단순한 세월의 흐름이 아니라 우리 인간의 삶의 엮음이기 때문에 거기에는 우리의 역사 경험을 기억하는 영혼이 스며 있고, 그 영혼은 제2의 유전인자가 되어 인간의 미래를 열어가는 불씨가 됩니다.

　우리 현대사에서 민주주의 탄생의 기원이 된 4·19 혁명은 아무런 역사 경험 없이 돌발적으로 일어난 것입니까? 그렇지 않습니다. 그것은 엄연한 역사 전통의 뿌리를 가지고 있습니다. 그 뿌리는 일제치하의 저항이었던 광주학생사건입니다. 그럼 광주학생사건은 돌발적인 것이었습니까? 아닙니다. 그 뿌리는 3·1 운동이었습니다. 3·1 운동의 뿌리는 항일의병투쟁이었고, 항일의병투쟁의 뿌리는 동학농민혁명이었고, 동학농민혁명의 뿌리는 그 전의 민중봉기였습니다.

광주민주항쟁과 1980년대 6·10 항쟁의 힘이 어디서 비롯했는지 더 설명할 필요가 있습니까. 우리는 피를 바친 역사 경험을 결코 소홀히 하지 않기 때문에 우리 인간을 역사적 존재라고 이름 하는 것입니다. 그리고, 온갖 모순과 갈등 속에서도 인간의 역사는 느린 듯하지만 꾸준히 발전해 오늘에 이르렀습니다. 동서양을 막론하고 포악하기 이를 데 없는 봉건 중세에 오늘날과 같은 민주주의 시대를 상상이나 했겠습니까.

1980년대의 그 격렬한 민주화 투쟁이 30년의 군부독재를 종식하고 이 땅에 민주주의 시대가 열린 다음부터 대학생의 변화에 대해서 우려의 목소리가 나오기 시작했습니다. 너무 개인 문제로 빠져든다, 소비가 너무 사치스러워진다, 역사·사회의식이 너무 빈약해진다……, 그 문제 제기는 한둘이 아니었습니다.

저는 그때나 지금이나 아무 걱정도 하지 않습니다. 왜냐하면 그들의 영혼 깊숙이에는 우리의 역사 경험의 인자가 면면히 살아 있기 때문입니다. 그 인자는 분출되어야 할 위기에 직면하면 순식간에 저항의 불길로 치솟아 오르게 됩니다. 저는 그 역사의 힘을 믿고, 인간이 인간이고자 하는 이성적 분노와 논리적 증오의 힘을 믿고, 젊은이의 순결한 열정을 믿습니다. 그들의 순응적 모습은 삶의 충실일 것이며, 그들이 좀 즐길 수 있는 것은 선배들의 헌신이 준 선물입니다. 그 인과응보는 아름다운 꽃피움입니다.

● 『태백산맥』부터 『한강』까지 한민족 1백 년사를 기릴 수 있는 3부작을 완성시키셨는데요. 그 속에 굵직굵직한 역사적 사건이 함께 자리 잡고 있습니다. 선생님의 작품 속에서 민초는 항상 소설의 주인공이었습니다. 21세기를 힘겹게 살아가고 있는 민초에게 가장 필요한 것이 무엇이라고 생각하시는지 궁금합니다.

성세희 • 베이징 대학 국제정치학과

● 　해방 이전의 민초와 오늘날의 민초를 여러 가지 면에서 많이 다릅니다.

지난날의 민초는 억압 구조의 사회 속에 살았고, 직업이 농업 중심으로 단조로웠으며, 체계적인 대중교육을 받지 못했습니다. 그런데 오늘날의 민초는 민주주의 사회에 살며, 직업이 수없이 다양하고, 체계적인 대중교육을 받았습니다.

지난날의 민초는 그런 삶의 여건 속에서 지배계층의 억압과 횡포와 수탈을 예방할 수 있는 조직과 힘을 길러낼 능력을 갖출 수가 없었습니다. 그들은 견디고 견디다 못해 죽음의 상황에 다다르게 되면 어차피 죽을 것, 앉아서 죽느니 서서 죽기를 각오하고 서로서로 힘을 모아 저항에 나섰던 것입니다.

그러나 오늘날의 민초는 민주주의라는 생활 여건 속에서 자신들의 법적 권리와 의무를 대부분 잘 인식하고 있으며, 대통령을 스스로 뽑음으로써 나라의 주인임을 실감하고 책임의식도 강합니다.

그러나 국민이 거기서 자기네 할 일을 다 했다고 마음 놓거나 무관심해져서는 큰일 납니다. 정치인이란 절대 믿어서는 안 되는 존재이며, 방심해서도 안 되는 존재이기 때문입니다. 국민이 한눈파는 그 순간 권력은 횡포를 저지르고, 부패하고, 오류를 저지릅니다. 그게 수천 년에 걸쳐 끈질기게 되풀이되어온 권력의 속성입니다. 그래서 권력이란 끝없이 감시·감독해야만 하는 필연성이 생깁니다.

　민주주의 사회에서 권력을 감시·감독하는 데 아주 효과적인 조직이 있습니다. 그게 시민단체입니다.

　우리는 거의 맹목적이다시피 선진국을 선망합니다. 그건 우리들이 품은 잘살고 싶은 욕망과 직결되어 있습니다. 우리의 그 욕망은 야비할 만큼 뜨겁고 천박할 만큼 뻔뻔스러워 '새해 복 많이 받으세요' 하는 그 넓은 뜻을 담은 새해 덕담을 내던지고 '부자 되세요'라는 직설적인 말을 모든 매스컴에서 거침없이 쓰는 지경이 되었습니다. 그리고 '뉴타운' 사업 추진이라는 거짓 공약에 홀딱 속아 다른 데도 아닌 서울 서너 군데에서 꼭 지키고 키워내야 할 쓸 만한 야당 후보를 모조리 떨어뜨려버리는 것이 우리의 자화상입니다.

　선진국 국민이 선진국이 되기 위해서 우리처럼 그렇게 잘사는 것에만 혈안이 되었을까요? 아닙니다. 그들은 우리와 달리 두 개의 의식을 갖추고 세상을 균형 있게 바라보았습니다. 하나는 정치의식이고, 다른 하나는 경제의식입니다. 어느 나라에서나 정치와 경제는 국민의 행불행을 좌우하는 마차의 두 개 수레바퀴와 같습니다. 그러므로 국민된 자는 자기들의 행불행을 싣고 가는 마차의 두 수레바퀴가 제대로 잘 굴러가는지 정치와 경제에 똑같이 관심을 기울여야 합니다.

오랜 세월 그 두 가지 소임을 충실히 잘해 오늘의 선진국 국민은 떳떳하고 자랑스러운 나라를 만들어낸 것입니다. 그들은 경제의식을 가지고 자기 직업에 충실하는 노동을 하는 동시에 정치의식을 가지고 수없이 많은 시민단체를 탄생시킨 것입니다.

우리와 인구가 엇비슷한 프랑스나 독일에 시민단체가 얼마나 있는지 아십니까? 5만여 개입니다. 그러니 영국이나 미국 같은 데는 더 말할 것도 없지요. 그 시민단체는 두 가지 특성을 갖습니다. 첫째, 모든 정치 및 사회 조직의 활동을 공개적이고 객관적으로 감시·감독합니다. 둘째, 운영과 활동비는 전적으로 시민의 후원금과 자원봉사로 이루어집니다.

이에 비해 우리는 어떻습니까. 민주화와 함께 시민단체의 필요성이 대두되어 삽시간에 2만 5천여 개가 생겨났습니다. 그러나 시간이 지나면서 많이 부실화되어 실제로 활동하는 단체는 10분의 1 정도로 줄었습니다. 그리고 그나마도 운영이 어려워 몇 년 전부터는 나라에서 활동비를 지원하게 되었습니다. 돈을 받게 되면 어떻게 됩니까? 시민단체의 생명인 순수성과 객관성이 현실 권력에 예속되어 훼손되고 변질될 수밖에 없습니다.

왜 그런 현상이 벌어진 것입니까? 그건 우리 모두가 무의식적으로 저지른 잘못입니다. 우리는 시민단체에 후원금을 내지도 않았고, 자원봉사도 하지 않았기 때문입니다.

5만 개의 시민단체가 생명력을 가지고 계속 활동해나간다는 것은 그 나라 국민이 고루고루 그 시민단체의 회원이 되어 끊임없이 후원금을 낸다는 것을 뜻합니다. 그 참여의식이 그들의 선진국을 이룩해낸 것입니다. 5만 개의 시민단체가 눈 부릅뜨고 정치를, 경제를 감시하고 감독하는데 어찌 정치인이 잘못하고 경제인이 잘못할 수가 있겠습니까.

우리는 그저 사사롭게 술자리나 뒷자리에서 정치인이 잘못한다고 욕하고 경제인이 너무한다고 흉 봅니다. 그렇게 분산되어서는 천년만년이 지나도 우리는 선진국이 될 수 없습니다. 경제인의 속성도 정치인과 똑같아서 철저하게 감시·감독을 하지 않으면 그들도 탈세를 비롯한 온갖 비리를 예사로 저지르는 것을 수없이 보아오고 있습니다.

민주주의는 누가 그냥 갖다주는 것이 아닙니다. 스스로 만들고 다듬어야 하는 것입니다. 그러기 위해서 연대해야 합니다. 그 힘을 엮어 합치는 조직, 그것이 시민단체입니다. 당신이 시민단체 한 곳에 가입하지 않고는 민주시민이라 할 수가 없습니다. 당신이 시민단체 한 곳에 후원금을 내지 않고는 자유를 누릴 자격도, 잘살기를 바랄 자격도 없습니다. 당신이 시민단체에 한 차례도 봉사하지 않고는 세상의 잘못에 대해 한마디도 말할 자격이 없으며, 당신의 불평불만은 작은 새소리만큼의 가치도 없을 것입니다.

예, 번거로우시면 굳이 회원이 될 것도 없습니다. 자원봉사도 할 것이 없습니다. 인터넷이나 핸드폰으로 수다 떨고 오락만 할 것이 아니라 시민단체들을 한 번 찾아보십시오. 무수하게 떠오를 것입니다. 그 중에 마음에 드는 곳을 고르면 반드시 'ARS 번호'가 있습니다. 그 번호로 후원금을 자동이체하면 됩니다. 많이 하라는 게 아닙니다. 한 달에 한 번, 천 원씩이면 족합니다. 아닙니다, 천 원이 많으면 5백 원도 좋습니다. 그래도 10만 명, 100만 명이면 얼마입니까. 그렇게 하여 5만 개의 시민단체들이 10년, 20년 활발하게 움직이면 어찌 됩니까. 우리가 목마르게 바라는, 국민소득 5만 달러의 선진국이 자연스럽게 되어 있을 것입니다.

저는 그 힘을 믿기 때문에 그렇게 해왔고, 앞으로도 그렇게 해나갈 것입니다. 그리고 두 손자에게도 그 길을 가르칠 것입니다.

● 예술가들은 대개 영감을 통해 창작을 하는 것으로 알려져 있습니다. 선생님은 어떠신지요. 영감이란 근본적으로 무엇입니까?

안세희 • 인하대 정치외교학과

◉ 산: 평지보다 썩 높이 솟아 있는 땅덩이.

영감: 신의 영묘한 감응. 신의 계시를 받은 것 같은 느낌.

이 설명에 만족하십니까. 다름 아닌 국어사전의 설명입니다. 이것이 기본 개념만을 제시하는 국어사전의 한계입니다.

산의 뜻풀이는 평지와 대비시켜 높다는 것만 말하고 있을 뿐 그 겉모양마저도 제대로 설명하지 못하고 있습니다.

그럼 영감은 어떻습니까. 산보다 더해서 무슨 소리를 하는 것인지 종잡을 수가 없습니다. 추상명사이기 때문입니다. 그러나 사전은 더 이상 어떻게 할 도리가 없습니다. 그래서 자세한 예를 들고 설명을 동원하는 학교 공부가 필요한 것이겠지요.

산에는 온갖 나무가 있고, 그래서 수많은 벌레가 살고, 그 먹이를 찾아 갖가지 새가 깃듭니다. 또한 온갖 종류의 약초며 열매를 먹고 크고 작은 짐승이 먹이사슬을 이루며, 사람도 그 약초며 짐승을 손에 넣으려고 산과 얽힙니다. 그뿐이 아니라 산은 서로 무리를 지어 굽이치면서 기기묘묘한 절경을 이루어내어 사람들을 유혹하고, 여러 가지 지하자원과 나무의 생명 활동이 어우려져 독특한 산의 정기를 형성해내 사람에게 신비 체험을 하게 만듭니다.

우리 머릿속에 들어온 산의 그런 전체상에 비해 사전의 뜻풀이는 너무 단선적이고 부족함이 많습니다.

마찬가지로 영감에 대해서도 더 구체적 설명이 필요합니다. 불교 용어인 탐욕은 욕심이 겹겹으로, 층층이 쌓여 스스로를 망칠 상태에 다다른 것을 말합니다. 따라서 영감도 그러한 감도로 이해하면 됩니다. 한 가지에 치열하게 집중하고 몰두하는 생각(사고)이 쌓이고 쌓여 어느 순간에 폭발하는 불꽃처럼 원하던(찾고자 했던) 바가 환하게 꽃피우는 것이 영감입니다.

흔히들 영감이란 갑자기 떠오르는 것이라고 생각합니다. 예, 그것은 영감이 떠오르는 그 순간만을 보는 인식입니다. 그러나 그 과정에는 반드시 자기가 구하고자 하는 것에 대해 깊고 깊은 고심과 몰두가 쌓여야만 영감은 분출합니다. 그러니까 이런 말이 성립할 수 있습니다. '영감이란 고심의 깊이와 몰두의 강도에 따라 결정된다.'

'예술가의 창작은 많은 경우 영감을 통해 이루어진다.' 이런 말은 과장도 신비화도 아닙니다. 무언가 새로운 것, 개성적인 것을 창조해내기 위해 몸부림치고 괴로워하며 시간을 망각해본 예술가라면 그 말에 아무런 이의 없이 동의하게 됩니다. 그러므로 영감을 체험하지 못한 예술가는 없으며, 영감을 많이 체험하면 할수록 그 사람은 그만큼 뜨겁고 치열하게 고심하고 고통을 겪었다고 할 수 있습니다. 그렇다면 영감 체험이 없는 예술가들을 뭐라고 해야 하나요?

자면서도 쓴다

하루 이틀이 아니고 몇 년씩 계속해서 글에 몰두하다 보면 몸이 이상하게 변하는 것을 느낄 수가 있습니다. 눈앞의 현실이 아득하게 멀어지고 소설 속의 현실이 바짝 눈앞으로 다가오는 것은 더 말할 것이 없고, 전신에 저릿저릿 전기가 통하는 현상이 일어납니다. 그 저릿거림은 저 혼자만 느끼는 의식 현상이 아니라 실재의 증상으로 나타납니다. 그 현상은 겨울에 특히 심해서 문고리 같은 모든 쇠붙이는 찌르르 전기가 통해 만질 수가 없고, 전기 소켓은 만지는 순간 시퍼런 불이 붙기도 합니다. 쇠붙이만이 아닙니다. 아내의 손도 잡을 수가 없습니다. 무심코 잡았다가 아내가 질겁을 한 것이 한두 번이 아닙니다. 그런데 어느 날 전화를 받으려고 송수화기를 드는 순간 전화통에 퍼렇게 불이 붙으면서 전화가 끊기고 말았습니다. 그다음부터 전화기는 불통이 되었습니다. 전화상에 가지고 갔지만 기술자가 아무리 뜯어보아도 고장난 데가 없다는 것이었습니다. 귀신이 곡할 노릇이란 이런 경우가 아닌가 합니다.

저는 그 믿기 어려운 사실을 문화방송(MBC)의 〈성공시대〉에 출연하면서 말했고, 방송국에서는 용케도 소켓과 전화기에 파란 불이 붙는 영상을 만들어냈습니다. 그게 방영되었으니 어찌 됐겠습니까. 저는 또 술자리의 안주감이 되어야 했습니다. "허풍을 쳐도 너무 친다." "그게 말이 되는 소리냐." 저는 그냥 웃을 수밖에 없었습니다.

그런데 한 분이 전화를 걸어왔습니다.

"조정래 씨, 정말 고생 많이 하고 있어요. 그게 어떤 경우인지 알 것 같아요."

소설가 한말숙 선생의 격려였습니다.

그런 상태가 계속되면서 도저히 풀리지 않던 매듭이 며칠 고심 끝에 어느 순간 번쩍 하는 생각과 함께 풀리게 되고, 글을 써나가면서 앞으로 써야 할 대목이 순간순간 떠오르고, 새 문장을 시작하려는 순간 전혀 예기치 않았던 묘사가 퍼뜩 떠오르기도 합니다. 그런 순간의 환희와 황홀감을 어떻게 말로 다 표현할 수가 있겠습니까. 그런 맛, 그런 기쁨, 그런 성취감 때문에 그 긴 고달픔 속에서도 글을 쓰는 것인지도 모릅니다.

그뿐이 아닙니다. 그 순간순간 솟구치는 현란한 생각은 생시에만 떠오르는 것이 아닙니다. 고민스러운 것이 꿈에서도 문득 해결이 됩니다. 그 순간 번쩍 눈을 뜨면, 대개 꿈의 내용이 생각이 잘 나지 않는 것과는 달리 그 생각은 역력하고 선명합니다. 그런 경우를 가리켜 '자면서도 쓴다'고 하는데, 그건 보통의 꿈과는 좀 구분되어야 할 것 같습니다.

그건 보통의 꿈과는 달리 휴식을 취한 뇌가 잠의 끝부분에서 깨어나 그 해결책을 찾아낸 것이라 할 수 있습니다. 확실한 해결책만이 아니라 어떤 경우에는 앞으로 써야 할 문장까지 줄줄이 엮어지는가 하면, 단어 하나까지도 생생하게 떠오르고는 합니다. 그건 몸이 잠의 상태에 있을 뿐 사고하는 부분의 뇌는 이미 깨어 있는 것이라고 보아야 할 것입니다.

그런데 이런 이야기를 하는 게 조심스러운 것은, 같은 체험을 해보지 못한 분께는 위화감을 줄 수도 있고, 너무 과장한다는 인상을 줄 수도 있기 때문입니다. 그런데 현대 과학이 입증한 바에 따르면 예술가가 작품 창작에 몰두해 있을 때는 뇌파가 보통 사람의 다섯 배까지 발산된다고 합니다. 그런 차이로 이해해주시면 그 생경한 말과의 거리감도 다소 줄일 수 있지 않을까 합니다.

　여러분은 신 내린 무당이 시퍼런 작두날 위에서 뜀질을 하며 춤을 추는 것을 가끔 보았을 것입니다. 그런 접신의 상태가 예술가에게도 드물지 않게 나타나며, 예술가 스스로가 그런 상태를 느낀다는 것을 알아주시기 바랍니다. 인간의 정신 영역은 말로 설명되지 않는 경우가 적지 않습니다. 그래서 인간을 영적 존재라고도 하는 것 아닙니까.

◉ 집필 기간 중에는 사람을 거의 만나지도 않고 하루 종일 글만 쓰신다고 들었습니다. 그 원동력은 무엇입니까? 그리고 오랜 세월 글을 써오시면서 건강은 어떻게 지키셨는지요?

서덕 • 성균관대 러시아어문학과

◉ 첫 번째 물음: 집념＋극기＋자족
두 번째 물음: 소식＋채식＋맨손체조＋산책＋등산(일요일)

맨손체조의 효과에 대해서 한마디 안 할 수가 없습니다. 『태백산맥』을 중간쯤 썼을 때 저는 누적된 피로 때문에 심각한 위기에 빠져 있었습니다. 날마다 책상에 꼼짝을 하지 않고 앉아 있다 보니 두 다리가 무겁다 못해 퉁퉁 부어오른 것같이 변하더니, 그 느낌이 점점 심해져 통나무 굵기로 부어오른 것 같은 착각이 들고는 했습니다. 그때마다 놀라 두 손으로 장딴지를 감싸 만져보면 부어오른 것이 아니라 안심하곤 했습니다. 그런 다리로 평상시처럼 걷기는 어려웠습니다. 다리가 무거울 뿐만 아니라 제 생각과는 달리 헛놓이고, 공중에 뜨는 느낌이면서 눈앞의 모든 것들이 이리 기우뚱 저리 기우뚱 흔들렸습니다.

그런데 다리보다 더 심각한 것이 등이었습니다. 글을 쓸 때는 글쓰기에 정신이 팔려 통증을 못 느끼는데 일단 글쓰기를 멈추면 등의 통증이 시작됩니다. 양쪽 어깨에서 시작해 등판 전체가 조각조각 갈라지고 깨지는 것 같은 느낌과 함께 뼈근하고 쿡쿡 쑤시고 비비 트는 통증으로 신음 소리가 절로 날 지경이었습니다.

그 통증은 제 주먹으로 쿵쿵 두들기고, 안마기로 두들기고 해도 풀릴 기미가 전혀 없었습니다. 그래서 아내가 주무르고, 아들도 힘을 쓴다고 썼지만 통증은 거만한 표정으로 끄떡도 하지 않았습니다.

저는 날마다 통증으로 신음하며 그 해결책을 찾아 고민하다가(확실한 해결책은 글을 안 쓰는 것이었지만) 문득 '산책과 체조를 해볼까' 하는 생각이 떠올랐습니다. 그건 체조의 효용을 믿었다기보다는 그 외에는 달리 방법이 없었기 때문에 떠오른 궁여지책이었습니다.

저는 다음 날 아침부터 가까운 초등학교 운동장으로 나갔습니다. 그 운동에 버려야 하는 한 시간이 그지없이 아까웠지만 통증을 근본적으로 해결하지 않고는 아직도 까마득하게 남은 글쓰기를 못하게 될 판이니 다른 도리가 없었습니다.

저는 올림픽의 경보 경기를 하듯 빨리 걸어 운동장을 다섯 바퀴를 돌았습니다. 그런 다음 나무 아래에서 초·중·고등학생들이 공통적으로 하는 그 맨손체조(국민보건체조)를 하기 시작했습니다(학생 때처럼 마지 못해서 하는 것이 아니라 체육 선생이 했던 그대로 한 동작, 한 동작을 절도 있게 해나갔습니다). 그렇게 대엿새 했는데 '아니, 이거!' 할 만큼 효과가 나타났습니다.

"여보, 여보, 이젠 살았어!"

저는 기쁨에 차서 말했고, 아내는 그 효과를 믿기 어려워했습니다.

그 효과는 저의 일시적 기분이나 착각이 아니었습니다. 한 달쯤 계속하자 등의 통증은 그야말로 씻은 듯이 사라졌습니다.

아, 맨손체조의 효과여!

저는 감사와 함께 감탄을 했습니다. 그리고 고등학교 때의 체육 선생을 떠올렸습니다.

"이 맨손체조는 세계적인 체육학자들이 모여 통일시킨 국제 공통이다. 이보다 더 좋은 전신운동은 없으니까 적당히 춤추듯 하지 말고 한 동작, 한 동작을 절도 있게 열심히 해라."

체육 선생의 이 말이 잠재되어 있어서 맨손체조를 생각해낸 것인지 어쩐지는 확실치 않지만, 체육 선생의 그 말은 분명한 사실임을 제 몸이 입증하고 있었습니다.

저는 그때부터 맨손체조를 하루에 세 차례로 늘렸습니다. 아침에 한 번, 점심 먹고 낮잠 자고 나서 한 번, 저녁에 글 시작하기 전에 한 번.

그 '한 번'은 학교 때 하던 그대로 두 번 되풀이하는 한 번이었고, 그것이 좀 부족한 듯하여 운동량이 많은 다섯 가지를 더 추가한 '조정래표 맨손체조'였습니다. 그 귀찮은 짓을 어떻게 하루에 한 번도 아니고 세 차례씩 하느냐구요? 모르시는 말씀 하지 마세요. 한 번 할 때 6분 정도씩, 하루에 18분을 투자하면 그 끔찍스러운 등의 통증을 완전 퇴치하고 몸 가볍게 글을 쓸 수 있는데 어찌 귀찮아 하겠습니까. 그리고 산책의 효과도 100퍼센트 나타났습니다. 장딴지가 부어오르는 착각 역시 자취를 감춘 것입니다.

저는 그 위대한 발견 이후 지금까지 22년이 넘도록 단 하루도 거르지 않고 맨손체조를 했습니다. 어쩌다가 산책을 못 하는 일은 있어도 체조는 절대로 빼먹지 않았습니다. 저는 외국 취재여행을 하면서도 호텔 문앞에서 맨손체조 삼매경에 빠지고는 했습니다.

뉴욕의 호텔 앞에서도 흑인의 엄지손가락 세우는 윙크를 받으며 했고, 베트남의 호텔 앞에서도 경비의 이상해하는 눈빛을 받으며 열심히 했고, 사우디아라비아의 호텔 앞에서도 치마 같은 옷을 입은 그들의 신기해하는 눈길 속에서 아무 거리낌 없이 열심히 했습니다.

그러나 맨손체조가 만병통치로 모든 병을 막아주지는 못했습니다. 쉴 새 없이 글을 쓰다 보니 맨손체조의 방어로는 몸이 견디지 못하고 가끔 몸살을 앓았고, 몸 전체가 피곤해 어디론지 끝없이 가라앉는 느낌 속에서 '이러다가 내일 아침에 못 깨어나지' 하는 아른아른한 의식 속에서 잠이 든 것이 한두 번이 아니었고, 피가 자꾸 말라들어 머리부터 아래로 온몸이 하얗게 표백되는 것 같은 착각 속에서 온 세상이 마구 흔들리고 휘도는 어지럼증에 시달린 것도 한두 번이 아니었습니다.

저는 매일 아침 6시에 일어납니다. 모든 준비를 끝내고 8시 반쯤 글쓰기를 시작합니다. 그리고 12시 30분에 점심을 먹습니다. 그럼 온몸이 가누기 어렵게 힘이 듭니다. 어젯밤 늦게 잔 피곤이 덜 풀린 데다, 오전의 글쓰기로 그만 지친 탓입니다. 그래서 바로 낮잠에 듭니다. 한 시간 정도 낮잠을 자고 나면 언제 그랬느냐는 듯 푸른 산의 정기처럼 새 기운이 솟습니다. 그 싱싱한 기분에 맨손체조를 보태면 다시 펜을 잡을 의욕이 팽팽해집니다. 저녁을 6시 30분에 먹습니다. 그러고 나면 또 오후 작업의 피곤이 덮쳐옵니다. 소화시킬 겸 텔레비전 뉴스를 보고 낮잠과는 달리 그대로 소파에 누워 잠깐 눈을 붙입니다. 그 시간은 10여 분. 그런데도 눈이 번쩍 뜨입니다. 늘 놀라운 잠의 효과입니다. 다시 밤 체조를 하고 저녁 작업에 돌입합니다. 굳이 '돌입'한다는 말을 쓰는 건 그때까지만 해도 하루 평균량인 '30~35매' 중 '10~12매' 정도밖에 못 썼기 때문입니다. 하루 쓸 양을 그때까지 하루 종일 생각해서 다 다져놓았고, 밤 작업을 통해 다 써야 하니까 '돌입'하는 기분이 드는 것입니다. 하루 일은 새벽 2시쯤에 끝납니다. 글이 잘 안 풀릴 때는 3시가 되기도 합니다. 그러나 기상은 언제나 6시입니다. 부족한 잠은 낮잠으로 보충합니다. 일요일도 없고, 그 습관은 글을 안 쓸 때도 꼭 6시에 몸을 일으키게 합니다.

낮잠 습관도 고질병이 되어 여행하면서 2,3일 낮잠을 못 자게 되면 금세 입술이 부르튼니다. 그리고 만성피로에 전 몸의 요구로 토막잠을 자는 것도 또한 고질병적 습관이 되었습니다. 틈만 나면 조는 저를 보고 '저런 사람이 어떻게 대하소설을 썼나' 하실 분도 계실지 모릅니다.

"할아버지는 잘라고 깨셨어요!"

손자 재면이가 여덟 살 무렵 쩅 하게 던진 힐책이었습니다. 할머니와 셋이 게임을 하다가 할아버지가 졸았기 때문입니다(제가 왜 국회의원 안 하는지 아십니까. 텔레비전에 만날 조는 모습만 나올 텐데요 뭘).

그런데 『한강』을 쓴 다음부터는 취침시간을 훨씬 앞당겼습니다. 더는 대하소설을 쓰지 않기로 해서만이 아닙니다. 나이 들수록 자정을 넘겨서는 안 된다는 전문가들의 진단을 따르기로 한 것입니다. 그리고 나이에 걸맞게 하루 집필량도 그 전의 절반인 15매 정도로 줄이기로 했습니다.

많은 분들은 제가 이렇게 살아온 것을 믿기 어려워하고, 이해하기 어려워합니다. 무슨 재미로 사느냐고 하기도 합니다. 저는 또 그냥 웃습니다.

"제가 가장 불행할 때가 아무것도 하는 일 없이 이 사람 저 사람에 얽혀 하루를 없애고 집으로 돌아올 때고, 가장 행복할 때가 글을 쓰고 있을 때입니다."

이렇게 대답하면 더 이상하게 생각할 것이기 때문입니다.

◐ 아드님이 장가가는 날, 예식장 앞에 세워둔 메모판에 이렇게 적으셨다고 들었습니다. '인생이란 연습도 재공연도 할 수 없는 단 1회의 연극이다.' 문학을 꿈꾸든, 문학을 꿈꾸지 않든 이 시대의 젊은이들에게 들려주고 싶은 말씀을 부탁드립니다.

최명진 • 부산대

◉ 그 한마디는 아들에게 준 것이기 이전에 제가 제자신에게 실천케 한 경구였습니다.

'남보다 5분 먼저 행동하라.'

이 삶의 태도를 제가 제자신에게 일깨운 것은 고등학교 3학년 때였습니다. 그건 무슨 깨달음이 남달리 커서가 아니라 생활 속에서 겪은 바의 결론이었습니다.

저는 서울살이가 시작된 고등학교 1학년 때부터 대학을 졸업하고 군대에 갈 때까지 7년 동안 물지게를 져야 했습니다. 무작정 상경한 가난한 사람들이 몰려든 성북동 골짜기 산동네에는 수도가 없었기 때문입니다. 수도는 삼선교 언저리까지만 겨우 설치되어 있었습니다.

물지게 지기는 사시사철 힘겨웠습니다. 물 무게라는 것이 돌덩이 무게였으니까요. 그러나 그것보다 더 힘겨운 것은 물 길어오는 거리가 너무 먼 것이었습니다. 물이 가득 찬 물통 두 개가 매달린 물지게를 지고 그 무게를 지탱하느라고 목을 있는 대로 다 빼고 낑낑거리며 걷는 모습은 사람의 모습이기 어렵습니다. 짐을 가득 실은 수레를 끄느라고 앞으로 빠질 대로 다 빠진 목이 뻣뻣이 굳어진 채로 끈끈한 침을 질질 흘리며 걷는 황소의 모습과 다를 것이 없습니다.

2년 반을 형과 함께 우물을 찾아 사방을 헤맸습니다. 처음에는 귀하지 않았던 물이, 하루가 다르게 성북동 골짜기마다 사람들이 몰려들게 되자 물이 바닥을 드러내게 된 것입니다. 힘겨움은 엎친 데 덮치고 있었습니다.

그러다가 수도가 성북국민학교 앞까지 가까스로 올라왔습니다. '가까스로'라고 하는 건 두 가지 이유 때문입니다. 하나는 그게 유일한 공중수도였던 것입니다. 다른 하나는 그마저 물이 언제나 콸콸 나오는 것이 아니라 시간제로 질질거렸고, 그 시간도 일정하지 않고 제멋대로였습니다. 요즈음 젊은 세대들로서는 상상할 수 없는 원시시대이고, 가난한 시대의 이야기입니다.

그 수도에서 물이 가장 잘 쏟아질 때가 새벽이었습니다. 줄 서서 기다리지 않고 물을 빨리 받으려면 날마다 새벽에 일어나야만 합니다. 그러지 않고 해가 떠오를 무렵에(그것도 늦게 일어난 것이 아닌데) 집을 나서면 공중수도 앞에는 두 개씩 한 쌍을 이룬 물통들이 2, 30개씩 줄을 서 있는 것입니다. 그리 되면 물을 받는 데만 30분이 넘게 걸립니다. 그리고 재수가 없으면 물이 중간쯤에서 끊기고 맙니다.

그러니 방법은 하나, 새벽잠을 자지 말아야 합니다. 그러나 특히 겨울에, 연탄을 때서 외풍 센 방의 이불 속은 그 얼마나 따스하고 아늑합니까. 그리고 가물가물, 아슴아슴한 새벽잠의 맛은 또 얼마나 달콤합니까. 그 이불 속을 벗어나기란 참으로 어렵습니다.

그러나 저는 어머니가 두 번 깨우기 전에 이불을 박차고 일어나고는 했습니다. 추위 속에 서 있는 어머니를 더 춥게 해서는 안 되었고, 5분 늦게 일어나 수도 앞에서 10분이고 20분이고 기다리는 짓을 하고 싶지 않았기 때문입니다.

저는 공중수도의 할아버지와 언제나 첫 번째로 인사하는 사람이었습니다. 달빛 비치는 적막한 눈길을 물지게를 지고 걷는 고적감을 아십니까. 그 힘겨움을 이겨내며 제가 정리한 생각은 두 가지입니다.

'남보다 5분 먼저 행동하라.'

'단 한 번 살다 가는 인생을 치열하게 살 수도 있고 우물쭈물 살 수도 있다.'

저는 물지게질을 하면서 얻은 이 두 가지 경구를 제 가슴 벽에 깊이 새겼고, 평생 어긴 일이 없습니다. 그래서 무슨 일이나 초과달성을 하게 된 것인지도 모릅니다.

아침에 물지게질 두 행보를 하고 나면 하루 쓸 기운이 다 빠져버립니다. 형이 군대에 가자 그 일은 제 독차지가 되어 더욱 힘들어졌습니다. 지금 구부정해진 허리는 물지게를 져서 절반, 평생 글을 쓰느라고 절반, 그리 되었습니다.

주색잡기 하지 마라

"주색잡기 하지 마라!"

이건 '천천히 꼭꼭 씹어 먹어라' 하는 것과 함께 제 아버지의 2대 가르침이었습니다.

물론 그 말은 전혀 새로울 것이 없습니다. '주색잡기'는 '패가망신'과 한쌍을 이루며 오랜 옛날부터 사회의 교훈으로 내려온 것이었습니다. 그 가르침 그대로 '주색잡기'를 하면 반드시 패가망신이 뒤따르는 것이 철칙이었습니다. 그러나 만인이 공유할 수 있는 황금 같은 교훈이 있으면 뭐 합니까. 엄히 가르치는 사람과 순순히 따르는 자가 없으면 아무리 좋은 교훈도 그 생명을 잃습니다.

제 아버지는 자식들을 쉽게 칭찬한 일도 없었지만 무슨 실수를 해도 심하게 꾸중하는 일도 없었습니다. 그리고 무엇을 가르치려 하지 않고 당신이 생활 속에서 행동으로 보이려고 했습니다. 그래서 자식들이 짐짓 깨닫고 바르게 따르기를 기다렸습니다. 그 관대함과 너그러움을 그대로 배워 자식 교육에 활용하고 있는 저를 뒤늦게 발견하고는 합니다. 아버지는 제 속에 그렇게 살아 계셨습니다. 육신은 가되 영혼은 살아 있다는 것은 바로 그런 것을 가리키는 것이 아닌가 합니다.

그런데 아버지는 '주색잡기 하지 말라'는 가르침만은 네 아들을 향해 수없이 강조하고 주입시켰습니다. 주변에 첩질을 하는 사람이 생길 때마다, 노름으로 집안 거덜내는 사람이 생길 때마다, 술로 중병 걸린 사람이 생길 때마다, 아버지는 정색을 하고 주색잡기 폐해를 역설했습니다.

아버지의 그 교육은 100퍼센트 성공을 거두었습니다. 아들 넷이 지금까지 주색잡기의 그늘에도 가지 않았으니까요(아버지는 돌아가신 다음에야 네 며느리한테 지극한 칭송을 받고 계십니다. 그러나 남편들은 기분이 떨떠름합니다. 스승이 아무리 좋아도 제자들이 전부 우수하게 되는 건 아니니까요).

잡기는 노름만이 아닙니다. 바둑도, 골프도, 사람의 정신을 현혹해 그 짓이 버릇이 되고, 인이 박여 끝내는 인생을 망치게 만들면 그게 다 못된 잡기입니다. 그러나 잡기라고 해서 무작정 못하게 막을 수는 없습니다. 늦바람 밤새는 줄 모르더라고, 늦게 접하면 더 심하게 빠져들

수도 있기 때문입니다. 젊은 날 고루 접해보고 그것이 나쁘다는 것을 스스로 깨달아야 합니다.

저는 대학교 때 화투도, 당구도, 바둑도, 술도 다 접해보았습니다. 그러나 화투·당구·바둑은 똑같은 이유로 바로 손을 뗐습니다. 방금 전까지 문학이 어떻고, 인생이 어떻고, 우정이 어떻고 했던 친구들이 그 잡기가 시작되면 돈을 따려고, 서로 이기려고 눈에 불을 켜며 전혀 딴사람이 되어버리는 것이었습니다. 그리고 다투면서 보내는 시간이 너무 아까웠습니다. 그런 깨달음 뒤에서 아버지의 '주색잡기 하지 마라'는 엄한 음성이 메아리 쳐 들려오고 있었습니다.

저는 대학 시절에 마음을 정리한 이후 평생토록 그 세 가지에 손을 댄 적이 없습니다. 그나마 오래 지속된 것이 술입니다. 술은 대인관계를 엮어주고, 긴장을 완화하는 효과를 주기 때문이었습니다. 그러나 과음을 해서 실수한 일은 서너 번에 지나지 않고, 긴 소설 쓰느라고 20년을 술을 안 마시다 보니 지금은 자연스럽게 술을 끊은 상태가 되었습니다.

노름바둑에 문학 인생을 망쳐버린 문인이 여러 명 있습니다. 저는 그들을 도저히 이해할 수가 없습니다. 그들은 저를 도저히 이해하지 못할지도 모릅니다. 예, 인생이야말로 스스로 경작하고, 스스로 운영하는 것이니까요. 그 자유는 무한한 동시에 무한한 책임도 요구합니다.

똑같은 이유로 저는 골프도 손대지 않았습니다. 20여 년 전부터 여기저기서 유혹이 많았습니다. 그러나 대학 시절에 이미 깨달은 바로 충분하지 새 종류라고 해서 다시 겪어볼 필요는 없는 것 아닙니까. 골프야말로 돈도 많이 들고, 시간도 많이 잡아먹는 운동 아닙니까. 그럴 돈이 있으면 봉사단체에 기부하겠고, 그 시간에 좋은 책을 읽기도 바쁩니다. 그리고 산책은 골프를 능가하는 더없이 좋은 운동입니다. 산책은 가장 자연스럽고 부드러운 전신운동입니다. 따라서 신진대사를 촉진해 비만을 예방하고, 각종 스트레스를 해소시켜 전신에 활력을 불어넣습니다. 그리고 걸음을 옮겨놓을 때마다 뇌 신경을 자극해 사고를 깊게 하게 할 뿐 아니라 노인에게는 치매 예방의 특효약입니다.

저금통의 교훈

초등학교 6학년 저희 반에 목수 아들이 있었습니다. 저는 그 애를 살살 꼬드겼습니다. 썰매를 만들기 위해서였습니다. 그러나, 연장을 만지면 아버지한테 죽도록 혼난다며 그 애는 말을 듣지 않았습니다. 그렇지만 겨울방학 숙제인 글짓기를 해주기로 하고, 그림도 그려주기로 하고……, 저의 공세에 그 아이는 결국 넘어가고 말았습니다. 그 애 아버지가 광주로 며칠 일을 보러 가는 동안에 우리는 썰매를 만들기 시작했습니다. 그 디자인은 물론 제가 했습니다. 디자인은 무슨 디자인, 왜 그리 과장이 심하냐고요? 아닙니다. 어떻게 해야 잘 나갈 수 있나, 어떻게 해야 앉기가 편할까, 밑에는 가는 철사가 아니라 학교의 유리창문 아래 까는 굵은 쇠줄을 붙이려면 판자 두께가 얼마여야 할까, 긴 썰매 꼬챙이 두 개를 꿰서 편하게 둘러메려면 첫 번째와 두 번째 판자 사이를 몇 센티미터쯤 떼야 할 것인가. 이런 것들을 다 궁리해 냈으니 이게 디자인이 아니고 무엇입니까.

특히 제가 썰매를 꼬챙이에 꿰서 편케 둘러메고 다니는 것을 보고 다른 아이들은 모두 감탄하고 부러워했습니다. 그들은 모두 썰매를 들고 다니느라 번거로웠고 힘들었으니까요.

그때 저는 썰매만 만든 것이 아니었습니다. 내친김에 저금통도 하나 만들었습니다. 직육면체의 저금통도 물론 제가 디자인한 것이었습니다. 돈을 넣는 면을 45도 각도로 비스듬하게 하고 싶었지만 목수 아들도 대패질을 할 줄 몰라 수평으로 붙일 수밖에 없었습니다.

그것을 책상 앞 벽면에 떡하니 걸었습니다. 찌든 가난에 저금할 돈이 어디 있다고 그런 짓을 했는지 가당찮고 하품 나오는 일이 아닐 수 없었습니다. 그러나 족보를 만든다고 문중 어른들이 왔다 가고, 직장 다니는 외사촌 형이 왔다 가고, 아버지의 옛 절 제자들이 왔다 가고 하면서 저금통에는 돈이 들어가기 시작했습니다. 용돈을 받을 때마다 굵은 설탕 묻힌 눈깔사탕이 눈앞에 어른거리며 어금니에서 신 침이 지르르 흐르고, 쇠권총에 넣거나 그냥 돌로 쳐서 터트리는 빨간 종이의 화약이 사고 싶어 마음이 흔들리고는 했습니다. 그러나 저는 눈을 질끈 감으며 돈을 저금통에 넣고는 했습니다.

그리고 1년이 지나 중학교에 가게 되었을 때 그 저금통을 열었습니다.

'아니 이게 어찌 된 일입니까!'

저는 소스라칠 만큼 놀랐습니다. 식구들도 모두 놀랐습니다.

저금통에서는 제가 생각했던 것보다 훨씬 많은 돈이 쏟아졌던 것입니다.

'돈은 안 쓰면 모아진다!'

돈을 간추리며 한 생각이었습니다. 그리고 그 생각은 지워지지 않고 언제나 제 마음의 중심에 살아 있었습니다.

그로부터 45년쯤 지난 10여 년 전에 미국의 세계적인 갑부가 우리나라에 와서, 부자 되는 비결에 대한 기자들의 질문에 대답했습니다.

"절대불변의 한 가지 방법이 있습니다. 돈을 안 쓰면 됩니다."

저는 텔레비전을 보면서 웃었습니다. 그건 제가 초등학교 때 느꼈던 것이고, 저는 평생 그렇게 해오고 있었기 때문입니다.

고구마 캐기

피난지에서 먼 장터길을 오가던 어느 날이었습니다. 해질녘이라 초가을 바람은 스산했고 배는 무척 고팠습니다.

"배고프지야?"

오래도록 말없이 걷던 아버지가 물었습니다.

"……"

저는 대답할 기운도 없었습니다.

"그래, 배가 고프면 저 고구마밭에 가서 말을 해봐라. 고구마를 한 두렁씩 캐줄 테니 고구마를 하나씩 달라고."

저는 지체 없이 고구마를 캐고 있는 밭으로 걸음을 옮겼습니다. 저는 그런 심부름을 하려고 아버지를 따라다니는 것이었고, 저도 아버지 말대로 해서 고구마를 하나 얻어먹고 싶었기 때문입니다.

"고구마 안 캐줘도 괜찮아요. 그냥 하나씩 맛보세요."

고구마밭 주인이 뒤따라온 아버지에게 말했습니다.

"아닙니다. 말씀은 고맙습니다만, 어려서부터 거저 얻어먹어 버릇하면 안 되는 일이라 그렇습니다. 고구마를 한 두렁씩 캐게 해주시지요."

그래서 아버지와 저는 고구마 두 두렁을 캐고, 고구마 두 개를 얻었습니다.

밭에 있던 가마니에 쓱쓱 문질러 고구마를 먹기 시작하며 다시 걸음을 떼어놓았습니다. 햇고구마의 사각거리면서 달착지근한 맛이 얼마나 꿀맛이던지요. 저는 이따금 생고구마를 먹을 때마다 자동화면처럼 그때를 보곤 합니다. 그리고 아버지의 그 말씀이 언제나 생생히 살아 있어 요행수를 바라거나 공짜를 바란 일이 없었습니다. 지금까지 복권을 한 번도 산 일이 없고, 주식이라는 것도 한 번도 해본 적이 없습니다.

아들도 나처럼……

저는 문학을 하면서 잘살기를 바라지도 않았고, 잘살 자신도 없었습니다. 그래서 아내와 저는 자식은 '하나만' 낳기로 쉽게 결의(?)했습니다.

그러나 그것은 아들에게 무척 미안한, 부모의 일방통행이었습니다. 아들은 혼자 크느라고 많이 외로워야 했습니다. 그리고 저희 부부가 문학에 전념하기 위한 생활 기반을 빨리 잡으려고 맞벌이를 하다 보니 본의 아니게 혼자 더 외롭게 둔 결과가 되었습니다. 또한 아들이 초등학교 3학년 때부터 20년 동안, 저는 긴 소설을 연달아 쓰느라고 정답고 살가운 아버지 노릇을 한 번도 하지 못했습니다. 아들은 아빠 글 쓰는 데 방해가 될까 봐 친구를 한 번도 집에 데려오지 못할 지경이었습니다.

이런저런 것을 되짚어 생각하면 아들에게 지은 죄가 너무 많아 미안하기 짝이 없습니다. 제 인생에서 가장 회한이 큰 것이 그 점입니다. 그래서 제 아들은 자식들에게 그런 아버지가 안 되도록 도와주려고 애쓰고 있습니다. 그게 저의 미안함을 다소나마 더는 길이니까요.

아들이 둘째를 낳았을 때 제가 그렇게 기뻐했던 것은 혼자 남겨두고 갈 아들을 양 옆에서 지켜줄 두 기둥이 생겼기 때문이었습니다. 이런 제 심정을 아들이 아는지 모르겠습니다.

제가 아버지의 삶을 지켜보면서 삶의 여러 가지 가르침을 배웠듯 제 아들도 저의 삶을 보면서 이런저런 것들을 배우기를 바라고 있습니다. 그런 마음을 종합적으로 담은 것이 예식장 앞에 세운 메모판에 쓴 한 문장입니다.

젊은이들에게도 따로 할 얘기가 뭐 있겠습니까. 지금까지도 얘기를 너무 많이 했는지도 모릅니다. 이 책에 털어놓은 얘기들이 전부 다 젊은이의 삶에 도움이 되기를 바라지만, 그건 지나친 욕심이고, 몇 가지나마 발판이 되고 지팡이가 될 수 있다면 더 바랄 것이 없겠습니다.

이 세상에 고달프지 않은 삶은 없습니다. 그러나 인생은 한바탕 살아볼 만한 연극입니다. 그 연극의 주인공은 자기 자신 아닙니까. 그 일이 무엇이든 자기가 성실한 노력을, 최선을 다해 바쳐 이룬 인생은 이 세상에서 가장 아름다운 꽃입니다.

지난 60년 동안 우리 사회는 너무 출세에 급급한, 너무 돈 많이 벌겠다는 생각에 급급한, 너무 편한 자리에 급급한 직업들을 찾아 혈안이 되어 허둥거렸습니다. 그러다 보니 판사·검사·변호사·의사·행정고시·외무고시 하는 식의 풍조가 사회를 주도했고, 우리 삶의 천박성은 극에 달하게 되었습니다. 이제는 그런 졸렬함과 유치함에서 벗어나야 할 때입니다.

젊은이 여러분, 그런 못된 사회 풍조에 휩쓸리지 말고 자기가 가장 하고 싶은 일, 자기의 개성에 가장 잘 맞는 일, 스스로 행복을 느낄 수 있는 일을 찾아 직업으로 삼으십시오. 그러면 성적 순에 급급하지 않아도 되고, 억지 공부에 떠밀리지 않아도 됩니다.

행복이 무엇이냐는 질문을 가끔 받습니다. 불행을 느끼지 않을 때가 바로 행복한 때라고 대답합니다. 그러고 보면 인생은 불행할 때보다 행복할 때가 훨씬 더 많습니다. 그러나 우리 인간의 탐욕은 늘 저 먼 데를 보고 있어서 바로 눈앞에 있는 행복을 못 보는 것입니다.

한국 문학이 민족문학이나 민중문학 성격이 짙어 노벨 문학상을 탈 수 없다는 의견이 있습니다. 또, 독자들에 의해 선생님도 노벨상 수상 후보로 거론되고 있습니다. 어떻게 생각하시는지요?

황의영 • 고려대 국어국문학과

● '찬물도 상이라면 좋다.'

인간의 심리를 꿰뚫은 또 하나의 명 속담입니다. 그리 좋은 것이라서 그런지 우리나라 사람들은 노벨상이라면 허겁지겁 정신을 못 차립니다. 그건 우리들의 골수에 박힌 열등감이 불러일으킨 세계화의 병과 함께 치유 불가능한 중증 정신병이 아닌가 합니다.

그러나 우리가 분명히 알아두어야 할 사실들이 있습니다. 첫째, 노벨상이란 우리가 그렇게 세계 최고라고 꼽는 것처럼 다른 나라도 그렇게 여기는 상이 아니며, 둘째, 그 상은 세계에서 정치성이 가장 강한 상으로 이미 소문나 있으며, 셋째, 백인우월주의에 뿌리를 두되 그것을 희석하고 세계성과 공평성을 확보하기 위해 가끔 흑인과 황인종을 끼워넣으며, 넷째, 명료한 객관적 심사 기준이 없이 그때그때의 국제 상황에 민감하게 반응한다는 사실입니다.

그러니 귀하가 질문한 사실은 한국의 어느 평론가가 '우리도 어서 그들의 비위를 맞추는 글을 쓰자'는 뜻으로 쓴 글일 것입니다. 저도 그런 식의 글을 두어 번 본 일이 있습니다. 다 부질없는 소리고 허황한 잠꼬대지요. 2년 전엔가 상을 탄 오르한 파묵의 작품이야말로 '민족적'이었으니까요.

지식인의 그런 부화뇌동과 함께 매스컴의 과잉 보도도 너무 광적입니다. 우리나라 사람이 상을 타는 것도 아닌데 해마다 그렇게 요란하게 보도하는 나라는 대한민국밖에 없다고 합니다. 매스컴이 그러니 국민 모두가 노벨상을 무슨 우상처럼 떠받들게 될 수밖에요.

"상은 주는 것이 아니라 뺏는 것이다"

제가 후보로 거론되는 것을 어떻게 생각하느냐고요? 예, 저는 이미 노벨 문학상을 두 번 탔습니다. 15년쯤 전에 어느 시민단체에서 '조정래가 노벨 문학상을 타게 해야 한다'며 서명운동을 벌였습니다. 저는 너무 놀라 절대 그 일을 하지 못하게 막았습니다. 그렇게 한다고 노벨상을 탈 수 있는 일이 아니고, 괜한 구설수에나 오를 일이었고, 제 자존심이 허락하는 일이 아니었기 때문입니다. 그러나 그들은 제 말을 듣지 않았습니다. 그렇지만 그 결과는 제가 예상했던 그대로 이런저런 구설수 속에 흐지부지되고 말았습니다.

그리고 4, 5년 전에 어느 온라인 서점과 포털사이트에서 6만여 명을 대상으로 여론조사를 했는데, 그들은 노벨 문학상 후보로 저를 뽑았습니다.

이랬으면 노벨상 탄 것이나 마찬가지 아닙니까. 그거 꼭 손에 쥐어야 맛입니까.

이 기회에 한마디 합니다.

노벨상은 한국 문학의 목적이 아닙니다. 따라서 조정래 문학의 목적도 아닙니다. 우리, 이제 그만 촌스러웠으면 좋겠습니다. 그러니 국민께서도 노벨상에 너무 급급하지 마시기 바랍니다. 우리는 너무나 세계적인 것 좋아하고, 세계적인 것에 정신이 팔려 있습니다. 그건 참 유치하고 창피스러운 일입니다.

노벨상의 한 가지 매력은 상금이 15억 원 정도고, 매해 국제 금리 만큼씩 올라간다는 점입니다. 결코 그런 일이 없겠지만, 만약 소나기 오듯 제게 노벨상이 돌아온다면 그 상금을 서너 개의 시민단체에 고루 기부하겠습니다.

소설가 손소희 선생이 생전에 남긴 유명한 말이 있습니다.

"상은 주는 것이 아니라 뺏는 것이다."

● 선생님께서 1977년에 발표하신 「어떤 솔거의 죽음」이란 단편소설을 인상 깊게 읽었습니다. '솔거'는 요즘 불고 있는 '바보주의'를 나타내는 인물 중 하나가 아닌가 하는 생각이 듭니다. 선생님께서는 이런 '바보 같은 삶'에 대해 어떤 생각을 갖고 계신지요? 앞으로 '바보의 삶'을 주제로 더 긴 이야기를 펴내실 의향은 없으십니까?

박혜경 · 경희대 행정학과

●　이 소설은 시대 상황과 직결되어 있습니다. 1970년대 중반이 어떤 시대인지 아십니까. '유신시대'였습니다. 그 시대가 어떤 시대인지는 앞에서 말했습니다.

　그런 시대에 가장 민감했던 것이 작가층이 아니었을까 합니다. 문학의 정신은 비판이고, 거기에 충실한 글쓰기를 하게 되면 자신의 글이 자신의 심장을 겨누는 칼이 되기 때문입니다.

　'무엇을 써야 하나……'

　작가들은 제각기 이 고민을 안고 애꿎은 술만 마셔댔습니다.

　저는 이미 2, 3년 전에 '20년을 비가 내리는 땅'이라는 제목 때문에 '중정 공포'에 시달린 경험을 가지고 있었습니다. 그러니 더욱 가중되는 억압 아래서 이것 자르고, 저것 지우고 하다 보면 작품 쓸 소재가 없어져버리곤 했습니다.

　잡지에 발표하는 작품은 이상하게 맥없고 시시한 이야기뿐이었습니다. 어떤 작가는 느닷없이 동화를 써내기도 했습니다. 그건 눈치 빠른 피신이었습니다.

저는 고민 끝에 「어떤 솔거의 죽음」을 쓰기로 한 것입니다. 그 전설 같은 화가의 이야기는 물론 제가 꾸며낸 것이었고, 그건 어떤 정치적 상황 아래에서나 작가가 갖춰야 할 창작의 태도에 대해서 쓴 것입니다.

그건 제 스스로에게 내린 경고였고, 세상을 향한 제 다짐이었고, 그리고 독자에게 예술가의 올바른 길이 무엇인지 보이고자 했던 것입니다. 그 길을 지키지 않고서는 진실한 작품이란 써낼 수 없기 때문입니다.

진실을 지키고, 진실을 찾아가는 삶이란 현실적으로는 언제나 힘겹고 고달프며 손해보는 삶입니다. 그러나 그 우직스러움, 그 바보스러움이 세상을 변화시키고 역사를 바꾸어왔습니다. 그 바보 같은 삶은 아무나 살 수 있는 것은 아닐 것입니다. 순결한 영혼과 진정한 양심을 가진 사람만이 그 삶을 선택할 수 있을 뿐입니다.

저는 「어떤 솔거의 죽음」을 쓰고 나서 몇 년이 지나 『태백산맥』 앞에 서야 했습니다.

● 몇 년 전 인터뷰에서 동화를 쓰겠다고 밝히신 글을 보았습니다. 2007년 출간된 손자 세대를 위한 위인전도 재미있게 읽었습니다. 현재 구상 중에 있는 동화가 있다면 새 작품에 대한 이야기도 좀 듣고 싶습니다.

민경원 · 한양대 중어중문학과

위인전 시리즈는 두 손자가 글 읽는 나이가 되어서 글쓰는 할아버지로서 마련한 선물입니다. 그건 아들에게 하지 못했던 선물을 대신한 것이기도 합니다.

동화를 쓰기 전에 먼저 위인전을 선택한 이유는, 위인전을 읽으면 두 가지 중요한 효과를 동시에 얻을 수 있기 때문입니다. 첫째, 고난에 찬 민족사를 자연스럽게 이해하게 됩니다. 둘째, 위인들의 숭고한 희생정신과 가치 있는 삶을 배우게 됩니다.

인생관과 세계관의 싹이 트기 시작하는 청소년기에 위인전은 그 가치 형성에 지대한 영향을 미칩니다. 그러므로 세계 어느 나라에서나 청소년들에게 위인전을 읽히는 것은 공통된 교육의 하나입니다. 저는 손자들에게 말로 다하기 어려운 참된 사람의 길을 가르쳐주기 위해서 위인전 시리즈를 쓴 것입니다.

저는 앞으로 10년 동안의 글쓰기 계획을 세워두었습니다. 장편소설 한 다섯 편 정도, 단편소설 한 스무 편 정도, 동화 한 다섯 편 정도입니다. 아니, 나이가 몇 살인데 그런 엄청난 계획을 세우느냐구요? 그거 그다지 과한 계획이 아닙니다. 성인병 아무것도 없겠다, 식생활에서부터 운동까지 규칙적으로 하겠다, 글쓰는 일밖에 다른 일은 할 것이 없겠다, 그것도 겸손하게 짠 계획입니다. 하다 보면 또 제 신명에 겨워 더 하게 될지도 모릅니다.

글쓰기 계획을 세우는 것은 40년 전이나 지금이나 먼 나라 여행 계획을 세우는 것처럼 가슴 두근거리는 일입니다. 먼 나라 여행이 미지의 세계에 대한 설레임이듯이 새로 쓸 작품에 대한 설레임도 언제나 새롭습니다. 온갖 고난을 무릅쓰면서도 굳세게 새로운 도전에 나서는 것이 탐험가의 생명력이듯이 새로운 작품을 향하여 새로운 설레임으로 펜을 드는 것, 그것이 작가의 생명력일 것입니다.

"작가는 여든의 나이에도 소년의 마음을 지녀야 한다."

괴테의 말입니다.

그런 마음으로 저는 앞으로 쓸 작품들의 자료를 차근차근 모아나가고 있습니다. 그리고 이 글이 끝나면 바로 다음 장편소설의 취재를 본격적으로 시작하게 됩니다.

작품 내용은 작품이 발표될 때마다 보십시오. 앞으로 쓸 소설의 내용을 말로 미리 듣는 것처럼 시시하고 싱거운 일도 없으니까요.

● 손자까지 두신 줄 압니다. 어떤 남편, 어떤 아버지, 어떤 시아버지, 어떤 할아버지
신지요. 궁금합니다.

김민석 · 충남대

● 　예, 그야 두말할 것 없이 이 세상에 둘도 없는 최고의 남편, 최고의
아버지, 최고의 시아버지, 최고의 할아버지이지요. 허허허, 아닙니
다. 그건 저의 희망사항일 뿐이고 그 어느 것 하나 '최고'가 되지 못했
습니다.
　아무것도 보잘것없는 저와 인생살이를 하면서 고생고생 많이 했으
면서도 그것을 고생이라 생각하지 않는 아내가 고맙고 눈물겨워 끝없
이 한없이 잘하다가도(이건 김초혜가 인정하는 바임) 어느 순간 느닷없이
소리를 질러 99점을 빵점으로 만들어버리는 바보입니다. '제발 그 소
리만 지르지 않으면 100점'이라고 아내는 말하지만, 아무리 노력해도
고쳐지지 않습니다. 그래서 어느 철학자 왈, "이 세상에 완벽한 사람
은 하나도 없다" 한 것 아니겠습니까.
　저는 최고의 아버지는 아예 기대하지 않습니다. 저는 자식이 하나
뿐이기에 더욱 엄하게 키우려 했고, 그게 아들에게는 많은 불만 요인
이 되었다는 것을 잘 압니다.

최고의 시아버지? 그것도 일찍이 포기했습니다. 최고의 시아버지로 인기를 얻고 싶었으면 『태백산맥』을 베끼라고 하지 말았어야지요.

최고의 할아버지? 그건 자신 있다고 생각했습니다. 제 가슴 속에서 폭포수처럼 쏟아져 내리는 사랑을 아낌없이 손자들에게 주었으니까요. 손자를 만날 때마다 업어주기를 자청해서 허리가 아파 꼼짝을 못할 지경이 된 것이 어디 한두 번이었습니까(아니 어찌 그리 업어주고 싶은 것인지. '내 마음 나도 모른다'는 게 바로 그런 경우일 것입니다). 그러나 그런 헌신과 희생을 바쳐도 저는 최고의 할아버지가 되지 못했습니다. 제 옆에는 강력한 경쟁자가 있었으니까요. 그 사람은 바로 '할머니 김초혜'였습니다. 제가 아무리 잘해줘봤자 두 손자는 저를 제쳐놓고 당연스럽게 '할머니 최고'로 엄지손가락을 세웁니다.

그 이유는 자명합니다. 저는 가끔씩 "안 돼, 안 돼" 하는 말을 하지만, 아내는 절대 그 말을 하는 법이 없습니다. 저는 게임을 하다 꾸벅꾸벅 졸지만, 아내는 절대 그런 일 없이 열심히 상대를 해줄 뿐만 아니라, 더 재미있게 개발까지 합니다. 그러니 저는 최고 할아버지가 아니라 '꼴찌 할아버지'입니다. 둘이 뜀박질을 해서 2등을 하면 그게 뭐지요?

그러고 보니 저는 가족적 위상이 영 보잘것이 없습니다. 좀 울적한 기분이 없지 않지만 아내가 자식과 손자들 앞에서 하는 이 말로 위안을 삼고자 합니다.

"아버지는 자기 자신에게 가장 엄한 사람이다."

"이 세상에서 가장 강한 사람은 자기와의 싸움에서 이긴 사람이다, 할아버지처럼."

● 대하소설을 세 편이나 쓰셨고, 그 수고를 격려하듯 『아리랑』과 『태백산맥』 두 개의 문학관이 생겼습니다. 살아생전에 문학관이 두 개씩이나 세워진 것은 선생님이 최초이신데요, 감회가 어떠신지요?

노민영 · 한국외대

● 예, 국민의 세금으로 지어진 것이니 그저 황송하고 고마울 따름입니다. 작가가 이 세상을 떠난 다음 문학관을 갖기도 쉬운 일이 아닌데 저는 살아생전에 두 개씩이나 세워졌으니 이보다 더 큰 영광과 보람은 없을 것입니다. 이 모든 것을 애독자 여러분께서 만들어주신 것이니 깊이 머리 숙여 감사를 드립니다.

모든 수사기관이 내사를 하고서도 대검찰청에서 사건화를 포기했을 때 저는 '독자의 힘'이 무엇인지 최초로 실감할 수 있었습니다. 그 전까지만 해도 독자는 저 먼 거리에 있는 피상적인 존재였을 뿐입니다.

그다음, 고발을 당하고 수사를 거부하는 데도 경찰에서 강제구인을 못하는 것을 보고 '독자의 힘'이 얼마나 강력한 것인지를 두 번째로 실감할 수 있었습니다.

그리고 전북 김제시에서 『아리랑』 문학비를 세우고, 잇따라 『아리랑』 문학관을 세웠지만 저를 고발한 자들은 그 어떤 반대의 소리도 내지 못했습니다. 그때 세 번째로 '독자의 힘'을 실감했습니다.

그런 다음 몇 년이 지나 『태백산맥』에 무혐의 결정이 내려졌습니다. 그것이야말로 '독자의 힘'이 얼마나 위대한 것인지를 보여준 네 번째 실감이었습니다.

그리고 그 숱한 말썽을 겪어온 『태백산맥』에 대해서도 문학관이 세워졌습니다. 그 개관식은 '독자의 힘'을 다섯 번째 느끼는 현장이었고, 저는 감격에 젖어 독자 여러분께 감사의 인사를 드렸습니다.

저에게 두 개의 문학관은 너무 과분합니다. 저는 이 땅에 태어난 행운과 문학을 한 보람을 함께 느낍니다. 지금까지는 글쓰기가 너무 바빠 틈을 내지 못했습니다만, 앞으로는 좀 쉬엄쉬엄 하며 여유를 찾아 두 곳에 며칠씩 머물도록 할 것입니다. 김제에서 한 사흘, 벌교에서 한 사흘 머물며 문학관에서 독자들을 만나는 시간을 가지려 합니다. 그것이 독자들에 대한 최소한의 은혜 갚음이 될 것 같고, 또한 생존 작가의 문학관을 만든 의미도 될 것 같기 때문입니다. 앞으로 많은 분을 그 두 곳에서 만날 수 있기를 바랍니다.

● 선생님의 문학 세계에서는 한반도 분단 문제, 좌우 갈등 등 민족문학의 세계를 다뤄오셨습니다. 언젠가 통일 후를 다룬 '통일문학 작품'을 쓰고 싶다는 말씀을 하셨는데, 통일문학에서는 어떤 주제를 다루실 건가요?

조혜민 • 명지대 영어영문학과

●   저는 살아생전에 우리 민족의 통일이 평화롭게 이루어지기를 간절히 바랍니다. 그날이 오면 그때 제 나이가 몇 살이든 간에 두 손자 재면이와 재서를 데리고 걷고 걸어서 백두산까지 가려고 합니다. 여든아홉, 아흔의 나이인들 못 가겠습니까. 수경 스님과 문규현 신부님은 그 힘겹고 느린 온몸걸음 오체투지로 천리길을 주파하지 않았습니까. 그렇게 걸으면 어디인들 못 가겠습니까.

그러나 제가 살아생전에 통일을 보기 어려울 것 같은 생각이 자꾸 듭니다. 그래서 어느 적당한 시점에서 분단시대를 바라보는 '통일문학' 작품을 쓰려고 합니다. 지금 그 자료 준비는 다 되어 있습니다. 우리의 통일이 그 언제 이루어지든, 그때는 분단시대를 비판하고 정리하는 통일문학의 시대가 한동안 이어지게 될 것입니다.

그 작품을 아들에게 주어 통일이 되면 출판하게 하고, 아들 대에 안 되면 손자에게 물려주고, 손자 대에 안 되면 증손자에게 물려주게 하렵니다.

제 예상으로는 아무리 늦어도 제 아들 대에는 통일이 이루어지리라 믿습니다. 왜냐하면 6·25를 아는 마지막 세대까지 다 떠나가버리면 분단이라는 인식이 지금보다는 확연히 달라질 것이고, 모든 강물이 결국은 바다에서 만나 하나로 어우러지듯 민족이라는 그 질긴 생명도 끝내는 하나로 뒤엉키게 되는 것이기 때문입니다.

취재를 하게 되면 대개 60퍼센트 정도를 사용하고 나머지는 이런저런 이유 때문에 덮어두게 됩니다. 저는 세 대하소설을 쓰면서 많은 취재를 했고, 쓰지 못하고 남겨둔 자료들이 많습니다. 그 자료들이 '통일문학' 작품에 많이 동원될 것입니다.

제 작품이 미래의 독자에게 별다른 감동을 주지 못할 수도 있습니다. 그러나 분단시대를 살다 간 한 작가의 통일 염원이 얼마나 간절했는가는 보여줄 수 있을 것입니다. 그 느낌이 그들에게 통일조국을 제대로 지키고 이끌어야 한다는 그 어떤 자극과 자각의 계기가 된다면 제 바람은 다 이루어지는 것입니다. 그리고 미래의 작가나 학자들이 책의 기록에서 자료를 얻지 못해 빗나가는 판단을 하거나 엉뚱한 주장을 하지 않도록 약간의 도움은 줄 수 있을 것입니다.

아닙니다. 아무런 역할을 못해도 좋습니다. 저는 작가이기 때문에 힘이 닿는 데까지 쓸 것이고, 글을 쓰다가 책상 위에 엎드려 숨을 거두는 것을 행복이라 생각합니다.

황홀한 글감옥
조정래 작가 생활 사십 년 자전 에세이

초판 3쇄 발행 2009년 9월 30일

지은이 · 조정래
펴낸이 · 표완수
편집인 · 문정우

펴낸곳 · ㈜참언론 시사IN북
출판신고 · 2009년 4월 15일 제 300-2009-40호
주소 · 110-090 서울시 종로구 교북동 11-1 부귀빌딩 6층
주문전화 · 02-3700-3256, 02-3700-3250(마케팅팀), 02-3700-3275(편집부)
주문팩스 · 02-3700-3209
전자우편 · book@sisain.kr
블로그 · book.sisain.co.kr

· 시사IN북은 시사주간지 〈시사IN〉에서 만든 출판 브랜드입니다.
· 이 책은 저작권법에 따라 보호받는 저작물이므로 무단 전재와 무단 복제를 금지하며,
  이 책 내용의 전부 또는 일부를 이용하려면 반드시 저작권자와 시사IN북의 서면동의를 받아야 합니다.
· 이 책에 실린 질문자 이름 가운데 본인이 원하지 않는 경우가 있어 일부는 가명을 사용했음을 밝힙니다.
· 잘못된 책은 바꾸어 드립니다.
· 책값은 뒤표지에 있습니다.

ISBN 978-89-962688-1-9 03810